D1373254

LES HÉRITIERS

d'Enkidiev

TOME 4

Le sanctuaire

DANS LA MÊME COLLECTION

Déjà parus :

Les héritiers d'Enkidiev, tome 1 – Renaissance
Les héritiers d'Enkidiev, tome 2 – Nouveau monde
Les héritiers d'Enkidiev, tome 3 – Les dieux ailés

À paraître bientôt :

Les héritiers d'Enkidiev, tome 5 – Abussos

* * *

À ce jour, Anne Robillard a publié vingt-neuf romans, quatre livres compagnons et une BD. Pour plus de détails sur ces autres parutions, n'hésitez pas à consulter son site officiel :

www.anne-robillard.com

ANNE ROBILLARD

LES HÉRITIERS d'Enkidiev

TOME 4

Le sanctuaire

WELLAN INC.

Catalogage avant publication de Bibliothèque et Archives nationales du Québec et Bibliothèque et Archives Canada

Robillard, Anne

    Les héritiers d'Enkidiev
    Sommaire : t. 4. Le sanctuaire.

      ISBN 978-2-923925-02-8 (v. 4)

      I. Titre. II. Titre: Le sanctuaire.

PS8585.O325H47 2010   C843'.6C2009-942695-1
PS9585.O325H47 2010

WELLAN INC.
C.P. 57067 – Centre Maxi
Longueuil, QC   J4L 4T6
Courriel : info@anne-robillard.com

Couverture et illustration : Jean-Pierre Lapointe
Mise en pages : Claudia Robillard
Révision : Caroline Turgeon

Distribution : Prologue
1650, boul. Lionel-Bertrand
Boisbriand, QC   J7H 1N7
Téléphone : 450-434-0306 / 1-800-363-2864
Télécopieur : 450-434-2627 / 1-800-361-8088

Dépôt légal - Bibliothèque et Archives nationales du Québec, 2011
Dépôt légal - Bibliothèque et Archives Canada, 2011

« Incarne ce que tu enseignes, et n'enseigne que ce que tu incarnes. »
— Dan Millman, *Le Guerrier pacifique*

ENKIDIEV

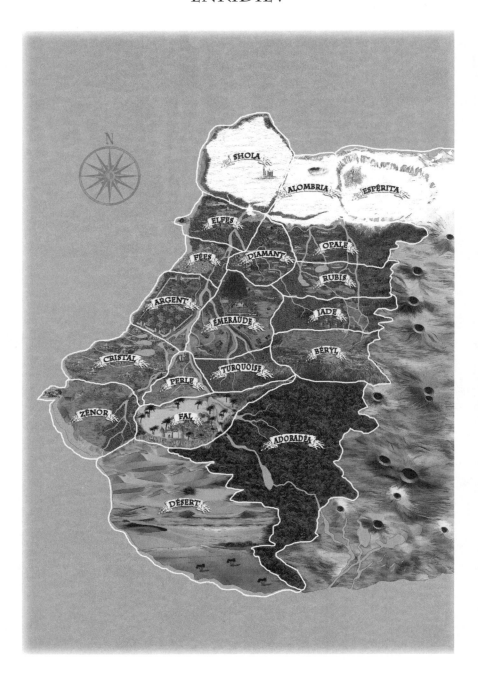

ENLILKISAR

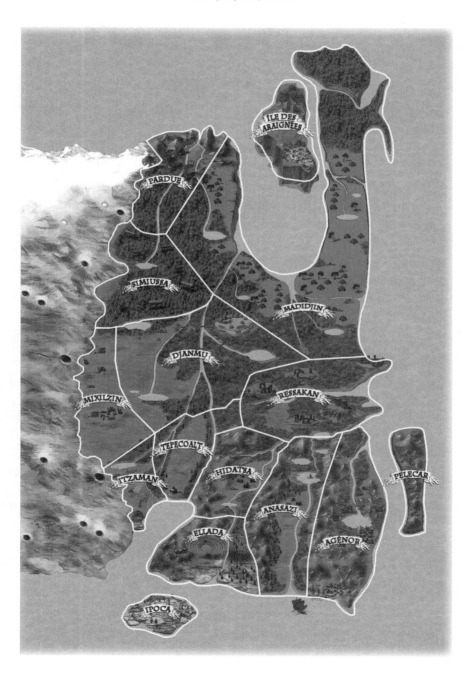

1

LE RETOUR DES SHOLIENS

Puisqu'ils possédaient des pouvoirs beaucoup plus étendus que la majorité des magiciens d'Enkidiev, les Sholiens regagnèrent en quelques secondes leur nouvelle demeure creusée dans les falaises séparant Shola des immenses forêts des Elfes. Ils avaient reçu du dieu qu'ils adoraient depuis des siècles la faculté de se déplacer instantanément là où ils le désiraient. Contrairement aux habitants des autres royaumes, qui vénéraient divers membres du panthéon des Ghariyals, les Sholiens n'accordaient leur confiance qu'au père de tous les dieux.

Hawke n'était pas né dans leur pays de neige et il n'avait pas eu le bonheur d'étudier auprès de leurs grands maîtres. Il avait vu le jour chez les Elfes, un peuple tout aussi pacifique que celui des Sholiens. Hawke avait appris, depuis, que ces derniers étaient issus d'un croisement entre les Fées et les Elfes. Ils s'étaient tout simplement retirés de la vie mondaine et étaient devenus anachorètes.

Les derniers survivants de cette race unique s'étaient réfugiés sous terre, ce qui leur avait permis d'échapper au massacre commis par les dragons de l'Empereur Amecareth. Malheureusement, quelques années plus tard, ils avaient tous péri dans le terrible incendie déclenché par le sorcier Asbeth. Ayant flairé une menace, sans pouvoir toutefois l'identifier, des centaines d'années auparavant, leur grand hiérophante avait enfermé tout leur savoir dans des globes de cristal qu'il avait caché un peu partout sur le continent. Personne n'en aurait jamais rien su si Onyx n'avait pas découvert un vieux traité qui mentionnait ce geste désespéré. Puisque l'ouvrage était écrit dans l'indéchiffrable langue des Sholiens, les magiciens qui s'étaient succédé à Émeraude ignoraient ce qu'il contenait. Qu'Onyx ait pu le lire sans difficulté représentait toujours un mystère.

Si un augure avait prédit à Hawke qu'il allait ressusciter la centaine de Sholiens qui vivaient désormais dans le sanctuaire souterrain, il ne l'aurait jamais cru. C'était pourtant ce qu'il avait fait. Lorsque l'ancien Roi Hadrian lui avait lancé la pierre que son ami Onyx tentait d'utiliser pour lever une armée de spectres, Hawke avait scellé son destin. Entre ses mains, la sphère s'était réveillée, comme si elle n'avait attendu que lui pour révéler ses secrets. L'Elfe avait reçu une tonne d'informations en quelques secondes à peine, mais il n'avait pas su qu'en faire. C'est en devenant le précepteur du jeune Prince Kirsan que débuta sa mission.

Possédant le don de voir l'avenir, son jeune élève l'avait conduit à une grotte dans le désert où l'attendait un deuxième cristal. La route qu'il devait suivre lui était alors apparue très clairement et, en revenant chez lui, il avait tout abandonné pour se mettre à la recherche des autres sphères de savoir. Heureusement, Élizabelle, son épouse, avait compris son désir de répondre à l'appel des Sholiens. Sans discuter, elle avait rassemblé leurs affaires et l'avait suivi avec leurs jumeaux.

Pendant qu'il parcourait le monde, Élizabelle avait vécu dans la famille de son mari, au pays des Elfes. Elle était consciente que sa décision avait chagriné son père, mais selon elle, une femme devait d'abord et avant tout plaire à l'homme qui partageait sa vie. Secrètement, elle était bien contente que ses fils grandissent en apprenant le respect de la nature et des animaux. Élizabelle ignorait ce que faisait Hawke et, chaque fois qu'il revenait chez lui, ce dernier n'en parlait pas. Toutefois, elle pressentait que c'était très important pour le salut du monde.

Elle comprit finalement ce qui s'était passé lorsque son mari l'emmena, avec les enfants, dans leur nouvelle demeure taillée dans le roc. L'entrée du sanctuaire était étroite et difficile d'accès, mais, une fois à l'intérieur, elle fut surprise par la dimension des salles. Celle du temple, qu'elle ne put visiter qu'une fois, était immense. Elle était occupée presque en permanence par les moines sholiens. Les appartements de la famille étaient plus vastes que les chambres habitées par ces êtres silencieux qui passaient la majeure partie de la journée dans un état méditatif.

Au plafond de chaque pièce était incrustée une pierre ronde qui avait la luminosité du soleil. Elle suivait d'ailleurs le même cycle que l'astre du jour et s'éteignait uniquement après son coucher. L'eau leur parvenait par des rigoles creusées dans les murs et, une fois utilisée, elle était évacuée de la même façon. Lorsque la jeune femme avait demandé qui avait réalisé ces travaux, Hawke s'était contenté de sourire mystérieusement.

Dans les jours qui suivirent l'arrivée d'Élizabelle au sanc-tuaire, les cénobites commencèrent à lui apporter les plantes qu'elle aimait le plus et, bientôt, celles-ci couvrirent toutes les tablettes accrochées aux murs. Non seulement elles rafraîchirent l'atmosphère, mais elles égayèrent le quotidien de la jeune femme.

Les Sholiens et les Sholiennes ne mangeaient pas beaucoup. Toutefois, ils veillèrent à ce que la famille de Hawke ne manque de rien. Comme ils l'avaient fait pour les hybrides, jadis, ils «empruntèrent» de la nourriture un peu partout à Enkidiev, variant ainsi les menus et ne mettant personne dans l'embarras. Les moines assurèrent également l'éducation des jumeaux. Même si les garçons étaient identiques, ils avaient des aspirations différentes. Meallan désirait servir Abussos en tant que prêtre, tout un défi pour un demi-Elfe. Jaheda, quant à lui, voulait devenir scribe.

Somme toute, Élizabelle et ses fils étaient heureux, même si parfois, leurs amis leur manquaient. «Qui prend mari, prend pays», se disait la jeune femme lorsqu'elle éprouvait des coups de cafard.

Ce jour-là, Hawke rentra au sanctuaire après une courte absence d'à peine quelques heures. Suivant les moines, il longea le couloir et s'arrêta à l'entrée de la salle de recueillement. Les moines allèrent reprendre leur place sur leurs sièges bas afin de méditer. L'Elfe posa son regard sur la statue géante à l'autre extrémité de la caverne. Abussos était le plus étrange de tous les dieux dont il avait entendu parler. Ce n'était ni un rapace, ni un félin, ni un reptilien. L'artiste sholien qui l'avait sculpté dans l'albâtre l'avait doté d'un torse humain, tandis que le bas de son corps était celui d'un hippocampe. Impossible de dire de quelle couleur étaient sa peau ou ses longs cheveux qui retombaient sur ses épaules.

Devant l'idole immaculée se dressait un autel de pierre où le livre sacré des mages était ouvert en permanence. Tous les moines pouvaient le consulter quand bon leur semblait. Il contenait toutes les sages paroles que leur avait léguées Abussos. Tous les jours, avant la tombée de la nuit, l'hiérophante en choisissait une et l'interprétait pour instruire davantage les siens.

Hawke tourna les talons afin de rentrer chez lui et trouva son fidèle ami Briag devant lui.

— Tu es parti sans moi, lui reprocha le Sholien.

— Je ne pouvais pas te tirer de la contemplation dans laquelle tu étais plongé. Votre loi me le défend.

— Il y a des exceptions.

— Tu sais bien que je ne les connais pas toutes, Briag. Et puis, je devais obéir à Abussos sur-le-champ.

Briag était le plus jeune des Sholiens à avoir péri à Alombria. Comme la plupart des représentants de sa race, il avait le teint blafard et les yeux bleu très clair. Ses longs cheveux argentés étaient doux comme de la soie et lui atteignaient presque la taille. Sans doute en raison de son âge, Briag n'avait pas appris à se détacher complètement du monde matériel afin de mener une vie de prières. Il était curieux et désirait tout savoir au sujet du monde extérieur. Hawke l'avait donc emmené à la recherche des cristaux manquants. Le Sholien avait été si impressionné par tout ce qu'il avait vu, qu'il ne voulait plus manquer la moindre occasion de quitter le sanctuaire.

– Raconte-moi ce qui s'est passé, insista Briag. Êtes-vous allé chercher un autre objet nous ayant appartenu jadis ?

– Non, pas cette fois, le rassura l'Elfe. Abussos nous a demandé de protéger le palais du Roi Onyx.

– Contre qui ?

Passant près d'eux dans le couloir, des moines leur adressèrent un regard réprobateur, car leur conversation distrayait ceux qui méditaient dans la salle de recueillement. Hawke agrippa Briag par la manche de sa tunique et l'entraîna jusqu'à la grotte de purification dans laquelle était creusé un grand bassin rempli d'une eau limpide. Puisque les ablutions avaient lieu le matin, ils pourraient discuter sans importuner qui que ce soit.

– Contre qui ? répéta le Sholien.

– Lycaon, le chef du panthéon aviaire.

L'étonnement sur le visage de Briag fit sourire Hawke.

– J'ignorais ce qui menaçait le Château d'Émeraude lorsque je m'y suis rendu, assura l'Elfe.

– Tu l'as défendu contre un dieu ?

— J'ai fait ce que m'a suggéré Abussos et l'énorme vautour est parti.

Les yeux de Briag se fixèrent alors sur le bâton de marche de son ami.

— Où est la pierre ?

— J'allais justement t'en parler, affirma Hawke. J'ai dû la laisser à Émeraude pour repousser toute attaque éventuelle de la part de Lycaon.

— Est-ce sûr ? Les pouvoirs de la pierre ne se limitent pas à la barrière de protection qu'elle crée autour d'elle.

— Si tu crains que quelqu'un s'en serve à d'autres fins, alors rassure-toi. Personne ne pourra la dégager du balcon où je l'ai installée.

— J'aurais aimé vous voir repousser Lycaon...

— Tu en auras sûrement l'occasion, car c'est un dieu tenace. Il reviendra certainement à la charge. Allez, rejoins les autres pour les invocations. Nous reparlerons de tout ça ce soir.

Briag acquiesça d'un doux mouvement de la tête et le quitta. Hawke savait qu'il était profondément déçu, mais dans la vie, on ne faisait pas toujours ce dont on avait envie. L'Elfe rentra chez lui. Il n'y avait aucune porte dans le sanctuaire, car personne n'avait rien à cacher. Il pénétra dans la pièce principale de son logis et y trouva sa femme qui bichonnait des plantes. Il commença par l'admirer en silence. Élizabelle était humaine, mais tous ses gestes étaient empreints d'une douceur elfique, sans doute parce qu'elle avait passé de nombreuses années auprès de ce peuple.

— Je sais que tu es là, indiqua-t-elle sans se retourner.

— En mon absence, aurais-tu développé d'autres pouvoirs magiques, à part celui de guérir les plantes ? la taquina Hawke en s'approchant.

— J'ai l'odorat fin et je reconnaîtrais le parfum de tes cheveux n'importe où.

— J'ignorais qu'ils dégageaient une odeur agréable.

Elle se retourna et l'embrassa avec amour.

— C'est parce que tu baignes dedans toute la journée, expliqua-t-elle.

— Où sont les garçons ?

— Meallan est allé s'entretenir avec Isarn.

— Le hiérophante ? J'ignorais qu'il accordait des audiences privées.

— C'est sûrement le sourire irrésistible de ton fils qui lui a valu ce privilège.

— Et Jaheda ? s'enquit le père.

— Dans sa chambre, à s'entraîner.

— Je vais aller voir où il en est.

Hawke continua dans le corridor qui menait aux chambres de la famille. Depuis qu'ils avaient fêté leur quatorzième anniversaire de naissance, les jumeaux dormaient dans des chambres séparées. Ils n'avaient pas pris cette décision à la suite d'une querelle, mais plutôt pour s'adonner plus librement à leur passion respective, soit l'écriture pour Jaheda et la méditation pour Meallan.

L'Elfe s'arrêta à l'entrée et vit le jeune homme assis à son pupitre de bois, copiant à la main un texte que lui avaient confié les Sholiens. Si les jumeaux se ressemblaient physiquement, c'était là leur seul trait commun. Ils avaient tous les deux la chevelure blond-roux de leur mère et les yeux verts de leur père, mais des goûts tout à fait différents. Meallan portait ses cheveux très longs, comme les moines, tandis que son frère les avait coupés très court. Contrairement à la majorité des pères Elfes, Hawke était très tolérant. Jamais il ne dictait leur conduite à ses enfants. Il les laissait plutôt faire leurs propres choix et apprendre de leurs propres erreurs.

— Que fais-tu, *elebriän*?

Jaheda se tourna vers son père. Même s'il était désormais un adolescent, Hawke continuait d'utiliser de tendres sobriquets lorsqu'il s'adressait à lui. Celui-ci signifiait : petit être angélique.

— Je m'exerce à recopier fidèlement l'écriture des Sholiens, évidemment.

— Comprends-tu au moins ce que tu transcris ?

— De plus en plus. Lorsque je ne connais pas la signification d'un mot, je le note, puis je demande à quelqu'un de me l'expliquer. De cette façon, je ne peux plus jamais l'oublier.

— Excellent, jeune homme !

— De ton côté, comment s'est soldée ton expédition chez les humains ?

— En victoire pour Abussos.

— Excellent, papa ! fit Jaheda en imitant Hawke.

— Poursuis ton travail. Je vais aller méditer pendant un moment. On se revoit au repas.

Puisqu'il ne pouvait pas déranger l'autre jumeau durant les prières communes, Hawke se retira dans sa propre chambre et s'assit en tailleur sur le grand lit. Il commençait à peine à sombrer dans un état second lorsqu'une brillante lumière traversa ses paupières. Il ouvrit vivement les yeux et aperçut le père de tous les dieux au milieu d'une spirale éclatante.

— Abussos... murmura l'Elfe en se prosternant.

— Redresse-toi, Hawke, ordonna-t-il d'une voix grave.

L'Elfe releva lentement la tête. C'était la première fois que l'époux de Lessien Idril lui apparaissait ainsi. Habituellement, lorsqu'il désirait lui parler, il le faisait dans la salle de recueillement, par le biais de son esprit. Que lui valait donc cette soudaine visite ?

— J'ai laissé votre pierre au palais, comme vous me l'avez demandé.

— Il est important de protéger la famille royale d'Émeraude.

Le visage d'Abussos rappelait à Hawke celui des anciens Enkievs, mais il ne vit pas son corps. Impossible de vérifier si c'était bien celui d'un hippocampe, comme le représentaient les Sholiens.

— Il ne reste plus que la reine au château, déplora l'Elfe.

— Son mari reviendra.

— Et ses fils ?

— Ils sont responsables de leur propre destin.

— Aussi, un dieu-rapace a enlevé la Princesse Cornéliane.

— J'en ai été informé et je réglerai cette affaire avec les divinités concernées. Ce qui m'importe, en ce moment, c'est de préserver la vie du Roi Onyx même s'il se met souvent en position dangereuse.

– Et comment pourrons-nous intervenir si les falconiformes s'en prennent à lui de l'autre côté des volcans ? Même la magie des Sholiens n'est pas assez puissante pour traverser la barrière d'énergie qu'ils représentent.

– J'ai déjà choisi quelqu'un pour épier ses gestes tandis qu'il parcourt Enlilkisar. Merci de veiller sur lui lorsqu'il rentrera à Enkidiev.

– Je suis votre humble serviteur.

La spirale se mit à rétrécir jusqu'à ce qu'elle ne soit plus qu'un tout petit point de lumière, puis disparut.

– J'ai vu le visage d'Abussos... s'étrangla Hawke, ému.

Pendant plusieurs heures, il médita sur ce qui venait de se produire. Ce fut le gong du réfectoire qui le tira finalement de sa transe. Il se lava le visage et les mains, comme le voulaient les coutumes des Sholiens, et rejoignit sa femme dans la pièce principale de leur demeure souterraine.

– Les garçons sont déjà partis, lui apprit Élizabelle.

Ils se rendirent donc ensemble à la grande salle où la communauté prenait ses repas à heures fixes tous les jours. Ils s'arrêtèrent à la table où étaient assis Briag et les jumeaux et écoutèrent les sages paroles de l'hiérophante avant de voir apparaître leurs plats devant eux. Puisque le silence était de mise durant les agapes, Hawke n'eut pas à expliquer la joie qui illuminait son visage.

Briag dut donc attendre le moment où les Sholiens se rendaient à la salle de recueillement pour questionner son ami.

– Que t'est-il arrivé aujourd'hui, qui te fait ainsi sourire ? murmura-t-il à l'Elfe tandis qu'ils marchaient ensemble derrière les moines.

– J'ai vu le visage d'Abussos, répondit Hawke sur le même ton.

Quelqu'un leur barra la route, mettant fin à leur courte conversation. Malgré la faible luminosité des pierres du plafond imitant le coucher du soleil, Hawke reconnut facilement les traits d'Isarn. Pourtant, ils venaient tout juste de le laisser.

– Suivez-moi, ordonna-t-il.

L'hiérophante les conduisit dans ses quartiers personnels où brûlait de l'encens odorant en permanence. D'un geste de la main, il leur fit signe de s'asseoir.

– Si nous vous avons offensé, vénérable Isarn, nous en sommes profondément peinés, fit aussitôt Briag.

– Bien qu'à mon avis, vous passez beaucoup trop de temps à discuter et pas suffisamment à méditer, le but de cette convocation n'est pas de vous punir.

Les deux amis échangèrent un regard inquiet.

– J'ai ressenti une formidable présence tout à l'heure dans notre humble sanctuaire, poursuivit Isarn. Quand aviez-vous l'intention de m'en faire part ?

– Il est plutôt difficile, à moins de commettre une bévue, de vous rencontrer ainsi en privé, lâcha Briag.

– Il existe une procédure pour demander audience.

– Ne tenez pas rigueur à mon jeune ami, intervint Hawke. Sa franchise n'a d'égal que la pureté de son cœur. De toute façon, c'est à moi qu'il est arrivé quelque chose de fantastique, même si je n'ai rien fait pour la provoquer.

– Parle, Hawke.

– Comme vous le savez déjà, Abussos nous a demandé d'établir une certaine protection autour du palais d'Émeraude. Un peu plus tôt, aujourd'hui, il m'est apparu dans mes quartiers.

– T'a-t-il confié une nouvelle mission ?

– Non, vénérable Isarn. Il semblait très préoccupé par le sort du Roi Onyx.

L'hiérophante promena son regard tranquille de l'Elfe au Sholien sans rien dire.

– Y a-t-il quelque chose que nous ignorons à son sujet ? s'enquit Briag.

– Si Abussos ne vous en a rien dit, il serait bien imprudent de ma part de vous révéler ce que je sais.

Hawke baissa la tête, persuadé qu'il n'arriverait jamais à lui arracher ce secret.

– Depuis qu'ils ont vu le jour, les Sholiens n'ont pas eu la vie facile, continua l'hiérophante. Ils ont travaillé très fort, envers et contre tous, pour créer leur mode de vie, leur langue, leur habitat. Si vous voulez percer ce mystère, il vous faudra en faire autant.

– Mais comment ? s'étonna Briag.

– Ce sera à vous de le découvrir.

– Vénérable Isarn, tandis que nous sommes enfin seuls en votre présence, puis-je vous demander des éclaircissements sur des sujets dont vous ne parlez nullement lors de vos enseignements publics ? fit Hawke en évitant de regarder le vieil homme dans les yeux.

– Vous devenez vraiment de plus en plus entreprenants, tous les deux.

– N'est-ce pas le propre de tout homme sur le sentier de la connaissance ?

L'ombre d'un sourire flotta sur les lèvres d'Isarn.

– Que veux-tu savoir, Hawke ?

– Pourquoi les Sholiens, qui sont apparus les derniers sur le continent, répondent-ils d'un dieu qui n'appartient pas aux panthéons que vénèrent les habitants d'Enkidiev ?

– C'est parce qu'ils sont parvenus à se détacher des biens matériels qu'Abussos s'est pris d'affection pour eux.

— La hiérarchie divine est nébuleuse dans l'esprit du pauvre Elfe que je suis.

— Elle n'est claire pour personne, Hawke, car des forces sournoises ont fait disparaître les premiers traités qui en parlaient.

— L'Empereur Amecareth et ses sorciers ?

— Non... À mon grand regret, les conspirateurs se trouvaient dans nos propres rangs.

Hawke repensa alors à tout ce qu'Onyx lui avait raconté durant la guerre.

— Les Immortels... comprit-il.

— Pas tous, heureusement.

— Vous est-il permis de m'instruire sur le sujet ?

— Je crois, tout comme vous, qu'il est temps de remettre les choses au point. Alors, sachez tout d'abord que l'univers a été formé lorsque les principes féminin et masculin se sont rencontrés pour la première fois. Pour célébrer leur union, la déesse-loup et le dieu-hippocampe ont créé d'innombrables mondes. Ils ont ensuite donné naissance à deux enfants-dragons, Aiapaec et Aufaniae, et leur ont ordonné de créer des formes de vie sur certaines de leurs étoiles.

Hawke et Briag étaient suspendus aux lèvres du vieil homme.

— À leur tour, les dieux-dragons voulurent avoir des enfants, mais quelque chose d'étrange se produisit. Ils donnèrent d'abord naissance à trois enfants à la peau écailleuse comme la leur, puis à un fils garni de plumes et à une fille recouverte de fourrure.

— Je peux comprendre que l'un des petits-enfants de la déesse-louve ait des poils, mais d'où viennent les plumes?

— Personne ne le sait. Toutefois, ce sont leurs profondes différences qui ont aussitôt divisé les dieux-reptiliens, rapaces et félins.

— Alors qu'Abussos prône l'harmonie et l'unité, pensa Briag à voix haute.

— Tout comme son épouse.

— Comment leurs petits-enfants se sont-ils fait connaître des hommes?

— En les approchant et en faisant montre de leurs terribles pouvoirs, soupira le vieil homme.

— Pourquoi Abussos n'a-t-il rien fait pour les en empêcher? voulut savoir Briag.

— Plusieurs années avant notre destruction à Alombria, Abussos et Lessien Idril s'étaient éloignés de nous, sans doute pour aller voir ce qui se passait dans les autres coins de leur univers. Ils ne sont peut-être pas encore au courant de tout ce qui se trame ici. Es-tu satisfait de ma réponse, Hawke?

— Oui, vénérable Isarn, mais il y a autre chose que j'aimerais savoir.

— Parle.

— Pourquoi Abussos est-il aussi le dieu des Bérylois ?

La question sembla étonner Briag, mais elle ne suscita aucune réaction sur le visage de l'hiérophante.

— Parce que ce peuple est relié d'une certaine façon aux Sholiens, laissa tomber Isarn.

— J'ai fait de longues études, mais jamais ceci ne m'a été mentionné, avoua Hawke.

— Rappelle-toi que les Elfes n'ont aucune tradition écrite. Ce n'est que lorsqu'ils ont mêlé leur sang à celui des Fées pour former le peuple des Sholiens que ces derniers ont trimé dur pour inventer un alphabet qui leur permettrait de consigner leur savoir pour les générations à venir. À l'époque où une importante colonie arrivée tout droit d'Osantalt a choisi de s'établir sur la montagne de Béryl, ils ne voyaient pas encore l'utilité d'écrire. En se mêlant aux humains qui y vivaient, ils ont peu à peu perdu leurs coutumes, mais ils n'ont jamais cessé de vénérer Abussos.

— C'est incroyable...

— Cela étant dit, puisque vos frères se plaignent de vos incessants bavardages qui les empêchent de se concentrer, j'ai décidé de vous confier une mission, fit Isarn en se levant.

— Nous sommes vos humbles serviteurs, répondirent en chœur les jeunes hommes.

— Il y a au Château d'Émeraude des livres dangereux que nous devrions conserver ici. Trouvez-les et ramenez-les-moi.

Hawke se souvenait que la bibliothèque du palais contenait des centaines d'ouvrages défendus.

— Il en sera fait selon votre désir, vénérable Isarn, affirma Briag.

Son ami Elfe demeurant muet, le Sholien lui saisit le bras et l'entraîna vers la sortie, car cet entretien était terminé.

2

L'AGORA

andis que la triade reptilienne se préparait à la rencontre demandée par Lessien Idril, Fan, la déesse des bienfaits, était toujours obsédée par l'identité de l'Immortel invisible qui avait visité les humains au Château d'Émeraude. Puisque Parandar et Theandras s'étaient retirés dans leur rotonde avant de se mettre en route pour l'agora, Fan en avait profité pour convoquer Danalieth sous son pavillon.

— De quelle façon puis-je vous être agréable ? fit le demi-dieu en se courbant devant elle.

— J'ai besoin de vous parler. Je vous en prie, assoyez-vous.

Se doutant bien qu'elle allait le questionner sur Tayaress, Danalieth s'était renseigné à son sujet auprès des autres dieux et des Anciens d'Osantalt. Espérant la contenter, il s'installa sur l'un des bancs en peluche que la déesse avait disposés autour d'une cavité circulaire où brûlait un feu magique. Elle avait choisi pour son logis les couleurs du firmament. Tout y était bleu et de longs voiles pendaient entre les colonnes de marbre.

— Parlez-moi de ce spectre que je ne puis voir, le pressa Fan.

– Les Elfes prétendent qu'il est le premier Immortel à avoir été créé par les dieux.

– Les dieux de quel panthéon ?

– C'était bien avant la grande scission.

– Avant ? s'étonna Fan.

– Apparemment, il sert Lessien Idril et Abussos, les dieux-fondateurs.

– Si c'était vrai, cette information serait déjà parvenue jusqu'à nous.

– Si cela peut achever de vous convaincre, déesse, les inscriptions sur le manche des poignards de Tayaress sont dans la langue de l'ère primaire. Je les ai vues de mes propres yeux.

– Mais comment est-ce possible ?

– Les créateurs de l'univers sont de retour, car leur espion les a renseignés sur ce qui se passe ici.

Ébranlée, Fan chassa Danalieth d'un geste gracieux de la main. L'Immortel la salua et quitta la rotonde. La déesse des bienfaits avait remplacé son père Akuretari dans la triade reptilienne. Son oncle et sa tante l'avaient alors instruite sur les relations tendues entre les trois panthéons. Toutefois, Fan avait de la difficulté à comprendre pourquoi des divinités aussi puissantes les unes que les autres ne pouvaient tout simplement pas se diviser le monde connu en trois parties égales.

Il est temps, fit la voix de Parandar dans l'esprit de l'ancienne Reine de Shola. Elle quitta son pavillon et suivit le sentier de cailloux étincelants qui menait à celui du chef des Ghariyals. Elle portait un corsage argenté et une jupe aux reflets lunaires qui couvrait ses pieds nus. Ses longs cheveux blancs descendaient en cascade dans son dos et épousaient les mouvements de son corps. Fan commença à grimper les quelques marches de la demeure de son oncle et trouva Theandras sur le palier, vêtue d'une élégante robe rouge bordée de flammes.

— Je suggère que nous laissions Parandar parler en notre nom, fit la déesse du feu.

— De toute façon, je ne saurais que répondre.

Fan suivit Theandras jusqu'au centre de l'immeuble circulaire où les attendait Parandar. Il avait revêtu son plus beau chiton blanc, ourlé de petites étoiles scintillantes. Même s'il avait fière allure, ses yeux exprimaient de la tristesse.

— Je crains que nous assistions une fois de plus à un duel sans merci entre Lycaon et Étanna, laissa-t-il tomber.

— Cette fois, vous n'aurez pas à vous élever en arbitre entre eux, voulut le rassurer Fan.

— J'ai cherché en vain un terrain d'entente qui nous permettrait de vivre en paix, mais nous sommes trop différents.

— Pourtant, vous êtes issus des mêmes parents.

– Nous n'y comprenons rien nous-mêmes. Espérons que nos grands-parents parviendront à mettre fin à ces hostilités.

Parandar leur tendit la main et les transporta instantanément à l'agora céleste. La triade reptilienne réapparut devant son propre temple et constata que les membres des deux autres panthéons étaient déjà arrivés. Ils avaient aussi choisi d'emprunter leur forme humaine pour l'occasion. Solis et Ahuratar accompagnaient leur mère-jaguar Étanna. C'était une femme d'une grande beauté, qui ne s'en laissait imposer par personne. Tout comme ses fils, elle était habillée de cuir moulant.

Contrairement aux Ghariyals qui portaient des diadèmes sur le front, les félins laissaient retomber librement leurs crinières sur leurs épaules. Les yeux d'Ahuratar étaient dorés comme ceux d'Étanna, mais ceux de Solis étaient de la couleur de l'océan. Les deux frères se ressemblaient beaucoup physiquement. Toutefois, ils affichaient des caractères bien différents. Ahuratar était silencieux, calme et patient. Il ne donnait son opinion que lorsqu'on la lui demandait, tandis que Solis ne savait pas tenir sa langue. Celui-ci était impulsif, arrogant et indiscipliné. Même Étanna n'arrivait pas toujours à le maîtriser. Les trois félins étaient assis sur les marches de leur temple, fixant intensément les rapaces, de l'autre côté de la plaza.

Immobiles, Lycaon et ses filles, Aquilée et Orlare, ne pensaient qu'à regagner leurs nids et poursuivre leur vie insouciante. Tous les trois arboraient des parures plutôt paysannes. Le dieu-condor était vêtu de noir de la tête aux pieds. Aquilée et Orlare portaient des corsages provocateurs et des jupes à volants. La première avait choisi des vêtements bordeaux, tandis que sa sœur, tout en blanc, offrait un contraste frappant avec le reste de la famille. Les mains sur les hanches, les deux femmes semblaient aussi contrariées que leur père de se retrouver devant le tribunal des fondateurs.

Des trois panthéons, celui des reptiliens était le plus calme. Peu importe ce qui se passait autour d'eux, ces derniers se faisaient un devoir de ne jamais réagir. Parandar se tenait très droit entre sa sœur et sa nièce. S'il adoptait maintenant une attitude neutre, il n'en demeurait pas moins persuadé que Lessien Idril et Abussos allaient se montrer très sévères envers leurs petits-enfants. Tout comme les chefs des félins et des rapaces, Parandar rêvait d'un monde qui n'adorerait qu'un seul d'entre eux, mais jamais il ne se serait abaissé aux manigances dont Lycaon et Étanna s'accusaient mutuellement.

Les gonds des portes du quatrième édifice, soit celui des dieux-fondateurs, se mirent à grincer, attirant l'attention du modeste auditoire. Deux gracieux dragons dorés sortirent du temple et se postèrent près des statues qui les représentaient. Parandar, Lycaon et Étanna n'avaient jamais revu leurs parents depuis leur départ de cette région de l'univers, deux mille ans auparavant. Le rôle d'Aiapaec et d'Aufaniae était de créer des mondes et non de les administrer. Ils avaient donc confié cette tâche à Parandar, leur aîné, et n'étaient jamais revenus pour constater comment il s'en était tiré.

Les dragons furent aussitôt suivis d'un couple qui se tenait par la main. Sous leur apparence mortelle, ils semblaient parfaitement assortis. La femme aux longs cheveux blonds bouclés était vêtue d'une robe de suède blanche cousue de franges perlées. Son compagnon, à la peau bronzée ne portait qu'un pagne doré attaché à une large ceinture ornée de pierres précieuses. Ses cheveux noirs raides et soyeux atteignaient sa taille. En réalité, Lessien Idril était un loup blanc tandis que son époux Abussos était un hippocampe. Ces deux divinités ne pouvaient exister l'une sans l'autre. Les combinaisons de leurs principes féminin et masculin déterminaient tout ce qui composait l'univers. Ils étaient distincts et à la fois indissolublement unis.

— Je croyais que vous seriez plus nombreux, se désola Lessien Idril.

— Sans nous consulter, je crois que nous avons craint qu'une trop grande assemblée nous empêche de nous entendre, expliqua calmement celui qui portait une longue toge blanche. Je suis Parandar, l'aîné de vos petits-enfants, à moins que vous en ayez d'autres ailleurs.

— Non. Il n'y a qu'ici qu'Aiapaec et Aufaniae en ont eu. Nous nous adresserons donc qu'aux triades, mais promettez-moi de me présenter tous mes descendants lorsque nous aurons enfin résolu ce conflit.

— Ce qui ne risque pas de se produire avant longtemps, chuchota Aquilée.

Si la déesse-fondatrice l'entendit, elle ne le laissa pas paraître.

— Je m'engage personnellement à vous présenter les membres de mon propre panthéon, affirma Parandar.

— Voilà justement ce qui me chagrine, avoua Lessien Idril. Pourquoi n'êtes-vous pas tous unis ? Pourquoi vous jalousez-vous et tentez-vous d'abuser de la bonne volonté des gens au lieu de vous entendre et de vous soutenir ?

— Si Lycaon et Étanna me le permettent, je tâcherai de répondre à cette question.

Le condor et le jaguar n'eurent pas d'autre choix que d'acquiescer. La déesse-lumière fit signe à Parandar de continuer.

— La scission s'est effectuée bien malgré nous en raison de nos natures différentes, l'éclaira-t-il. Nous avons des besoins diamétralement opposés. En fait, nous ne respirons pas le même air. Il n'y a qu'à l'agora que nous pouvons nous retrouver face à face sans suffoquer, grâce à votre magie.

— Dites-nous enfin pourquoi j'ai de la fourrure alors que Parandar est couvert d'écailles ? lâcha Solis sur un ton plutôt agressif. Était-ce une erreur de la nature ?

— Le destin ne laisse rien au hasard, affirma la déesse. Vous êtes peut-être nés ainsi afin de partager votre sagesse avec un plus grand nombre d'univers.

— Nous ne connaissons que ce monde.

— Il y en a pourtant des milliers. Nous pourrions sans doute vous en indiquer quelques-uns qui seraient heureux de vous recevoir, mais, avant d'en arriver là, nous préférerions que vous appreniez le partage et l'abnégation.

Le rôle de Lessien Idril était évidemment de maintenir l'harmonie dans la création.

— Alors, c'est peine perdue, l'informa Étanna, puisque les rapaces tentent, depuis des milliers d'années, de nous soutirer des territoires qui nous reviennent.

— Le monde n'appartient pas à un dieu en particulier, ma chère enfant. C'est votre héritage à tous.

— Nous ne pouvons pas exiger que les humains nous vénèrent de trois façons différentes, protesta Lycaon.

— N'avez-vous donc pas appris, en grandissant, que vous ne deviez pas imposer votre volonté aux mortels ? s'étonna Lessien Idril.

— C'est par l'exemple qu'un dieu établit sa crédibilité, se décida enfin à intervenir Abussos.

Sa voix grave retentit sur les murs de l'agora.

— Aucun dieu ne peut exiger d'une créature qu'elle se conforme à un comportement qu'il n'est pas prêt à adopter lui-même.

— Il n'y a pas trois façons d'être des dieux, ajouta sa compagne. Il n'y en a qu'une seule.

— Si nous n'avions pas été abandonnés à un si jeune âge, nous ne serions peut-être pas ainsi divisés, reprocha Étanna.

– Parandar a bien tenté de vous inculquer ces grands principes, répliqua Theandras. Vous n'avez rien voulu entendre.

– Il a voulu nous forcer à agir contre notre nature ! se hérissa Lycaon.

– Ce que vous ne comprenez pas, les coupa Lessien Idril, c'est que vous n'êtes pas des êtres distincts. Vous faites partie de moi tout comme je fais partie de vous. Votre rôle est de venir en aide aux créatures qui n'ont pas eu le bonheur de naître dans l'Éther.

– Pour que nous en arrivions là, mes aînés se devraient de respecter davantage les divinités-félines qu'ils accusent de tous les torts, se plaignit Étanna.

– Il faudra pour cela que leurs agissements soient honorables, fit observer Lycaon.

La triade des falconiformes et celle des félidés se mirent à s'invectiver. Les reptiliens, découragés, ne s'en mêlèrent pas, cette fois.

– Silence ! ordonna Abussos.

La terre trembla sous les pieds de ses petits-enfants.

– C'est le seul avertissement que nous vous adressons, poursuivit-il. Rétablissez l'harmonie entre vous ou vous subirez ma colère.

Le couple divin disparut dans une myriade d'étincelles noires et blanches. Les dragons tournèrent lentement la tête de gauche à droite, comme s'ils tentaient d'imprimer les visages de leurs enfants dans leur mémoire.

– À quoi ressemblez-vous lorsque vous adoptez une apparence mortelle? osa alors demander Orlare.

Une aura dorée entoura les bêtes gigantesques qui se transformèrent aussitôt en un homme et une femme aux cheveux aussi blonds que les blés. Ils portaient de longues tuniques en soie moirée rouge et or. Les traits de leurs visages étaient d'une douceur exquise. Ils semblaient si fragiles lorsqu'ils n'étaient plus des dragons...

– Il serait dommage que les dieux-fondateurs vous fassent disparaître à tout jamais, leur confia Aiapaec.

– Les laisseriez-vous vraiment faire une chose pareille? s'étonna le harfang.

– Nous respectons leur volonté, affirma Aufaniae.

– Faites un effort de collaboration, ajouta Aiapaec.

– Et tout ira très bien, termina sa compagne.

Ils reprirent leur forme initiale et déployèrent leurs ailes. D'une puissante poussée sur leurs pattes, ils s'envolèrent vers le ciel piqué d'étoiles. Pendant un moment, les membres des triades demeurèrent immobiles.

— Ils n'ont pas cherché à comprendre notre situation, gronda Solis.

— Ils ne se sont même pas rendu compte qu'il leur manquait un enfant, renchérit Aquilée.

— Ils savent probablement déjà qu'Akuretari n'est plus, intervint Theandras.

— Ils ne vivent pas dans notre monde, tenta de les convaincre Ahuratar. Ils ont des préoccupations fort différentes des nôtres.

— Allons réfléchir aux sages paroles de nos grands-parents, conseilla Parandar, et rencontrons-nous ici dans deux lunes pour discuter de la façon dont nous pouvons améliorer nos relations.

Étanna poussa un grognement sourd et disparut aussitôt avec ses fils. Parandar se tourna alors vers les fiers rapaces qui ne semblaient pas du tout d'accord avec sa suggestion.

— Lycaon?

— Nous sommes trop dissemblables, Parandar. N'oublions pas que les démiurges t'ont donné des pouvoirs qui ont creusé ce fossé entre nous.

— Ils l'ont fait pour que l'un de nous conserve l'équilibre des mondes célestes.

Le condor cracha par terre et se dématérialisa avec ses filles.

— Il semble bien que nous soyons appelés à disparaître, fit alors remarquer Fan.

— Il ne faut jamais perdre espoir, lui rappela Theandras.

La triade reptilienne quitta à son tour l'agora avec la ferme intention de chercher sans répit la façon d'éviter son anéantissement.

3

L'APPEL DU DESTIN

Depuis qu'il avait entrevu le poignard de Tayaress, Wellan était obsédé par les symboles qui y étaient gravés. Il avait fouillé toute la bibliothèque, une tâche rendue bien plus facile grâce au nouveau classement effectué par Hadrian et son équipe de volontaires. Puisque le cadenas de la section défendue avait été enlevé, il en avait profité pour en retirer tous les ouvrages écrits en Venefica, cette langue étrange que seul Onyx semblait connaître. Il les avait transportés en cachette jusqu'à sa chambre et rangés sous son lit, pour que personne n'y touche. Son intuition lui disait qu'il finirait par les déchiffrer au cours de cette deuxième vie que les dieux lui accordaient.

Wellan s'était ensuite mis à la recherche de livres d'histoire qui mentionneraient l'existence du Venefica et surtout sa provenance. Pendant des jours, il parcourut rapidement tous les traités qui lui tombaient sous la main. Tout ce qu'il voulait, c'était un indice, mais aucun historien ne semblait en avoir entendu parler. Profondément découragé, il s'accouda à sa table de travail préférée, près de la fenêtre de la bibliothèque et se perdit dans ses pensées. Il était toujours dans la même position lorsque Lassa le trouva, un peu avant le repas du soir.

— C'était ici que tu aimais t'asseoir, lorsque j'étais enfant, laissa tomber son père.

La réincarnation du grand chef des Chevaliers leva sur lui un regard inquiet.

— Si j'étais à ta place, je cesserais de me torturer pour conserver mon anonymat, fit Lassa en prenant place devant lui.

— Je ne le fais pas par amour des mystères, mais uniquement pour ne chagriner personne.

— Ce que les gens ressentent leur appartient, Wellan. Quand le comprendras-tu ? Ce qui est important, dans la vie, c'est d'être authentique.

— Que l'on soit bon ou méchant...

— On espère toujours que ceux qui font délibérément le mal se réforment, évidemment.

Lassa plaça la main sur celle de son fils.

— Arrête de te cacher, recommanda-t-il.

— Il est curieux de t'entendre me faire la morale depuis que je suis tout petit, avoua Wellan.

— C'est mon rôle de père et je l'ai pris au sérieux.

L'adolescent esquissa un sourire timide.

– À l'approche de mes seize ans, je commence à ressentir le besoin de poursuivre toutes les tâches que je n'ai pu achever durant ma première vie.

– Ce qui est tout à fait compréhensible.

– Il est si frustrant d'être emprisonné dans un corps de cet âge alors qu'Enkidiev a besoin d'érudits pour déjouer les manœuvres des dieux.

– Mais rien ne t'empêche de faire ton devoir.

– Je pourrais donc partir demain matin à la recherche d'indices jusqu'au nouveau monde ?

– Pas sans que nous en parlions avec Kira, et tu sais à quel point elle est possessive de ses petits, sauf quand ils font les quatre cent coups.

– Mon esprit n'est pas celui d'un enfant.

– Elle t'a porté et elle s'est occupée de toi alors que tu ne pouvais encore rien faire par toi-même. Pour cette seule raison, tu devrais considérer son opinion avant de nous quitter.

– Toi, tu me laisserais partir ?

– Malgré tout l'amour que j'éprouve pour toi, oui, je te laisserais partir. Je connais ta valeur et ton jugement.

– Merci, Lassa.

– Ce serait bien que tu manges avec nous, ce soir. Ta mère a besoin d'être rassurée, en ce moment.

– De toute façon, je ne trouve rien. Alors, dès que j'aurai remis ces ouvrages à leur place, je rentrerai à la maison.

– Lorsque tes frères et ta sœur seront couchés, nous reparlerons de ton avenir, d'accord ?

– Oui, bien sûr.

Lassa quitta la grande salle, laissant son ancien mentor à ses réflexions. Ce dernier rassembla les livres et déambula devant les rayons, les rangeant un à un. Il s'arrêta net lorsqu'il sentit une présence derrière lui. Il fit volte-face et aperçut le regard tranquille de Danalieth.

– Toujours hanté par le Venefica, Wellan ?

– Jadis, mes questions ne restaient jamais longtemps sans réponses... J'ai bien tenté d'élucider le mystère du signe du loup, mais je ne trouve rien à ce sujet.

– Peut-être ne regardes-tu pas au bon endroit ?

– Tous les livres cachés chez les Elfes ont été rapportés ici.

– Tu sais pourtant qu'ils ne contiennent pas toute la connaissance du monde.

– Dans ce cas, dites-moi où chercher.

— J'ai entendu parler d'une pierre sur laquelle serait gravé un texte en trois langues différentes : celle des Enkievs, celle de notre monde moderne et en...

— Venefica ?

— C'est exact.

— Où est cette pierre ?

— Quelque part dans le Désert, mais le dernier à l'avoir vu est mort depuis au moins mille ans.

— C'est un territoire immense. Les cartes que nous en avons n'indiquent que les oasis. Dites-m'en davantage.

— C'est tout ce que je sais.

— Mais vous êtes un Immortel ! s'exclama l'adolescent. Votre savoir surpasse celui de tous les hommes.

— J'ai bien peur que les humains n'aient une conception erronée des demi-dieux. Nous ne savons que ce que nos maîtres veulent bien nous apprendre. Le reste, nous le découvrons par nous-mêmes, tout comme vous.

Wellan poussa un soupir.

— Dois-je te rappeler, jeune homme, que chaque information que nous déterrons nous-même, si infime soit-elle, reste à tout jamais gravée dans notre mémoire ?

– Qu'en est-il de la prétention d'un vieil historien qui a écrit que vous étiez l'amant d'Anyaguara ?

Si Danalieth n'avait pas été Immortel, il aurait rougi. Même s'il n'empruntait une forme matérielle que pour rassurer les sujets de Parandar, son visage afficha toutefois une vague tristesse.

– Je croyais que vous aviez plutôt eu une relation défendue avec la Reine des Fées, poursuivit implacablement Wellan.

– C'était...

Le reste de la phrase s'étrangla dans la gorge de Danalieth.

– C'est à mon tour de vous rappeler que vous n'avez pas vraiment affaire à un enfant de seize ans. Vous pouvez m'en parler.

– J'oublie parfois que tu as aussi connu les tourments de l'amour.

– Dont j'ai l'intention de me passer cette fois-ci.

– Il ne faut jamais dire jamais, Wellan.

– Aimez-vous encore la sorcière de Jade ?

– Une grande partie de mon cœur lui appartient toujours.

– Dois-je conclure que vous ne vous voyez plus du tout ?

– Nous avons résolu, dès le début des frictions entre les panthéons, de ne pas leur fournir un prétexte pour s'entredéchirer.

– Un dur sacrifice.

– Le plus cruel d'entre tous.

– Si ce n'est pas trop indiscret, parlez-moi d'elle.

– Anya ne ressemble pas aux autres dieux-félins qui sont sournois et égoïstes. Elle a pris le temps de vivre avec les habitants d'Enkidiev et, tout comme moi, elle désire les protéger. Elle est magnifique tant sous son apparence animale que sous sa forme humaine. La profondeur de ses connaissances sur les émotions dépasse celle de vos plus grands sages.

– Je trouve dommage que vous ayez laissé une querelle sans importance vous séparer.

– Sans importance ? La course à la suprématie du monde n'a rien de banal. Il suffirait d'une petite étincelle divine pour que vous disparaissiez à tout jamais. Ni elle ni moi ne voulions être responsables d'une telle tragédie.

– Est-ce pour vous consoler que vous vous êtes jeté dans les bras de la Reine Calva ?

– Il y avait également une part d'amour dans cet apaisement.

– Mais elle n'a jamais fait battre votre cœur comme Anyaguara, n'est-ce pas ?

– Pourquoi me tortures-tu, ce soir, Wellan ?

– J'essaie simplement de mieux comprendre les élans du cœur.

– Si ma relation avec la Reine des Elfes n'a pas été aussi satisfaisante, elle m'a toutefois donné deux ravissantes filles qui font toujours ma joie. Maintenant, ça suffit les questions !

– J'en ai une dernière.

Danalieth fronça les sourcils et Wellan crut qu'il allait s'évaporer sous ses yeux.

– Pourquoi Fan, qui est la fille d'un dieu-reptilien, a-t-elle confié sa propre enfant, Myrialuna, à une déesse-féline ?

– Je n'en sais franchement rien.

L'Immortel disparut sans rien ajouter.

– Nous vivons vraiment dans un monde étrange, pensa tout haut l'adolescent.

Il rangea soigneusement les ouvrages et remonta à l'étage des appartements du palais, qui s'étendaient au-dessus de la bibliothèque. Sa famille était déjà à table. Lassa échangea un regard reconnaissant avec son fils aîné tandis que ce dernier s'assoyait parmi les siens.

– Pourquoi lis-tu tous ces livres ? demanda soudain Marek, les doigts dégoulinant de sauce brune.

— Parce que je veux être plus instruit, répondit Wellan en plongeant les mains dans le plat de viande.

— Mais tu sais déjà tout.

— Personne ne possède toute la connaissance du monde, Marek.

— Alors, ça ne sert à rien de lire ?

— Au contraire, ça nous apprend des choses utiles à la poursuite de notre vie. Les dieux nous créent pour que nous améliorions le monde dans lequel nous vivons et que nous prenions le temps d'atténuer nos défauts.

La réponse sembla contenter l'enfant, qui se mit à se lécher les doigts.

— Marek, tu ne peux pas te sustenter uniquement de sauce, l'avertit Lassa. Mange tout ce qu'il y a dans ton assiette.

— Est-ce que je suis obligé, maman ?

— Tant que tu ne seras pas grand comme Wellan, tu devras obéir, jeune homme, expliqua Kira.

— Est-ce un défaut de manger seulement la sauce ?

— Non, le rassura Kaliska, mais si tu ne commences pas à te nourrir convenablement, tu resteras minuscule toute ta vie.

Kira s'apprêtait à rectifier cette affirmation lorsque Marek s'attaqua à ses légumes. Elle décida donc de remettre cette discussion à plus tard. Après le repas, Lassa emmena le benjamin prendre son bain. Kaliska aida sa mère à laver la vaisselle, et Wellan disparut dans sa chambre. Il se pencha sous son lit et retira un des livres de sa cachette. Pendant un long moment, il admira sa couverture de cuir usé en se demandant qui l'avait confectionnée. À l'époque où l'ouvrage avait été relié, personne ne pensait à en faire mention à l'intérieur.

— Mon chéri, aimerais-tu nous accompagner jusqu'à la tour d'Armène ? voulut savoir Kira en passant la tête dans l'entrebâillement de la porte. Il y a longtemps que tu n'as pas rendu visite à ton frère.

— Pas ce soir, mais je te promets d'y aller bientôt.

— Encore absorbé par la lecture ?

— Tu sais pourquoi j'ai besoin de lire.

— J'aimerais que nous en discutions un peu à mon retour.

— Oui, bien sûr.

Wellan ouvrit le livre et glissa l'index sur les symboles écrits en Venefica.

— Je dois trouver cette pierre à tout prix, chuchota-t-il.

Lors de sa première vie, l'ancien Prince de Rubis avait été forcé de prendre les armes afin de protéger le continent contre l'envahisseur insecte. Pourtant, en grandissant au Château d'Émeraude, il avait surtout rêvé de devenir professeur d'histoire ou explorateur. L'Empereur Noir ayant été vaincu, Wellan croyait qu'il aurait enfin sa chance de réaliser ses rêves, mais les dieux avaient commencé à se quereller.

– Onyx n'a pas besoin de moi pour régler ce conflit, tenta-t-il de se convaincre.

Il continua d'observer cette écriture unique au monde en se demandant si chaque illustration était une lettre ou si elle représentait un concept. Il entendit alors se refermer la porte principale du logement de ses parents et décida d'aller à leur rencontre.

– J'ai quelque chose à vous dire, annonça-t-il à son père et à sa mère.

– Lassa m'en a glissé un mot, avoua Kira en s'installant sur le grand sofa. Tu veux voler de tes propres ailes, c'est bien ça ?

– Je suis maintenant assez vieux pour partir, affirma Wellan.

– Si tu veux mon avis, fit Lassa, tu l'as toujours été, mais ton corps n'avait pas l'âge de ton âme.

– Vous n'allez donc pas chercher à me retenir ?

– Pas du tout, indiqua Kira. Cependant, nous aimerions que tu rentres à la maison de temps en temps.

— Où comptes-tu aller ? s'enquit Lassa.

— Je vais d'abord me mettre à la recherche d'une pierre qui pourrait apparemment me permettre de traduire la langue des dieux.

— Rien que ça ? se moqua son père.

— Elle est cachée quelque part dans le Désert.

— Cette contrée occupe le quart d'Enkidiev, lui rappela Kira. J'espère que tu as déjà une idée de l'endroit où elle se trouve.

— Je l'ignore, mais je suis persuadé que les tribus nomades savent quelque chose.

— Ce pourrait devenir une très longue quête.

— Je sais.

— N'existe-t-il pas un règlement de l'Ordre qui recommande à un Chevalier de ne jamais partir seul en mission ?

— Je ne m'en vais pas à la guerre.

— Toutefois, cette aventure pourrait s'avérer tout aussi périlleuse, lui fit observer Lassa.

— Je préférerais que tu partes avec quelques Chevaliers qui disposent de beaucoup de temps, ajouta la mère.

— J'y songerai. Merci de m'avoir élevé dans la douceur, l'amour et la confiance.

— Tu n'as pas été difficile à éduquer, remarqua Lassa.

— Surtout, traite tes propres enfants de la même façon, lui conseilla Kira.

Wellan n'eut pas le cœur de leur dire qu'il n'envisageait pas d'en avoir. Il voulait sillonner le monde sans aucune attache. Il serra ses parents dans ses bras et retourna dans le couloir avec l'intention de préparer son départ. C'est alors qu'il entendit des sanglots étouffés en provenance de la chambre de sa sœur.

— Kaliska ? murmura-t-il en s'arrêtant à l'entrée de la pièce.

Elle pleurait, le visage enfoui dans son oreiller. Wellan alla aussitôt s'asseoir auprès d'elle.

— Que se passe-t-il ? Es-tu souffrante ?

— Je n'ai aucune nouvelle de Cornéliane... hoqueta-t-elle en repoussant l'oreiller.

— Tu connais pourtant l'étendue des pouvoirs d'Onyx. Si quelqu'un peut la retrouver, c'est bien lui. De plus, il est parti avec une sorcière capable de flairer les êtres magiques.

— Marek dit que nous ne la reverrons pas avant très longtemps...

– Ce n'est qu'un enfant qui ne maîtrise pas encore ses dons, Kaliska.

– Il ne se trompe jamais...

– Au moins, il a dit que Cornéliane reviendrait, chuchota l'adolescent à l'oreille de sa jeune sœur.

Wellan l'attira dans ses bras et l'étreignit jusqu'à ce qu'elle sèche ses larmes.

4

BYBLOS

En compagnie de ses compagnons de fortune, Onyx se laissait bercer dans l'obscurité par les flots, assis dans un immense tridacne tiré par des hippocampes géants lorsque le ciel changea de couleur et que les étoiles se mirent à tourner comme si elles étaient aspirées dans une spirale.

— Tu as probablement lu plus d'ouvrages scientifiques que moi, fit Onyx à son ami Hadrian, alors explique-moi ce qui se passe et surtout, dis-moi que c'est normal.

— Je n'ai jamais entendu parler d'un tel phénomène, répondit l'ancien Roi d'Argent.

Les Mixilzins, Anyaguara et Aydine se prosternèrent tant bien que mal dans le vaisseau où ils étaient tous à l'étroit, tandis que Jenifael, Dylan et Dinath semblaient transfigurés par le fait étrange. Quant à eux, les Ipocans avaient respectueusement baissé la tête.

— Et vous, les Immortels ? les pressa Onyx.

— C'est une manifestation divine, affirma Dinath.

Un rayon immaculé prit la forme d'un oiseau, aussitôt suivi d'un faisceau rouge qui adopta plutôt celle d'un fauve.

— Je crois que c'est une déclaration de guerre, ajouta Dylan.

— Je dois retourner auprès des miens, annonça Anyaguara.

Le Roi d'Émeraude n'eut pas le temps de protester qu'elle s'était tout simplement dématérialisée. Dès que les deux bêtes lumineuses se mirent à échanger des coups de pattes et de bec, un orage violent éclata. Des éclairs fulgurants sillonnèrent le ciel et la pluie commença à tomber en fouettant les passagers du tridacne. Arrachant des murmures d'admiration aux Mixilzins, Onyx créa immédiatement un écran de protection au-dessus de leurs têtes, juste à temps d'ailleurs, car les gouttes se changèrent bientôt en grêlons. À travers la tempête, les voyageurs virent apparaître une étoile qui devint de plus en plus brillante.

— Et ça, qu'est-ce que c'est ? s'impatienta Onyx.

— La déesse-lumière, s'émerveilla Dylan.

L'astre éclatant se positionna entre les protagonistes, mettant fin à leur combat.

Assez ! cria une voix de femme.

L'étoile prit graduellement la forme du visage d'une femme d'une infinie sagesse. Cette fois, les Mixilzins furent saisis de terreur, car ils n'avaient jamais assisté à un pareil spectacle céleste.

Je n'ai pas créé tous ces mondes pour que mes petits-enfants les détruisent à coups de querelles! retentit une voix qui semblait provenir de tous les côtés du vaisseau.

– Est-ce Aufaniae? demanda Onyx.

– Non, c'est Lessien Idril, la mère d'Aiapaec et d'Aufaniae, affirma Dylan.

– Jusqu'où remontent les dieux?

– Je n'en connais pas au-delà d'elle et de son époux Abussos.

– Pourquoi se mêle-t-elle de nos affaires, tout à coup?

– Son rôle est de maintenir l'harmonie dans l'univers, répondit Jenifael. Probablement a-t-elle appris que ses petits-enfants s'entredéchiraient et a-t-elle décidé d'intervenir.

Je vous convoque tous à l'agora où vous m'expliquerez pourquoi vous vous jalousez et tentez d'abuser de la bonne volonté des gens au lieu de vous entendre et de vous soutenir.

L'apparition s'estompa en même temps que le rapace et le fauve lumineux. Les nuages se dissipèrent, la pluie cessa et les étoiles reprirent leur place habituelle dans le ciel.

– Désirez-vous poursuivre? demanda Riga.

– Cette manifestation divine ne change absolument rien à nos plans, affirma Onyx.

Le large mollusque continua d'avancer le long de la côte d'Agénor. On n'entendait plus que le bruit des vagues qui se brisaient non loin sur les rochers.

Hadrian se tourna vers son vieil ami afin de saisir les émotions sur son visage. À sa grande surprise, au lieu d'être fâché de découvrir que d'autres dieux intervenaient dans la vie des humains, Onyx était en proie à une étrange fascination. Derrière lui, les Immortels souriaient de toutes leurs dents, car l'arrivée de la déesse-lumière signifiait, à leur avis, le début d'un temps de paix. Quant aux Mixilzins et à la servante Madidjin, ils étaient pétrifiés. Ils continuaient d'observer le ciel, redoutant de nouvelles apparitions.

— Dis-moi à quoi tu penses, Onyx, murmura Hadrian.

— Je ressens soudain le besoin de rentrer chez moi.

— Au château ?

— Non... chez moi.

Onyx avait évidemment habité bon nombre de maisons en plus de cinq cents ans d'existence.

— Je ne comprends pas les images qui défilent sous mes yeux, avoua-t-il.

— Décris-les-moi. Sans doute pourrai-je t'aider à y voir plus clair.

– Un orage comme celui de tout à l'heure, mais cent fois plus terrible... La foudre qui s'abat sur la campagne... Une rivière illuminée... Je me sens tomber comme si je faisais partie de la foudre.

– Habituellement, c'est quand tu es ivre que tu me tiens un tel discours.

– Je t'ai déjà dit que je ne boirai pas jusqu'à ce que je retrouve Cornéliane.

– Peut-être t'es-tu endormi quelques secondes.

– Ce que j'ai vu ressemblait davantage à des souvenirs qu'aux scènes disparates qui nous viennent en songe.

– As-tu une idée de ce qui a pu déclencher ces visions ?

– Laisse tomber, c'est passé.

Riga fit approcher son destrier marin du tridacne en repoussant ses longs cheveux turquoise dans son dos recouvert de petites écailles dorées.

– C'est la première fois que la déesse-louve s'entremet dans une querelle entre les divinités, expliqua l'homme-poisson.

Onyx se redressa comme si une abeille l'avait piqué. Il alluma aussitôt ses paumes pour éclairer le visage de l'Ipocan.

– Comment l'avez-vous appelée ?

– La déesse-louve, répéta Riga, intrigué.

– Je croyais qu'il n'y avait que des oiseaux, des chats et des alligators dans les mondes célestes.

– C'est donc que vous ne connaissez pas toute leur hiérarchie.

– Instruisez-moi.

Hadrian n'aimait pas le ton alarmé de son ami, mais il était tout aussi curieux que lui d'apprendre ce que savait la créature marine.

– L'univers a été créé par les dieux-fondateurs, Lessien Idril et Abussos, la louve et l'hippocampe. Ils ont eu deux enfants-dragons, Aiapaec et Aufaniae, qui, à leur tour, ont eu cinq enfants...

– Je connais le reste de l'histoire, le coupa Onyx.

– De quoi avez-vous peur, Roi d'Émeraude ? s'étonna l'Ipocan.

– Je n'ai peur de rien.

– Il est irritable lorsqu'il est fatigué, expliqua Hadrian. Quand arriverons-nous au port d'Agénor ?

– Il y en a plusieurs jusqu'à la grande cité de Byblos, où habite le roi.

Aydine sortit de sa torpeur en entendant ces mots.

— Parlez-moi de lui, Riga, l'invita Hadrian.

— C'est un homme bon qui respecte la nature et les sujets d'Abussos.

— Est-il marié ? voulut savoir Aydine.

— Oui, mais je n'ai jamais vu la reine ou les princes, car la différence entre l'eau de la rivière et celle de l'océan ne nous permet pas d'y entrer.

— Parce que celle de la rivière n'est pas salée, comprit Hadrian.

— Nous vous ferons descendre au port en vous souhaitant de trouver celle que vous cherchez.

— Comment pourrions-nous vous remercier, Riga ?

— Parlez-moi du bijou que vous portez.

Il faisait référence à l'hippocampe en argent qu'une enchanteresse avait jadis offert à Hadrian au pays des Elfes. Hadrian lui raconta donc cette vieille histoire qui remontait à sa première vie. C'était lors d'une visite à son descendant, le Roi Rhee, qu'il avait retrouvé ce vieux présent dans son coffret à bijoux, précieusement conservé par les monarques qui lui avaient succédé.

— La tribu perdue, ce serait donc ces Elfes dont vous venez de me parler, déduisit Riga.

— Je ne connais pas l'histoire des Anciens d'Osantalt, mais je me ferai un plaisir de m'en informer à mon retour à Enkidiev.

— Le Roi Sannpeh sera heureux de l'apprendre. Reposez-vous, maintenant, car nous n'atteindrons notre destination qu'au lever du soleil.

La petite Ayarcoutec dormait déjà dans les bras de sa mère. Napalhuaca avait l'air bien moins terrible lorsqu'elle s'occupait de son enfant. Sa sœur Astalcal et le guerrier Cuzpanki ne semblaient pas fatigués. Jenifael continuait de scruter le ciel, songeuse. De son côté, Aydine était penchée sur le bord du vaisseau en forme de coquillage et regardait dans l'eau en rêvant à sa future vie. Quant aux Immortels Dinath et Dylan, ils étaient collés l'un contre l'autre.

— Onyx, tu peux fermer les yeux, chuchota Hadrian. Il ne nous arrivera rien, cette nuit.

Son ancien lieutenant lui lança un regard agacé, comme dans le bon vieux temps. Cependant, même si son premier réflexe était généralement de résister aux conseils, Onyx finissait toujours par se rendre compte qu'ils étaient sages. Quelques minutes plus tard, il s'assoupit lui aussi.

Hadrian monta la garde, même si les deux Immortels ne dormaient pas. Il ne redoutait aucune attaque en présence des guerriers ipocans. C'était plutôt son cerveau hyperactif qui l'empêchait d'imiter les autres. *Cornéliane, est-ce que tu m'entends ?* demanda Hadrian en utilisant ses facultés télépathiques. Aucune réponse. Onyx n'avait cessé d'appeler sa fille depuis leur départ d'Enkidiev. Pourquoi gardait-elle le silence ? Riga avait vu des pêcheurs d'Agénor repêcher le corps inanimé de la princesse. « Onyx ne s'en remettra jamais si elle a péri en tombant de la falaise », songea l'ancien Roi d'Argent.

Il s'endormit un peu avant le lever du soleil et fut réveillé quelques heures plus tard par les bruits qui émanaient du port d'Abyla. Voyant approcher le tridacne tiré par des hippocampes et escorté par de fiers cavaliers d'Ipoca, les marins se mirent à alerter leurs semblables pour qu'ils assistent aussi à cet inhabituel spectacle.

Riga rapprocha le mollusque du quai en planches clouées sur d'énormes poteaux enfoncés dans la vase.

– Nous ne pouvons pas aller plus loin, annonça-t-il aux passagers.

– Nous vous sommes reconnaissants de nous avoir aidés, le remercia Hadrian.

Onyx avait déjà sauté à terre, aussitôt suivi par les Mixilzins, puis par Jenifael, Aydine et les Immortels. Hadrian fut le dernier à quitter la nef. Tout comme la moitié de la population d'Abyla, il aurait aimé observer le travail des créatures marines qui dételaient les dociles hippocampes, mais le Roi d'Émeraude était presque rendu aux longs vaisseaux amarrés à l'autre quai.

– Je cherche une fillette blonde qui serait tombée à l'eau près de cette île là-bas, lâcha Onyx qui gardait toujours espoir de retrouver Cornéliane.

– Que faisait-elle sur Pélécar? s'étonna le capitaine du bateau.

– Elle a été enlevée.

Les Agéniens ne cachèrent pas leur ahurissement, car le crime était sévèrement puni dans leur pays.

– Par qui? voulut savoir le marin.

– Nous n'en savons rien, répondit Hadrian en se plantant près d'Onyx.

La dernière chose qu'il voulait, c'était que son ami provoque un incident diplomatique par son manque de tact, puisque Agénor vénérait le panthéon falconiforme dont Azcatchi faisait partie.

– Le ravisseur l'a prise dans le château de son père et l'a emmenée jusqu'ici.

– Un château? Cet homme est un roi?

– Celui d'Émeraude, précisa Hadrian.

– Nous faisons du commerce avec presque tous les pays d'Enlilkisar et nous n'en avons jamais entendu parler.

– C'est un royaume qui se situe au-delà des volcans.

La surprise des Agéniens se transforma en stupeur.

– Mais il n'y a rien par là, répliqua finalement le capitaine.

– Je ne suis pas venu jusqu'ici pour vous donner une leçon de géographie, maugréa Onyx.

L'ancien Roi d'Argent plaça la main sur l'épaule du père inquiet pour lui recommander de garder son sang-froid.

– Nous sommes la preuve qu'il y a de la vie de l'autre côté des montagnes, affirma Hadrian.

– Maintenant, dites-nous si vous avez vu ma fille, s'impatienta Onyx.

– Pour ma part, je n'ai vu personne, mais je vais demander à mes hommes de questionner les autres équipages. En attendant, vous pourriez aller manger à la taverne d'Abyla.

– Merci, répondit Hadrian. Nous suivrons votre conseil.

Il entraîna le groupe en direction de l'établissement qui, de prime abord, semblait recommandable. On y entrait et sortait comme dans un moulin. Onyx y pénétra le premier et commença par l'explorer avec ses sens invisibles, puis avec ses yeux. Il n'y vit pas grand-chose, car malgré les quelques fenêtres percées dans l'un de ses murs, l'endroit était plutôt sombre.

Les clients se turent en voyant arriver les étrangers. Le costume d'Aydine leur était familier, puisqu'à un moment ou à un autre, ils avaient tous fait du commerce avec les Madidjins, mais les vêtements du reste de la bande ne leur apprenaient rien au sujet de leurs origines. Pour éviter un affrontement, Hadrian poussa les siens jusqu'à une table libre. Ils se dispersèrent de chaque côté et s'installèrent sur les longs bancs en bois.

— Mesdames, messieurs, est-ce que je vous sers de la bière ? demanda le tenancier.

— Tout dépend du paiement que vous accepterez, rétorqua Hadrian.

Il sortit quelques onyx d'or de sa bourse. L'Agénien écarquilla les yeux : ce métal précieux était convoité par les marchands qui n'en trouvaient que dans les nations les plus civilisées du continent.

— Avec ça, je peux aussi vous apporter du pain chaud, du poisson frit et du fromage.

— Ce ne serait pas de refus.

Onyx aurait pu leur procurer la même chose en scrutant les maisons des alentours, mais il était préférable de ne pas indisposer ces gens avec de la magie avant d'avoir obtenu les informations qu'ils cherchaient. Les aventuriers mangèrent avec appétit, sauf Onyx, qui ne toucha ni à la bière ni à la nourriture qu'on avait posées devant lui.

— Vous n'avez pas faim ? s'enquit la serveuse.

— Non, maugréa Onyx. Apportez-moi de l'eau.

Cette requête était plutôt inhabituelle, mais la jeune femme fit ce qu'il demandait.

— Je ne sens la présence de Cornéliane nulle part par ici, chuchota alors Dylan.

— Est-il vraiment nécessaire de me le rappeler ? siffla Onyx entre ses dents.

— Il y a deux scénarios possibles, fit Hadrian qui y avait réfléchi pendant le repas. Ou bien le bateau qui a repêché la petite a poursuivi sa route sur la rivière, ou bien il a continué le long de la côte.

Onyx ferma les yeux et laissa d'abord son esprit parcourir le cours d'eau qui menait à la ville royale. Il crut alors reconnaître un faible courant d'énergie familier qui se dirigeait vers l'est. L'arrivée du capitaine à sa table brisa la concentration du Roi d'Émeraude.

— Apparemment, une enfant d'une dizaine d'années a été repêchée et emmenée à Byblos pour qu'on l'identifie, leur apprit-il.

— Où se trouve Byblos ? s'enquit Onyx.

— Tout au bout de la rivière, sur le bord du lac Athart. C'est la capitale d'Agénor et la résidence principale du Roi Akkar.

— Comment puis-je m'y rendre ?

— Il y a des routes, mais la façon la plus rapide, c'est à bord d'une birème.

— Qu'est-ce que c'est ?

— C'est une longue galère, évidemment.

— Où pourrions-nous en trouver une qui acceptera de nous conduire à Byblos ? demanda Hadrian.

— Tous les hommes que vous voyez ici naviguent sur la mer et sur les cours d'eau d'Agénor. C'est notre façon de vivre.

Le capitaine alla s'entretenir avec de jeunes gens qui buvaient de la bière dans un coin et revint avec l'un d'entre eux.

— Voici Hadast. Il vous emmènera jusqu'au palais en échange de quelques piécettes d'or.

Ne désirant pas perdre plus de temps, Onyx exigea d'appareiller sur-le-champ. Aydine avala ce qui restait dans son assiette, comme si elle n'allait plus jamais avoir l'occasion de se rassasier.

— Ma birème n'est pas la plus grande d'Abyla, mais mes rameurs ont les bras les plus musclés, se vanta Hadast.

— Quand atteindrons-nous le palais ? demanda Hadrian.

— Trois jours, peut-être quatre, à condition de ne nous arrêter nulle part.

— Allons-y, le pressa Onyx.

Son groupe accompagnèrent Hadast et ses hommes jusqu'à leur embarcation.

— Avant de partir, je vais reconduire ceux qui ne désirent plus me suivre, annonça Onyx.

— Maintenant que nous avons constaté que ce pays est sans danger, j'aimerais revoir mon mari, avoua Astalcal. Ma sœur saura se défendre seule.

Onyx se retint de leur rappeler qu'Agénor n'était pas l'unique contrée d'Enlilkisar et qu'il ignorait si ses autres peuples étaient belliqueux.

— Tu peux retourner auprès de Tiouantansayouc et vos tout-petits, déclara fièrement Napalhuaca, et ramène Ayarcoutec avec toi.

— Non ! protesta violemment la fillette.

— Les guerriers obéissent sans discuter à leur commandant, lui rappela la Mixilzin.

— Je veux rester avec toi et vivre une aventure !

— Alors, continue de t'entraîner avec Cuzpanki et, lorsqu'il me dira que tu es enfin prête, nous explorerons le monde ensemble.

— Ce n'est pas la même chose !

Cuzpanki, le préféré de Napalhuaca et le père de la petite, s'accroupit devant cette dernière. Avec douceur, il saisit ses bras déjà musclés.

— Si tu veux recevoir tes tatouages, tu dois faire ce qu'on te demande, rappela-t-il à Ayarcoutec.

— Mais je suis maintenant capable de me battre ! Je n'ai plus rien à apprendre !

— C'est à moi et non à toi de le décider.

Exaspéré par cette discussion qui risquait de durer long-temps, Onyx effleura l'épaule de Cuzpanki et le bras d'Astalcal du bout des doigts et les aspira aussitôt dans son vortex. Les marins poussèrent une exclamation de surprise en les voyant s'évaporer sous leurs yeux.

— Où sont-ils ? s'écria Hadast, pris de panique.

— Le Roi Onyx est un habile magicien, tenta de lui expliquer Jenifael.

— Même les meilleurs envoûteurs ne font pas disparaître les gens ! Seuls les dieux possèdent ce pouvoir !

Onyx se matérialisa en solitaire devant les Agéniens éberlués.

— Pourquoi avoir emmené Cuzpanki ? lui reprocha aussitôt Napalhuaca. Il n'avait pas manifesté sa volonté de repartir.

— Vous devriez plutôt me remercier de vous avoir gardée parmi nous, princesse, répliqua durement Onyx.

Il pivota vers l'équipage et s'aperçut qu'il s'était prosterné à ses pieds.

— Qu'est-ce qui vous prend ? s'étonna Onyx.

Je crois pouvoir affirmer, sans risquer de me tromper, que la magie n'est pas aussi courante à Enlilkisar qu'à Enkidiev, lui dit Hadrian par télépathie.

— Ce n'est pas tous les jours que les dieux daignent descendre sur la terre, répondit Hadast.

Hadrian fit signe à son vieil ami de se taire. Toute tentative d'expliquer aux Agéniens la complexité de ses origines aurait pour effet de nourrir leurs craintes.

— Dans ce cas, montrez-vous digne de vous trouver en ma présence, déclara Onyx en sautant sur le pont. Maintenant, relevez-vous et conduisez-moi jusqu'au Roi d'Agénor.

Les marins s'éparpillèrent en courant sur le pont de la birème, tandis qu'Hadrian, Jenifael, Napalhuaca, Aydine, Dylan et Dinath y prenaient place eux aussi. Les amarres furent détachées et les hommes se mirent à ramer.

— Sire, fit alors Dinath, en s'approchant d'Onyx, nous comprenons l'importance de votre quête, mais nous avons laissé les Bérylois aux prises avec des travaux plutôt urgents qu'ils ne pourront jamais achever seuls.

— Je ne retiens personne, précisa le souverain.

— Si vous devez partir maintenant, pouvez-vous le faire discrètement ? chuchota Hadrian.

— Oui, bien sûr, répondit Dylan.

Les deux Immortels retournèrent sur le quai juste avant qu'Hadast n'utilise une longue perche pour pousser la birème dans le courant.

— Moi, je reste, annonça Aydine.

— Pour l'instant, grommela Onyx.

Il marcha jusqu'à la proue, l'air sombre.

5

LE ROI AKKAR

algré tous les efforts des rameurs, la birème progressait lentement vers le sud, en raison du courant contraire. Faisant fi des avertissements de son vieil ami d'Argent, Onyx décida d'agir. Il remua doucement la main, créant derrière l'embarcation une vague déferlante qui fit brusquement accélérer cette dernière, projetant les rameurs les uns sur les autres.

– Soulevez les avirons ! hurla Hadast qui ne voulait pas les voir voler en éclats.

L'étranger vêtu de noir commandait les éléments à la manière d'un dieu. Il se tenait très droit, les bras croisés sur sa poitrine, le visage crispé par l'inquiétude. Comment le jeune capitaine aurait-il pu comprendre la détresse que ressentait Onyx ?

Au lieu de s'alarmer comme les Agéniens, cramponnée aux cordages, Napalhuaca observait aussi le Roi d'Émeraude. Tout comme elle, il était un parent dévoué, déterminé à se rendre au bout du monde pour secourir son enfant. Ce qui l'émerveillait de plus en plus, c'étaient ses facultés surnaturelles qui semblaient illimitées.

Ce fut donc un équipage terrorisé qui déposa finalement les cinq mystérieux passagers au port de Byblos. Comme la plupart des grandes cités d'Agénor, celle-ci était construite au sommet d'un promontoire qui lui permettait de repérer l'arrivée des bateaux bien avant leur accostage. Or, celui d'Hadast, portée par une puissante lame de fond, avait provoqué une extrême agitation chez les sentinelles postées au sommet des hautes murailles. L'une d'elles avait immédiatement alerté le chef de la garde royale qui, à son tour, s'était précipité chez le Roi Akkar.

– Une birème poussée par une vague géante ? répéta le souverain, incrédule.

Akkar portait ses cheveux blond miel à l'épaule. Ses yeux verts brillaient de curiosité.

– Emmenez-moi son équipage, Tingis. Je veux entendre de leur bouche ce qui leur est arrivé.

Accompagné de ses meilleurs soldats, le chef de la garde descendit jusqu'au port au pas de course en empruntant la rue principale de Byblos qui serpentait entre les plus importants édifices de la ville. Toutefois, lorsqu'ils arrivèrent sur les quais, la birème d'Hadast était déjà repartie. S'informant auprès des marins et des marchands, Tingis finit par retrouver les étrangers qui questionnaient tout le monde sur les quais au sujet d'une fillette perdue.

– Au nom de Sa Majesté le Roi Akkar d'Agénor, je vous somme de me suivre jusqu'à sa chambre d'audience, déclara Tingis d'une voix forte.

N'aimant pas recevoir d'ordres, Onyx allait lui faire connaître sa façon de penser, lorsque Hadrian se plaça entre lui et le messager du monarque.

— Nous sommes à son entière disposition, assura l'Argentais.

— Quoi ? se hérissa Onyx.

— En toute probabilité, le Roi Akkar possède un réseau de communication étendu qui nous permettra de retrouver plus rapidement Cornéliane.

— Sans télépathie ?

— Ce n'est pas la seule façon d'exprimer sa volonté, Onyx. Je t'en prie, fais-moi confiance.

Son ancien lieutenant obtempéra sans toutefois cacher son mécontentement. Ils marchèrent entourés de soldats jusqu'aux portes du palais où des serviteurs les reçurent avec des rafraîchissements avant de les conduire dans une vaste salle au plafond démesurément haut. Onyx promena son regard autour de lui. La pierre utilisée dans la construction du hall était polie et réfléchissait la lumière des flambeaux, éclairant davantage l'endroit.

— C'est du marbre, chuchota Hadrian à son oreille.

Pour la première fois depuis qu'elle s'était jointe à l'expédition, Aydine souriait de toutes ses dents. Elle semblait curieusement à l'aise dans ce somptueux décor, tandis que Napalhuaca était tendue comme la corde d'un arc. Jenifael, silencieuse aux côtés d'Hadrian, analysait plutôt la situation à la manière d'un soldat d'Émeraude.

– J'imagine que tu ne sais rien toi non plus sur ce roi, lâcha Onyx en se tournant vers son ancien commandant.

– Nous ne possédons malheureusement aucun écrit sur les peuples d'Enlilkisar.

Au sommet d'une estrade, tout au fond de la pièce, se dressait un trône en or massif décoré de sculptures en relief représentant des animaux marins. De chaque côté du majestueux siège s'alignaient une dizaine de bancs en bois précieux.

Sans avertissement, d'une porte dissimulée sous les marches de la tribune, émergèrent une vingtaine d'hommes portant des tuniques bleues. Sans prononcer un seul mot, ils se postèrent chacun à leur place et demeurèrent immobiles jusqu'à l'apparition de leur souverain, vêtu de pourpre. Une femme et deux jeunes garçons le suivaient. Ils grimpèrent jusqu'au sommet de l'estrade sans même accorder un regard aux étrangers. Akkar s'installa sur le trône, tandis que sa reine resta debout à sa droite et que ses enfants s'assirent à ses pieds.

– Approchez, ordonna le roi. Dites-moi qui vous êtes et pourquoi vous êtes arrivés à Byblos d'une aussi curieuse manière.

Onyx se planta aux pieds du monarque et plaça ses mains sur ses hanches.

— Je suis le Roi d'Émeraude et voici mon ami et conseiller, Hadrian d'Argent, le Chevalier Jenifael d'Émeraude, la Princesse Napalhuaca des Mixilzins et Aydine. Je cherche ma fille depuis plusieurs jours, alors j'ai persuadé la rivière de nous emmener jusqu'ici plus rapidement.

— Persuadé ?

La reine se racla la gorge pour rappeler son mari à l'ordre.

— Je suis le Roi Akkar et voici mon épouse Saïda, ainsi que mes fils Ilkar et Simoun.

Les deux gamins étaient à peine plus jeunes que Cornéliane.

— Je ne connais ni Émeraude, ni Argent, avoua l'Agénien.

— Ce sont des contrées situées de l'autre côté des volcans, expliqua Hadrian.

Un murmure d'étonnement circula entre les conseillers.

— Nous ignorions qu'il y avait de la vie au-delà des montagnes de feu. Mais comment votre fille aurait-elle pu s'aventurer jusqu'ici, puisqu'elles sont infranchissables ?

— Elle a été enlevée par un dieu.

— Lequel ?

Cette fois, Hadrian ne parvint pas à devancer Onyx.

— Azcatchi.

L'accusation déclencha un tollé dans l'entourage d'Akkar qui dut élever la voix pour faire taire tout le monde.

— Pour quelle raison le fils de Lycaon aurait-il agi ainsi? demanda-t-il à Onyx.

— C'est une longue histoire.

— Alors, acceptez mon hospitalité et racontez-la-moi au repas, ce soir.

— J'ai déjà perdu beaucoup de temps...

— Nous acceptons votre invitation avec plaisir, le coupa Hadrian.

Onyx décocha un regard courroucé à son ancien commandant.

— Dites-moi à quoi ressemble votre fille et mes conseillers enverront tout de suite un avis de recherche par pigeons voyageurs dans tout le pays.

— Des pigeons? répéta Onyx, étonné.

— Ils sont beaucoup plus rapides que les chevaux. Décrivez-moi l'enfant.

Onyx tendit le bras et fit apparaître au-dessus de sa paume la tête blonde de sa petite princesse sous forme d'hologramme, arrachant un cri d'épouvante à l'assemblée.

– Mais comment est-ce possible ? s'étrangla Akkar en se levant.

– C'est de la magie, Altesse, expliqua Hadrian. Le Roi Onyx excelle dans ce domaine.

– Onyx ?

L'Agénien descendit lentement les marches, fasciné par le visage de Cornéliane qui le regardait droit dans les yeux.

– Personne ici ne peut accomplir un tel prodige.

Akkar tendit la main pour toucher le visage de l'enfant.

– Majesté ! s'effraya le plus âgé des conseillers.

– Est-ce dangereux ? voulut savoir le roi.

– Pas du tout, affirma Jenifael. Ce n'est qu'une image.

Akkar passa la main au travers de la tête lumineuse.

– Qu'on les conduise dans nos plus riches appartements, ordonna-t-il en plantant son regard dans celui d'Onyx. Je vous ferai quérir pour le repas.

Le roi fit signe à sa famille de descendre de l'estrade et la poussa vers la porte. Onyx voulut lui emboîter le pas pour tenter de lui faire comprendre que le temps lui était compté, mais Hadrian l'en empêcha.

— Ce n'est pas le bon moment, mon ami.

Le groupe suivit donc les serviteurs jusqu'à une salle entourée de plusieurs chambres richement décorées.

— Vous êtes libres de circuler dans le palais, leur apprit l'un des esclaves.

Aydine se précipita aussitôt dans les pièces qu'on leur avait assignées, en compagnie de Napalhuaca, tout aussi curieuse qu'elle.

— Je comprends que les règles de la diplomatie nous contraignent à créer des liens avec ce royaume, indiqua Jenifael, mais cela ne permettra-t-il pas à Azcatchi de retrouver Cornéliane avant nous ?

Le regard angoissé d'Onyx confirma qu'il pensait exactement la même chose qu'elle.

— Je demeure d'avis que l'appui du Roi Akkar est souhaitable, leur fit savoir Hadrian. Je vous en conjure, soyez patients.

Avant de prononcer des paroles qu'il regretterait, Onyx sortit sur le grand balcon et observa la ville blanche qui s'étendait devant lui. Entourée de hauts murs, elle abritait des quartiers résidentiels, des édifices culturels, ainsi que des locaux commerciaux et industriels. Au milieu d'un immense jardin, à l'ouest, s'élevait un temple. Toutes les maisons se ressemblaient. Elles comportaient deux, et même trois étages.

Leurs portes d'entrée étaient toutes flanquées de larges colonnes et leurs façades percées de fenêtres à balustrades.

— Je vais faire un peu d'exploration, annonça Hadrian.

Onyx se contenta de hausser les épaules. Voyant qu'il n'arriverait pas à lui changer les idées, Hadrian partit seul. Il visita tous les étages, surpris d'en trouver neuf, car à Enkidiev, les plus grands palais n'en avaient jamais plus de trois. C'est sur le dernier palier qu'il découvrit une salle dix fois plus spacieuse que toutes les autres. Il y pénétra sur la pointe des pieds pour ne déranger personne, mais ne put retenir un soupir d'admiration en apercevant des milliers de livres reposant sur des tablettes qui grimpaient jusqu'au plafond.

Sans pouvoir s'en empêcher, Hadrian retira un livre relié en cuir d'un rayon et le feuilleta avec délicatesse. Il avait appris de nombreuses langues durant sa première vie, mais jamais il n'avait vu une écriture ressemblant à celle qui couvrait les pages de cet ouvrage. Il le remit à sa place et s'approcha d'une autre tablette pour en choisir un autre. Sa graphie était différente, mais tout aussi indéchiffrable. «Je pourrais passer des années ici à étudier ces nouveaux dialectes», songea-t-il. Le visage de Jenifael apparut alors dans son esprit. «Elle ne me le pardonnerait jamais», se découragea-t-il.

— Puis-je vous aider, jeune homme?

Hadrian fit volte-face et se retrouva nez à nez avec un vieillard aux cheveux blancs.

— Est-ce l'écriture d'Agénor?

– Non... C'est celle des Madidjins. Même un enfant la reconnaîtrait.

– Un enfant élevé à Enlilkisar, sans doute, mais je suis d'Enkidiev.

– Je n'en ai jamais entendu parler.

– C'est le continent qui se trouve au-delà des volcans.

L'homme fut pris d'un si grand vertige qu'Hadrian dut l'aider à s'asseoir.

– Je ne désirais pas vous ébranler de la sorte.

– Ce n'est pas vous, mais votre arrivée sur nos terres qui me trouble, car vous donnez raison aux prophètes qui affirment qu'il y a de la vie ailleurs. Je suis Lyxus, l'archiviste du roi.

– Les peuples d'Enkidiev ne sont pas hostiles.

– Portez-vous le nom d'une pierre?

– Non. Je m'appelle Hadrian d'Argent. Vos prophètes disent-ils autre chose sur nous?

– Ils prétendent qu'un redoutable sorcier portant le nom d'une pierre changera nos coutumes et nos traditions pour nous imposer les siennes. Rien ne sera jamais plus pareil non seulement pour Agénor, mais aussi pour tous les habitants d'Enlilkisar.

« Onyx ? » se demanda Hadrian.

– Vous connaissez celui dont je parle, n'est-ce pas ? se désola Lyxus.

– Je connais un homme qui porte le nom d'une pierre, mais je ne le crois pas capable d'autant de méchanceté.

– Les prophètes disent également qu'il commandera les forces de la nature et qu'il influencera l'esprit de la population qui lui obéira comme s'il était un dieu.

– Chacun façonne son propre destin, Lyxus. Au lieu de trembler à la pensée qu'un tel ennemi puisse un jour vous asservir, prenez plutôt des mesures dès maintenant pour modifier ce sombre avenir.

– Si vous me tenez un tel discours, c'est que vous ne connaissez pas du tout les Agéniens.

– Sans doute, mais j'ai l'esprit ouvert. Dites-moi ce que je devrais savoir.

Lyxus l'emmena s'asseoir dans un coin retiré de la bibliothèque et lui raconta l'histoire des Agéniens, un peuple, arrivé de la mer il y a des milliers d'années. Avant tout marins, ils s'étaient tout de même installés sur ces terres fertiles et boisées. Capables de produire tout ce dont ils avaient besoin pour survivre, ils avaient d'abord construit leurs magnifiques cités avant de recommencer à bâtir d'autres bateaux. Leur sang de commerçant s'était alors remis à bouillir dans leurs veines et ils avaient repris la mer, à la recherche de clients désireux d'acheter leurs marchandises.

— C'est ainsi que nous avons découvert les autres peuples qui habitent Enlilkisar et que nous avons pu dessiner les cartes géographiques que nous utilisons toujours de nos jours.

— Des cartes ? Puis-je les voir ?

Sous le regard intéressé de l'Argentais, le vieil homme déroula une carte du nouveau monde.

— Nous transportons sur l'eau tout ce qui s'échange ou qui se vend, poursuivit Lyxus, que ce soit des aliments, du verre, du grain, du vin, de l'huile, du cuivre, de l'étain, de l'argent, des animaux, des pierres précieuses, du parfum, de la pourpre, du bois ou des esclaves.

— Des esclaves ? s'étonna Hadrian.

— Les familles riches en raffolent.

— Pas là d'où je viens. Tous les hommes sont libres.

— Comme c'est curieux...

Hadrian glissa l'index le long des frontières entre les pays, mais sans parvenir à déchiffrer leurs noms écrits dans une autre langue étrange.

— Il est bien curieux que vous parliez l'Agénien et que vous n'arriviez pas à le lire, fit remarquer Lyxus.

— C'est en raison d'un enchantement d'interprétation.

— Le dernier envoûteur s'est pourtant éteint il y a des siècles à Agénor.

«Peut-être ont-ils émigré de l'autre côté des volcans», songea Hadrian.

— Parlez-moi de ce sortilège, insista Lyxus.

— Il transforme nos paroles pour que nos interlocuteurs puissent nous comprendre, peu importe la langue d'usage.

— Mais il ne vous permet pas de les lire.

— Malheureusement, non.

L'archiviste pointa chacun des royaumes en le lui nommant.

— Quelles relations entretenez-vous avec vos voisins ? s'enquit Hadrian.

— Normalement, les peuples qui adorent les mêmes dieux sont alliés. Cependant, puisqu'ils ont tous besoin d'une denrée qu'ils ne peuvent produire eux-mêmes, la plupart tolèrent notre présence dans leurs ports. Dites-moi, Hadrian d'Argent, êtes-vous un grand savant dans votre monde ?

— Pas du tout. Je dirais plutôt que je suis un homme assoiffé de savoir. J'ai remis de l'ordre dans une importante bibliothèque et j'adore lire, mais je ne sais pas encore tout.

— Si votre séjour au palais devait se prolonger, je pourrais vous montrer des choses très intéressantes.

— Je ne crois pas que nous restions longtemps, car j'accompagne un souverain particulièrement impatient. Dès qu'il aura obtenu les renseignements qu'il cherche, il voudra se remettre en route. Je pourrais toutefois revenir plus tard.

— Cela me ferait grand plaisir. Laissez-moi vous offrir cette carte pour que vous n'oubliez pas votre promesse.

— Vraiment ?

— J'en ai plusieurs exemplaires.

— Je vous en remercie du fond du cœur.

Lyxus roula le parchemin et l'attacha avec un cordon de cuir.

— J'imagine que votre prochaine question concernera notre écriture, fit le vieil homme en remettant le présent à son visiteur.

— Possédez-vous le don de lire les pensées ?

— Certainement pas, assura Lyxus en riant, mais je sais interpréter les émotions sur les visages.

L'alphabet agénien comportait vingt-trois signes distinctifs que l'archiviste se fit un devoir de dessiner sur un morceau de papyrus.

Pendant qu'Hadrian apprenait à prononcer ces lettres, Onyx continuait d'arpenter le balcon de ses appartements comme un grand chat de Rubis en cage. Napalhuaca était restée à l'intérieur afin d'écouter avec Aydine les éclaircissements de Jenifael sur l'apparition de la tête de Cornéliane dans la main de son père. Il n'était pas facile d'expliquer la magie à des personnes qui ne la pratiquaient pas. Des deux femmes, seule la Mixilzin possédait un don surnaturel, soit celui de voir l'avenir ou de retrouver les gens manquants et, pour ce faire, elle devait entrer en transe. Or, Onyx avait été parfaitement conscient lorsqu'il avait opéré ce prodige.

— Il n'y a vraiment personne en mesure de faire ce genre de choses étranges à Enlilkisar ? s'étonna Jenifael.

Napalhuaca et Aydine secouèrent la tête à la négative. La femme Chevalier leur présenta donc ses paumes où elle fit apparaître de petites flammes.

— Est-ce douloureux ? s'enquit Aydine.

— Pas du tout.

La guerrière Mixilzin approcha les doigts des mains de Jenifael et sentit la chaleur qui s'en dégageait.

— C'est du vrai feu ! s'exclama-t-elle.

— Mais c'est moi qui décide s'il brûlera ou pas ceux que je touche, précisa l'Émérienne.

Tout le corps de Jenifael s'enflamma. Napalhuaca avait déjà assisté à ce phénomène, mais pas Aydine. Elle fit un bond en arrière, effrayée, mais n'eut pas le temps d'aller chercher de l'eau que la déesse reprenait son apparence normale.

— Je suis indemne, assura la femme Chevalier.

— Mais comment ? s'étonna Aydine.

— C'est de la magie. Je peux guérir une plaie, réparer des os cassés, incendier une maison, soulever un objet sans le toucher, communiquer avec mes compagnons d'armes par l'esprit et même capter vos émotions. En ce moment, vous pensez que les gens comme moi ne sont pas de ce monde.

— Les Itzamans disent que des divinités incandescentes vivent à l'intérieur des volcans, indiqua Napalhuaca.

— Ce n'est qu'une superstition, affirma Jenifael. Ce pouvoir, je le tiens de ma mère qui vit là-haut, dans un univers parallèle, pas dans le sol.

Onyx pouvait entendre cette conversation sur la magie et il ne voulait pour rien au monde y participer. Depuis son arrivée au palais de Byblos, il ne cessait d'appeler sa fille par télépathie. Même si elle avait été capturée par des brigands et retenue contre son gré, Cornéliane aurait été capable de lui répondre. Personne ne restait inconscient aussi longtemps, alors la seule explication de son silence n'était guère réjouissante. « Ceux qui ont causé sa mort le regretteront amèrement », se dit-il.

Lorsque le soleil commença à descendre à l'ouest, des serviteurs vinrent chercher les invités du roi et les conduisirent jusqu'au hall de celui-ci.

Onyx s'étonna de ne voir que des hommes autour de la cinquantaine de tables qui entouraient celle de la famille royale. Il n'aperçut aucun des vingt conseillers parmi eux. Ils portaient tous des vêtements de différentes teintes de bleu qui semblaient beaucoup trop grands pour eux. « Quelque chose ne tourne pas rond, ici », songea Onyx, qui ressentait leur nervosité.

Les membres de l'expédition s'arrêtèrent devant la table d'Akkar et se courbèrent avec respect. Onyx capta aussitôt le malaise sur le visage de son pair.

— Où est Hadrian ? demanda Jenifael.

— Je suis derrière vous, répondit son fiancé en franchissant le seuil du hall.

Les visiteurs ne remarquèrent pas que les portes s'étaient refermées derrière lui. Ils n'entendirent pas non plus le frottement de la barre de bois qu'on venait de faire glisser dans les anneaux de métal pour que personne ne puisse s'échapper de la salle.

— Veuillez excuser mon retard, Majesté, fit Hadrian.

— Je t'ai dit de ne pas m'appeler ainsi, rétorqua Onyx.

— Je ne m'adressais pas à toi.

– Oh...

Pourquoi sont-ils tous aussi méfiants ? demanda alors Jenifael. Onyx sonda leurs esprits. Ce qu'il y trouva l'intrigua.

– Mais quelle est donc cette prophétie qui semble tous vous obséder ? lâcha-t-il.

Découragé par le manque de manières de son ami, Hadrian se cacha le visage dans sa main droite en penchant la tête en avant. Un silence de cimetière planait sur le hall.

– C'est votre faute, déclara le plus jeune des deux princes. Vous portez le nom d'une pierre.

– Ilkar, tais-toi, ordonna la reine, glaciale.

– Je ne comprends pas la relation entre mon nom et cette mystérieuse prophétie.

Hadrian s'empressa de lui répéter par télépathie ce que Lyxus lui avait révélé.

– Quoi ? s'exclama Onyx, éberlué.

– Je t'en prie, garde ton calme.

– Je suis uniquement à la recherche de ma fille qui a été repêchée par un de vos bateaux !

Hadrian plaça sa main sur l'épaule de son ami, mais ce dernier s'en défit aussitôt.

– Tout le monde sait que les prophètes se trompent la moitié du temps! poursuivit Onyx, les joues de plus en plus rouges de colère.

Aurais-tu réagi autrement qu'eux si Amecareth s'était présenté à ta table? demanda Jenifael pour tenter de l'apaiser à son tour. *Il faisait partie, lui aussi, d'une prophétie.*

– Tout ce que je veux, c'est de savoir où se trouve Cornéliane, et je partirai.

À son grand étonnement, Akkar baissa la tête, comme s'il tentait de lui faire comprendre qu'il ne pouvait plus rien faire pour lui. Onyx flaira immédiatement le danger. Derrière lui, les cinq cents hommes qui assistaient au festin s'étaient levés et débarrassés de leurs tuniques. Le Roi d'Émeraude fit volte-face juste à temps pour les voir sortir leurs glaives de leurs fourreaux. *Ce ne sont pas des membres de sa cour, mais son armée,* déclara-t-il pour ses compagnons d'armes.

– Mais qu'est-ce que vous faites? se troubla Aydine.

– Il y a plusieurs façons de déjouer une prophétie, indiqua la reine.

À ses côtés, son mari gardait la tête basse, ce qui fit comprendre à Hadrian qu'il n'était pas d'accord avec les plans de Saïda.

Les soldats avaient commencé à se déplacer de chaque côté du hall, avec l'intention d'encercler leurs victimes. Ils portaient maintenant sur leurs torses une armure composée de lamelles de métal retenues entre elles par des courroies de cuir par-dessus une tunique de laine bleue qui s'arrêtait à mi-cuisse. Ils avaient aussi enfilé sur leurs têtes un casque de cuir sur lequel étaient cousues des oreillettes pour protéger leur mâchoire et une palette pour se mettre à l'abri des coups sur la nuque.

– Cette violence est inutile ! s'exclama Hadrian. Nous sommes venus ici en paix !

– Je suis vraiment navré, murmura Akkar.

Onyx alluma ses paumes.

– Si vous provoquez la colère de cet homme, il vous massacrera ! les avertit Hadrian. Si vous tenez à la vie, baissez vos armes !

– Tuez-les ! ordonna Saïda en poussant ses fils derrière elle.

Les Agéniens foncèrent sur les étrangers en hurlant comme des bêtes sauvages, étouffant les exhortations à la paix d'Hadrian. Jenifael et Napalhuaca adoptèrent des positions de combat tandis qu'Aydine s'accroupissait en boule sur le plancher. Aucun des compagnons d'Onyx n'eut le temps de réagir.

En l'espace d'un instant, celui-ci redevint le sanguinaire lieutenant qui avait jadis servi sous les ordres d'Hadrian. En effectuant un demi-cercle, il laissa jaillir de ses mains d'intenses flammes. Les corps calcinés des soldats se mirent à tomber les uns après les autres sur le plancher de marbre blanc. Lorsqu'ils furent tous anéantis, le renégat pivota vers la famille royale, les yeux étincelants de haine. Akkar avait relevé la tête, décidé à mourir noblement dans ce piège qui s'était retourné contre son instigatrice.

— Non ! hurla Hadrian en se précipitant vers son ami pour l'empêcher de leur faire subir le même sort.

Onyx tendit le bras et, grâce à ses pouvoirs de lévitation, il repoussa brutalement Hadrian jusqu'aux larges portes où il l'immobilisa. *Jeni, arrête-le !* la supplia l'ancien Roi d'Argent.

— Vos prophètes ont donc oublié de vous dire que vous péririez par votre propre faute ! cria Onyx, hors de lui.

Jenifael sauta sur la table qui séparait Onyx de ses proies.

— Le protocole te défend de tuer un autre roi ! s'empressa-t-elle de lui rappeler.

— À Enkidiev ! Enlève-toi de là !

— Tu sais de quoi je suis capable, Onyx. Donne-moi ta parole que tu ne leur feras aucun mal et je t'obéirai.

Napalhuaca rejoignit la femme Chevalier sur son perchoir afin de l'aider à former un bouclier protecteur devant les dirigeants d'Agénor, mais Onyx ne voulait pas renoncer à sa vengeance. Ses épaules se soulevaient et s'abaissaient au rythme de sa respiration haletante. De toute sa vie, Napalhuaca n'avait jamais vu un guerrier aussi féroce et son admiration pour ce sorcier d'Enkidiev redoubla.

– Je t'en conjure, Onyx, recule, insista Jenifael. Je ne veux pas être obligée d'expliquer à Swan pourquoi j'ai dû te tuer.

Le renégat poussa un terrible grondement qui fit trembler tout l'édifice et se transforma en un loup au pelage noir comme la nuit.

Hadrian, que dois-je faire ? s'alarma la femme Chevalier.

Son fiancé n'eut pas le temps de répondre. L'animal avait bondi vers les portes qui s'ouvrirent instantanément devant lui. Il sauta par-dessus Hadrian et fonça dans le corridor en semant la terreur parmi les serviteurs.

– Est-ce qu'on le poursuit ? demanda Jenifael en rejoignant l'ancien souverain enfin libéré de la pression qui l'avait gardé plaqué contre les planches.

– Pas sous cette forme.

Napalhuaca était restée sur la table à tenter de comprendre ce qui venait de se passer. Hadrian s'approcha de la famille royale apeurée.

– Vous serez traqués comme des chiens ! les menaça la reine.

– Fuyez, se contenta de leur dire Akkar.

Sans hésitation, Jenifael et Napalhuaca foncèrent vers la sortie.

— Aïe ! s'écria Aydine en bondissant sur ses pieds. Attendez-moi !

Le groupe profita de la stupeur des habitants du palais pour filer vers les grandes portes de métal de la cour. Une fois dans l'allée qui menait au port, Hadrian força son cerveau à réfléchir plutôt qu'à réagir instinctivement. Même s'il faisait sombre, dans leurs vêtements totalement différents de ceux que portaient les Agéniens, ils n'arriveraient pas à échapper à leurs poursuivants. Hadrian ne voulait pas non plus quitter la région sans Onyx.

Il obliqua donc dans une petite rue transversale et aperçut ce qu'il cherchait : des tuniques qui séchaient, suspendues à une longue corde entre deux balcons. D'un bond, il décrocha la première et la tendit à Jenifael, puis s'empressa de remettre les autres à Napalhuaca et Aydine avant d'enfiler la sienne.

— Dommage qu'elles ne soient pas munies de capuchon, regretta Jenifael.

— Par ici, presque tous les gens ont les cheveux pâles, leur fit remarquer Napalhuaca, mais j'en ai aussi vus qui avaient des chevelures foncées.

— À présent, il importe d'agir normalement et non comme des fugitifs pendant que nous cherchons Onyx, trancha Hadrian.

— Est-il vraiment celui dont parle leur prophétie ? demanda Aydine, qui fermait la marche.

– Non, répondit l'ancien Roi d'Argent d'une voix ferme. Maintenant, marchez et faites de votre mieux pour dissimuler votre nervosité. Je vais me concentrer pour retrouver notre loup errant.

Tandis que les quatre aventuriers redescendaient vers le port en déployant des efforts considérables pour ne pas réagir aux cris d'alarme qui s'échappaient du palais et des soldats qui passaient en courant près d'eux, Onyx venait tout juste de revenir à lui, couché derrière de gros barils de vin empilés sur le quai de Byblos. Encore une fois, ses vêtements étaient en lambeaux, puisque son corps humain n'avait pas du tout la même conformation que celui du loup. Il tenta de se remettre sur pied, mais fut assailli par un douloureux mal de crâne. Il se laissa retomber sur le sol, haletant.

Hadrian ? appela-t-il en grimaçant, car cette transmission télépathique le fit souffrir. *Où es-tu ?* répondit aussitôt son vieil ami. Incapable de se lever, Onyx se fia plutôt aux bruits environnants. *Au port, je crois. J'entends le clapotis des vagues, les cris des oiseaux de mer et des conversations au loin.*

Au port de Byblos ou as-tu filé jusqu'à la ville suivante ? poursuivit Hadrian. *Comment veux-tu que je le sache ? Je ne me souviens de rien quand je redeviens humain.* Cette révélation fit aussitôt craindre à Onyx que la même chose soit arrivée à Cornéliane. Si elle était sa fille, il y avait fort à parier qu'elle pouvait se métamorphoser elle aussi. « Elle n'aurait pas plus conscience que moi de ce qu'elle est en train de faire », comprit le père.

Reste où tu es, lui conseilla Hadrian. *Je vais utiliser d'autres sens pour te retrouver*. Onyx n'eut même pas la force de répondre. Il ferma les yeux et chercha à reprendre totalement ses sens.

6

SOLIS

orsqu'ils revinrent de leur rencontre avec les fondateurs, Étanna, Solis et Ahuratar trouvèrent tout le panthéon rassemblé dans la grande tanière de la divinité-jaguar. Furieuse, celle-ci se mit à marcher autour de son trône recouvert de fourrures en grondant.

— Doit-on conclure que les choses se sont très mal passées ? demanda Anyaguara.

— Abussos a proféré des menaces contre nous, maugréa Étanna.

— Abussos ? répétèrent-ils en chœur.

— Pourquoi êtes-vous si surpris ? Il est l'époux de Lessien Idril. Il est donc normal qu'il soit à ses côtés.

— Les félins sont-ils les seuls visés ? s'enquit Corindon.

— Non, répondit Ahuratar avec son calme habituel. Il nous somme de rétablir l'harmonie entre nous ou nous subirons sa colère. Il a aussi précisé que c'était le seul avertissement qu'il nous adresserait.

Une clameur de protestations s'éleva dans le vaste terrier. Étanna attendit que ses sujets se calment avant d'ajouter à ce que venait de déclarer son fils-lion.

— Parandar a même eu le culot de fixer une autre rencontre afin de discuter de la façon d'améliorer nos relations, dit-elle.

— Moi, je ne vois qu'une seule façon d'y parvenir, laissa tomber Solis.

— Parle, ordonna Étanna.

— L'unité ne pourra être restaurée entre les trois panthéons que si nos grands-parents acceptent de retirer à Parandar tous les privilèges qui l'ont élevé au-dessus de ses frères et ses sœurs.

— Solis a raison, l'appuya Enderah, la déesse-lynx.

— Pensez-vous vraiment que Parandar consentira à se départir de ses pouvoirs ? lâcha Corindon.

— Il n'aura pas d'autre choix que d'y renoncer, affirma Ahuratar.

— Même s'il se complaît dans sa suprématie, renchérit Solis, tout comme nous, il voudra survivre. Ce qui a divisé les enfants d'Aiapaec et d'Aufaniae pour commencer, c'est cette inégalité.

— Et s'il refuse ? s'entêta Corindon.

– Nous disparaîtrons tous, les avertit Ahuratar.

– Parandar a bien des défauts, leur fit observer Étanna, mais il est aussi très intelligent. À mon avis, il prendra le temps de réfléchir à cette suggestion avant de mettre son propre panthéon en péril. Maintenant, laissez-moi seule.

Les dieux se métamorphosèrent en fauves afin de se glisser dans les tunnels qui leur permettraient de quitter la tanière royale.

– Pas toi, Solis, ajouta Étanna.

Le jaguar reprit sa forme humaine et s'approcha de sa mère avec un air moqueur.

– Qu'avez-vous encore à me reprocher ? se méfia-t-il.

– De tous mes enfants, tu es le seul dont je ne connais pas l'emploi du temps.

Étanna s'allongea sur le côté en fixant intensément le rebelle.

– J'ignorais que nous devions vous en faire part, rétorqua le jaguar.

– Je suis responsable des agissements de mes descendants.

– J'ai donc fait quelque chose qui vous déplaît.

– C'est à toi de me le dire, Solis.

– Dans ce cas, cet entretien est terminé, car je ne me sens pas fautif envers vous.

L'insolent jaguar pivota sur ses talons et se dirigea vers l'une des ouvertures creusées dans les murs de terre.

– Où as-tu passé les derniers cent ans ? poursuivit Étanna, irréductible.

Solis s'immobilisa.

– C'est donc ça... murmura-t-il en se retournant vers la chef de son panthéon. Je croyais que vous étiez omnisciente.

– C'est un mythe dont on ignore l'origine.

Le dieu-jaguar se croisa les bras sur la poitrine avec un air de défi.

– Je vais faire un marché avec vous, vénérable Étanna.

– Un marché ? Alors que j'ai parfaitement le droit de te forcer à me dire la vérité ?

– C'est vous qui m'avez appris l'art du chantage, puis-je vous le rappeler ?

Étanna laissa échapper un grondement de déplaisir en se redressant.

– Dis-moi ce que tu veux avant qu'il ne me prenne l'envie de t'égorger.

Un sourire de satisfaction apparut sur le visage du jeune dieu.

— Si vous me révélez l'identité de mon père, je vous dirai ce que j'ai fait durant le dernier siècle.

Étanna se changea aussitôt en jaguar et fit entendre un râle menaçant.

— Lycaon et Parandar ont des épouses qui leur ont donné des enfants, tandis que vous...

— Qu'insinues-tu, Solis? cracha la déesse en reprenant sa forme humaine.

— J'essaie d'élucider un mystère qui préoccupe tous vos sujets.

Étanna garda le silence pendant un moment. Solis savait qu'elle tentait surtout de maîtriser sa colère.

— Qui est mon père? insista-t-il.

— C'est un dieu d'ailleurs.

— Lessien Idril nous a elle-même dit qu'il n'y avait que nous.

— Peut-être y a-t-il d'autres univers.

— Comment s'appelle-t-il? À quoi ressemblait-il?

– Pourquoi est-ce si important pour toi de le savoir des centaines d'années plus tard ?

– Je ressens le besoin de connaître d'où je viens, afin de décider où je veux aller.

Étanna leva un sourcil avec incrédulité.

– Tu n'as jamais regardé où tu mettais les pieds de toute ta vie, Solis.

– Même les dieux vieillissent et deviennent plus sages. Parlez-moi de lui.

– Il s'appelait Kimaati.

– Était-il félin ?

– Il ressemblait en tous points à Ahuratar.

– Mais comment est-ce possible ?

– Je n'en sais rien, avoua Étanna en haussant les épaules. Peu de temps après le départ de nos parents-dragons, j'ai dû quitter leur monde, tout comme Lycaon, car sa densité était en train de nous tuer tous les deux. J'ai erré longtemps avant de trouver cette section de l'univers mieux adaptée aux besoins des félidés. Quand j'y suis arrivée, ce terrier existait déjà.

– Il vivait ici ?

Étanna hocha doucement la tête de façon affirmative.

– Seul ?

– Oui. Il m'a confié qu'il avait été chassé de son monde parce qu'il osait dire ce qu'il pensait.

– Je tiens donc cette manie de lui.

– Il avait une plus noble prestance que toi, par contre, et il n'inventait pas n'importe quoi.

– Que lui est-il arrivé ? Pourquoi n'est-il plus ici ?

– Il a disparu après la naissance d'Anyaguara.

– Disparu ?

– Je l'ai cherché partout, sans trouver aucune trace de lui, alors j'ai décidé de croire que les siens l'avaient retrouvé et ramené chez lui.

– Il a peut-être été tué.

– C'est impossible, car j'aurais flairé des soupçons de son énergie.

– Et s'il en avait eu assez d'être père ?

– Kimaati adorait ses enfants, surtout Enderah qui lui tenait tête. Il n'avait aucune raison de partir. C'est pour cela que je suis persuadée qu'on ne lui a pas donné le choix. Maintenant, c'est à toi de parler. Pourquoi te présentes-tu à ma cour uniquement dans les situations graves ?

— Parce que cela en vaut la peine, évidemment.

— Que fais-tu entre tes rares apparitions ?

— J'implante le culte des félins dans le monde des mortels.

— Mais de quelle façon ? demanda une voix familière en provenance de l'un des tunnels.

— Montre-toi, Rogva, l'invita Étanna.

La déesse-puma sortit de l'ombre, la tête haute.

— Tu écoutes aux portes ? la piqua Solis.

— Je suis revenue sur mes pas pour m'entretenir avec ma vénérable grand-mère, un geste heureux, car je pourrai rectifier tes mensonges.

— Tu m'espionnes, en plus ?

— Je t'ai suivi à quelques reprises pour savoir où tu allais.

— Est-ce vraiment chez les mortels ? demanda Étanna.

— Oui, mais pas à Enlilkisar, comme l'exige le traité, affirma Rogva.

— De l'autre côté des volcans ? s'étonna la déesse-jaguar.

— De grâce, épargnez-moi cette comédie, grommela Solis. Vous avez expédié Corindon là-bas alors qu'il n'était encore qu'un chaton.

– Pour fonder une dynastie de puissants sorciers, précisa Étanna. Il n'a jamais eu l'autorisation d'intervenir autrement dans la vie des hommes.

– Il m'était donc permis de faire la même chose.

– Tu as conçu des enfants sans m'en parler ?

– Est-ce un crime ?

– C'est un affront à ma souveraineté qui pourrait entraîner ton bannissement.

– Je ne vis plus ici depuis quelques temps déjà, et pour tout vous dire, je préfère le monde des mortels au vôtre. Je vous quitte donc de mon propre gré.

Solis se courba très bas devant sa mère ébranlée.

– Et bonne chance dans vos négociations avec Parandar.

Il se transforma en jaguar et bondit en direction d'un des tunnels.

– Voulez-vous que je le rattrape ? se hâta de demander Rogva.

– Non... répondit Étanna dans un souffle.

La déesse-mère s'effondra dans ses fourrures, alarmant Rogva qui se précipita à son chevet.

– Vous a-t-il jeté un sort ?

– Il a rouvert une vieille blessure dans mon cœur...

– Je lui ferai payer sa méchanceté.

– Tu n'en feras rien, ma chérie.

– Mais...

Étanna mit le bout de ses doigts sur les lèvres de sa petite-fille pour la faire taire.

– Le destin le punira en temps et lieu.

La déesse-puma se défit délicatement de la main d'Étanna.

– C'est votre douleur qui vous fait parler ainsi.

– Sans doute, mais je suis la seule à pouvoir l'apaiser.

– Enlevez au moins à Solis tous ses pouvoirs pour qu'il ne puisse plus jamais revenir vous défier.

– Il est trop tard pour cela et je n'ai pas l'intention de le poursuivre à l'extérieur de notre univers.

– Même s'il vous a manqué de respect ?

– Tu possèdes le même sens de la justice qu'Ahuratar, ton père, mais tu dois également apprendre que dans certaines situations, il est préférable de ne pas réagir.

Étanna attira la jeune déesse dans ses bras et l'enlaça avec amour.

— Je suis heureuse qu'il y ait encore des félins aussi loyaux que toi dans mon entourage, ronronna-t-elle dans son oreille.

※ ※ ※

À sa grande surprise, Solis ne ressentit aucune émotion en quittant pour la dernière fois le royaume de sa mère. Il avait serré les poings, prêt à se défendre contre de possibles représailles de la part des autres félins, mais aucun d'entre eux ne le traqua jusqu'à l'étang qui reliait l'univers des dieux à celui des humains. Étanna avait donc bel et bien choisi le bannissement comme châtiment, et non la mort.

Le dieu-jaguar se retourna et promena son regard sur les nombreuses montagnes dans lesquelles étaient creusées les tanières. Contrairement à ses semblables, il ne croyait pas qu'il faille vivre toute sa vie là où on avait vu le jour. Depuis qu'il avait goûté à la vie des hommes, il ne pouvait plus s'en passer.

Il sauta dans l'eau sans le moindre regret et toucha bientôt la terre ferme. Il emplit ses poumons d'air frais et se dirigea vers l'entrée du château où il habitait. Lors de ses premières incursions dans le monde des mortels, il avait conservé une apparence semi-féline, ce qui lui avait valu la vénération de peuples primitifs comme les Itzamans, les Hidatsas, les Simius et les Pardusses. Cependant, Solis s'était vite lassé de ce rôle passif et avait jeté un coup d'œil du côté d'Enkidiev. Constatant que ses habitants étaient beaucoup plus libres que ceux d'Enlilkisar, il s'était faufilé dans l'âme d'un nouveau-né afin de vivre les mêmes épreuves que les mortels, sans toutefois se couper de ses pouvoirs surnaturels.

Puisqu'il était un dieu qui avait besoin d'être respecté, il avait choisi de naître dans une famille royale plutôt que parmi les paysans. Il s'était donc emparé du corps d'un bébé, à sa naissance, et avait connu les douleurs reliées à la croissance. À l'âge adulte, il avait pris épouse et il avait même eu des enfants : un légitime et deux hors du mariage. En revenant de temps en temps chez les félins, Solis avait pu conserver son identité secrète et protéger sa famille de la vengeance d'Étanna.

La déesse-jaguar n'avait donné la permission de fonder une dynastie de puissants magiciens à Enkidiev qu'à Corindon et aurait vu d'un mauvais œil qu'un autre de ses descendants crée une lignée rivale. Pourtant, ses trois héritiers ne représentaient aucun danger pour la suprématie des félidés. Bien au contraire, ils pourraient en grandissant contribuer à la propagation de leur culte ailleurs qu'à Enlilkisar.

Solis longea le couloir principal du vieux château qu'il avait fait rénover durant les dernières années. Il entra dans son hall et trouva son épouse seule à la table.

— Je suis désolée d'être en retard, ma chérie.

Il embrassa Alassia sur la joue et s'installa devant elle.

— Où est mon fils adoré ? demanda-t-il en se versant du vin.

— Kirsan a décidé d'accompagner les pêcheurs, ce matin. Ils ne sont pas encore rentrés.

– Excellente initiative. Un futur roi a besoin de savoir ce que font tous ses sujets.

– Et toi, Zach, où étais-tu ?

– Je suis allé me promener afin de réfléchir.

– Puis-je savoir ce qui t'obsède ?

– J'ai tracé mentalement le chemin que je dois suivre afin d'atteindre mes buts. Tout est très clair dans mon esprit, maintenant.

Il remplit la coupe d'Alassia et porta un toast à leur bonheur.

7

EN ÉTAT D'ALERTE

out comme Étanna, dès qu'il fut rentré de l'agora, Lycaon manifesta son désir de s'entretenir avec l'ensemble des membres de son panthéon. Pour la première fois depuis très longtemps, Séléna quitta son nid pour assister à cette importante réunion. Azcatchi, Shvara, Albalys et Nahuat manquaient toutefois à l'appel. Les falconiformes formèrent spontanément un demi-cercle devant le dieu-condor. Ayant choisi de conserver leur forme aviaire, ils avaient refermé leurs ailes et s'étaient resserrés les uns contre les autres. Lycaon commença par leur annoncer la volonté des dieux-fondateurs.

— Ils sont enfin revenus ? se réjouit Angaro, la chevêche.

— Oui, mais uniquement pour nous menacer de tous nous exterminer, précisa Aquilée sur un ton agacé.

— Pour quelle raison ? demanda Ibalba, le serpentaire.

— Parce que nous n'arrivons pas à nous entendre avec les Ghariyals et les félins, expliqua Orlare.

— Mais c'est tout naturel, puisque nous n'avons rien en commun, leur rappela Sila, la buse.

– Lessien Idril désire nous voir rétablir l'harmonie entre les trois panthéons, ajouta Lycaon.

– À mon avis, il est grand temps que nous fassions cet effort, laissa tomber Séléna.

– Nous ? répéta Aquilée, estomaquée. Dois-je vous rappeler, mère, que c'est Parandar qui a hérité du plus vaste territoire céleste et que ce sont Lycaon et Étanna qui en ont été chassés.

– Ils sont partis parce que les dieux-fondateurs ont oublié d'y maintenir les conditions qui leur auraient permis d'y rester.

– Votre naïveté est vraiment désolante.

– Aquilée, un peu de respect, ordonna Lycaon.

– Qu'avez-vous l'intention de faire à la suite de cet ultimatum ? s'enquit Métarassou, la déesse-faucon.

– À moins que nous ayons tous envie de disparaître, il nous faudra songer à un compromis.

– Vous pourriez demander à Lessien Idril d'établir dans nos trois mondes des conditions qui nous permettraient d'y circuler librement, suggéra Orlare.

– Imagine un peu les dommages qu'Azcatchi infligerait aux reptiliens et aux félidés, ricana Aquilée.

– Cela irait contre la volonté des dieux-fondateurs.

– Notre frère crave ne respecte ni les traités, ni les conventions.

– Cette rencontre a pour but de décider de l'avenir de tout notre groupe, leur rappela Lycaon. Je me chargerai de faire entendre raison à Azcatchi.

– Moi, je vote pour notre survie, déclara Risha, le hibou.

Les divinités se mirent toutes à parler en même temps, si bien qu'il devint impossible de comprendre ce qu'elles disaient. Lycaon se leva de son trône et déploya ses immenses ailes. Le silence se fit sur-le-champ.

– Que ferez-vous des oisillons qui sont emprisonnés à Émeraude ? voulut savoir Orlare.

– Nous irons les chercher avant la signature du nouveau traité. Maintenant, je veux savoir lesquels d'entre vous croient qu'une paix permanente est possible, les pressa le condor.

Un petit oiseau au plumage jaune paille tacheté sur les flancs et le dos sortit alors d'un des tunnels qui donnaient accès au nid géant. À bout de souffle, il se prosterna devant le condor.

– Vénérable Lycaon, fit-il d'une voix aigüe, il s'est produit un grand malheur.

– Parle, verdier.

– En récoltant votre pâture, nous avons trouvé le corps de Nahuat.

– Le corps ? murmura Séléna, ébranlée.

– Que lui est-il arrivé ? le bouscula Lycaon.

– Nous ne le savons pas, mais ses entrailles sont éparpillées autour de lui.

Séléna s'effondra sur le sol, évanouie.

– L'as-tu ramené, verdier ?

– Non, grand seigneur. Nous avons pensé que vous voudriez inspecter les lieux d'abord.

– Conduis-moi jusqu'à lui.

Le condor plongea dans les galeries derrière le petit passereau, aussitôt suivi des membres de sa cour. S'attendant à être emmené jusqu'aux confins de son royaume, Lycaon fut surpris de constater que son plus jeune fils avait été assassiné au pied de l'arbre géant où il nichait. Un à un les rapaces se posèrent autour du corps de l'émerillon éventré. Ninoushi, l'épouse-épervier de Nahuat s'approcha du corps de ce dernier et le remua doucement du bout du bec.

– Mais qui a commis ce crime ignoble ? s'indigna Matsa, le vautour.

– Seul un dieu peut en anéantir un autre, leur rappela Aquilée.

– Est-il mort depuis longtemps ? demanda Lycaon.

— Non, répondit Ninoushi dans un souffle. Il est encore tout chaud...

— Le meurtrier ne peut appartenir aux deux autres panthéons puisqu'ils risquent eux-mêmes la mort en franchissant nos frontières, raisonna Métarassou.

— C'est donc l'un des nôtres, se désola Orlare.

— Azcatchi, se fâcha Aquilée.

— Ne le condamnez pas trop vite, leur rappela Risha. Shvara et Albalys ne se sont pas présentés non plus au nid royal.

— Albalys est en fuite parce que Lycaon a demandé à Shvara de le tuer, précisa Aquilée qui ne pouvait pas venir en aide à son époux-milan par ordre du grand condor lui-même.

— Ça nous ramène à Azcatchi, leur fit remarquer Ibalba.

— Qu'en est-il des dieux supérieurs ? questionna innocemment Sparwari.

— Jamais ils ne feraient une chose pareille, protesta Orlare.

— Quelqu'un doit forcément avoir vu ce qui s'est passé, trancha Lycaon. Parcourez toute la forêt et interrogez tout le monde.

La plupart des dieux-aviaires s'envolèrent, mais Ninoushi et deux de ses trois enfants, Sila, la buse et Nochto, la crécerelle, demeurèrent près du cadavre.

– Vous sentez-vous capables de rapporter ses restes au palais ? leur demanda le condor.

– Qu'en ferons-nous ? s'étrangla la déesse-épervier.

Aucun rapace n'avait perdu la vie depuis le début du règne de Lycaon. Personne ne savait comment disposer du corps inanimé de Nahuat.

– Il faudra aussi prévenir Shvara du meurtre de notre père, ajouta Sila.

– Nous devons observer les rites funèbres prévus dans les chroniques que nous ont laissées Aiapaec et Aufaniae, tenta de les rassurer Lycaon.

– Où vont les dieux lorsqu'ils quittent leur corps ? voulut savoir Nochto.

– Je n'en sais rien, mon petit.

Furieux à la pensée que son fils-crave puisse être responsable de cet acte de barbarie, le condor prit son envol et retourna chez lui pour s'occuper de son épouse. Il apprit que ses serviteurs avaient transporté la harpie dans son propre nid et s'y rendit sans délai. Comme il s'y attendait, Séléna était plongée dans le deuil. Nahuat était son benjamin, le seul de ses œufs qui n'avait pas été cassé par Azcatchi.

– Dis-moi qu'ils se sont trompés, implora-t-elle.

Lycaon s'appuya la tête dans le cou de son épouse sans répondre.

— Nahuat était encore plus pacifique qu'Orlare, sanglota la mère.

— Le coupable sera cruellement châtié, je te le promets.

Les rapaces ne revinrent au palais qu'à la tombée de la nuit. Ils avaient questionné tous les serviteurs. Leur petite taille les rendant invisibles parmi le feuillage, ils auraient pu voir quelque chose, mais tous affirmèrent s'être trouvés ailleurs au moment du meurtre.

Après être restée plusieurs heures au chevet de sa mère éplorée, Orlare rentra finalement dans son propre nid, avec l'intention d'écouter ce qui se passait dans l'Éther. Si Azcatchi avait lâchement assassiné son frère, elle le découvrirait dans ses pensées les plus profondes. Elle s'installa sur sa couche et ferma les yeux, mais n'eut pas le temps d'entrer en transe.

— Vénérable Orlare, j'aimerais vous parler, chuchota une voix claire.

Le harfang battit des paupières, mais ne vit personne.

— Qui est là ? s'inquiéta-t-elle.

— Je préfère demeurer caché.

— Êtes-vous ici pour me tuer ?

– Oh non ! Je désire garder mon identité secrète, car je crains pour ma vie.

– Vous avez donc vu ce qui est arrivé à Nahuat.

– C'est exact, mais je ne vous le dirai que si vous me jurez de ne pas me demander mon nom.

– Vous avez ma parole.

– Tout de suite après avoir reçu l'appel de Lycaon, Nahuat s'est envolé de son nid, mais un autre dieu s'est abattu sur son dos et l'a entraîné avec lui jusqu'au sol où il lui a déchiré la poitrine avec ses serres.

– Dis-moi qui a fait ça.

– C'était Azcatchi.

Orlare éprouva un violent vertige et ferma les yeux. Lorsqu'elle les ouvrit à nouveau, son informateur avait disparu. Que s'était-il passé entre les deux frères pour que leur relation se termine aussi tragiquement ?

Sans perdre une seconde, la déesse harfang fit taire ses pensées obsédantes et s'abandonna aux vibrations que lui renvoyait l'univers. Elle y découvrit beaucoup de tristesse, mais tout au fond, derrière les sanglots, elle capta les pensées du crave. Toutes ses frustrations s'étaient finalement transformées en fureur incontrôlable.

Persuadée jusqu'au tréfonds de son âme que personne n'était foncièrement méchant et que tout le monde pouvait être sauvé, Orlare décida de ne pas révéler ce qu'elle savait à Lycaon avant d'entendre ce que son frère avait à dire pour sa défense. À l'aide de ses facultés surnaturelles, elle localisa Azcatchi. Il se terrait dans une région de la forêt où personne ne voulait s'aventurer.

Bravement, elle quitta son logis et se dirigea vers le nouveau refuge du crave. À cet endroit, le feuillage des arbres était si dense qu'il y faisait toujours sombre.

Le harfang se posa sur une large branche et tendit l'oreille. Quelque part, dans l'obscurité, on pouvait entendre les grommellements maussades du crave. Orlare tenta encore une fois de lire ses pensées, mais Azcatchi lui ferma son esprit.

— Es-tu venue m'offrir ta vie, Orlare ?

La déesse sursauta, effrayée.

— Je veux comprendre pourquoi tu as pris celle de Nahuat, répliqua-t-elle en rassemblant son courage.

— Il fallait bien que je commence quelque part.

— Que tu commences quoi ?

— À prendre ma véritable place dans l'univers.

— Nous faisons partie d'un tout, Azcatchi. Nous avons tous un rôle à jouer pour que le monde ne s'écroule pas autour de nous.

— Ce sont là les paroles de dieux qui ont abandonné leurs enfants à leur sort.

— Ils sont revenus pour nous aider à nous unir.

— Cela ne changera pas mes plans. Je vous détruirai tous pour que les humains puissent enfin adorer un seul dieu.

— Les fondateurs nous ont ordonné de rétablir l'harmonie, pas de nous faire la guerre.

— Tu es aussi naïve que Séléna...

Sans avertissement, le crave se laissa tomber de la haute branche où il s'était silencieusement perché pendant qu'il parlait à sa sœur, et planta ses serres dans le dos du harfang.

— Azcatchi, tu n'es pas un meurtrier ! cria Orlare en se débattant pour le décrocher de sa chair. Tu es seulement un oisillon incompris !

La douleur devint si intense qu'elle perdit l'équilibre et piqua vers le sol. Cependant, à la toute dernière minute, elle battit désespérément des ailes en remontant vers le ciel. Le crave se cogna la tête contre le sol et lâcha son emprise sur sa proie, qui s'envola sans demander son reste.

Perdant de plus en plus de sang, Orlare parvint tout de même à se rendre jusqu'au nid de son père, mais elle n'eut pas la force de trottiner dans le tunnel où elle venait de s'engouffrer.

– À moi ! supplia-t-elle en s'effondrant sur le plancher de terre battue.

En quelques secondes à peine, une dizaine de sizerins se précipitèrent à son secours. Ils poussèrent le rapace jusqu'à la pièce centrale du palais de Lycaon et se mirent à verser sur ses plumes blanches maculées de sang de petits seaux d'eau puisée dans un vaste cratère, à la gauche du trône.

Alerté par les pépiements de panique de ses serviteurs, Lycaon quitta sa chambre et pénétra dans son hall.

– Orlare ?

Le condor se pencha sur sa fille et constata qu'elle avait beaucoup de difficulté à respirer.

– Qui t'a fait ça ? gronda-t-il en chassant les sizerins.

– Azcatchi...

Lycaon posa le bout de son aile sur le dos d'Orlare et en fit jaillir une lumière régénératrice.

8

LE GRAND CONSEIL

Plus circonspects de nature que les félins et les rapaces, les Ghariyals s'étaient également réunis pour parler de l'ultimatum d'Abussos dans l'ordre et le calme.

Ils n'avaient connu des remous que deux fois depuis leur création, soit lorsque le jeune Akuretari avait tenté de surpasser son frère aîné en créant lui aussi la vie. Il n'était parvenu qu'à produire des monstres ailés qui ne comprenaient même pas les ordres les plus simples. Parandar avait dû les pourchasser pour en détruire le plus grand nombre possible et, devant le refus de son frère d'avouer sa faute et d'en demander pardon à l'ensemble des reptiliens, il avait dû condamner ce dernier à l'exil dans le gouffre sans fond.

Akuretari avait réussi à s'enfuir de sa prison, troublant de nouveau la quiétude des siens. Heureusement, le légendaire Chevalier Wellan d'Émeraude avait mis fin à ses ravages. Depuis, il ne se passait plus grand-chose dans cette région du ciel. Les Ghariyals se prélassaient dans leurs pavillons et se rencontraient régulièrement pour discourir sur tous les sujets imaginables. Le reste du temps, elles se penchaient sur les besoins des royaumes qui les vénéraient.

Parandar ne craignait aucune invasion de son territoire, car ses frontières étaient magiquement infranchissables depuis le départ d'Aiapaec et d'Aufaniae. Assis sur son trône de marbre blanc, il écoutait les arguments de sa famille en se demandant ce qu'il adviendrait d'elle, puisque Lycaon et Étanna ne seraient certainement pas aussi disposés que lui à préserver leur univers.

– Que se passera-t-il si Lessien Idril nous oblige ensuite à uniformiser nos mondes ? voulut savoir Ialonus, le dieu de la mer.

– Les félins et les oiseaux pourront alors circuler à leur guise sur notre domaine, répondit Theandras.

– Nous avons réussi à vaincre le seul Ghariyal à avoir menacé notre existence, mais que ferons-nous des insoumis en provenance des autres panthéons ? s'enquit Vatacoalt, le dieu des vents.

– À qui fais-tu référence ? demanda Parandar.

– À Azcatchi, le fils de Lycaon, et Corindon, le fils de Solis. Les rumeurs qui circulent à leur égard ne sont guère rassurantes.

– S'ils transgressent nos lois, ils feront face à notre justice, affirma Theandras.

– Devrons-nous négliger nos sujets pour patrouiller notre monde ? s'inquiéta Assequir, la déesse du plaisir.

– Même s'ils sont couverts de plumes ou de fourrure, ils n'en demeurent pas moins des descendants d'Abussos, tout comme nous, leur rappela Shushe, la déesse des énigmes.

– À mon avis, nous devrions créer de nouvelles lois en collaboration avec les deux autres panthéons, proposa Capéré, le dieu de la chasse.

– Pour réaliser l'harmonie si chère à Lessien Idril, il faudrait commencer par ne plus parler de panthéons, répliqua Liam, le dieu des tempêtes. Cessons de voir nos différences et cherchons plutôt nos ressemblances.

– Il a raison, l'appuya Nadian, le dieu des forges.

Ils continuèrent d'exprimer ainsi leur opinion, les uns après les autres, pendant un long moment. Lorsqu'il fut satisfait que la majorité des dieux-reptiliens étaient en faveur de la fusion des trois familles divines, Parandar les remercia et s'isola dans sa rotonde personnelle afin de méditer. Comprenant son besoin de solitude, son épouse Clodissia, ne le suivit pas.

– Puis-je te parler ?

Parandar reconnut la voix de sa sœur.

– Oui, bien sûr, accepta-t-il en se retournant.

– Nous avons abordé tous les aspects de cette question, sauf un.

Au lieu de s'avancer dans la pièce immaculée, Theandras demeura immobile entre deux larges colonnes. De petites flammes couraient sur sa longue robe rouge.

— Pourquoi ne l'as-tu pas mentionné tout à l'heure ?

— C'est une décision qui t'appartient.

Parandar se laissa tomber dans son moelleux fauteuil, comme si toute la voûte étoilée venait de s'écraser sur ses épaules.

— Parle.

— Accepterais-tu de te défaire de ta suprématie ?

— Si cela pouvait nous garantir une paix durable, je ne m'y objecterais pas.

— Tu ne sembles pas y croire.

— Lycaon et Étanna attendent depuis plusieurs millénaires l'occasion de me supplanter. Je crains qu'ils n'en profitent pour comploter l'un contre l'autre pour y parvenir. En tentant de nous rassembler en une belle grande famille unie, nos grands-parents vont nous fournir une occasion de nous entredéchirer.

— Pas s'ils jettent eux-mêmes les bases de cette nouvelle association.

— Ils ne nous ont jamais imposé quoi que ce soit, Theandras. Pourquoi le feraient-ils maintenant ?

— Parce que nous ne leur donnerons pas d'autres choix, évidemment.

— Ce n'est pas moi qui aurais dû régner sur les Ghariyals toutes ces années, mais toi. Tu possèdes l'énergie qui me manque.

— Jusqu'à présent, nous nous sommes fort bien débrouillés dans nos rôles respectifs. Il faudra toutefois accepter de les modifier très bientôt.

— J'aimerais que ce soit toi qui traites avec Lycaon et Étanna lorsque nous les reverrons.

— Je ferai ce que tu me demandes.

— Maintenant, laisse-moi me reposer. Je n'ai plus la force de penser.

Theandras pencha respectueusement la tête et quitta la résidence de son frère. Sagace, elle avait observé tous les intervenants lors de la rencontre et sondé leurs intentions. Une seule divinité n'avait pas exprimé ses sentiments par rapport aux futurs bouleversements qui planaient au-dessus des reptiliens. Theandras se rendit donc au pavillon de sa nièce, la déesse des bienfaits, afin de s'enquérir des raisons de son silence.

Elle trouva Fan chez elle, profondément perdue dans ses pensées. La déesse du feu les analysa avant de s'approcher d'elle.

— Je n'ai pas ouvert la bouche parce que je ne savais pas quoi dire, confessa Fan.

Theandras s'installa devant elle et lui prit les mains.

— Je ne comprends pas ces enjeux, car je n'ai pas grandi ici, poursuivit sa nièce.

— Personne ne sait vraiment ce qui se produira lorsque nous ouvrirons nos frontières aux chats et aux oiseaux, tenta de la rassurer Theandras. Nous voulions seulement savoir si cette perspective plaisait ou non aux Ghariyals.

— Aurons-nous seulement le choix de refuser cette alternative ?

— Probablement pas, mais il est apaisant d'en parler.

— Mon opinion n'importait pas lorsque j'étais maître magicien.

— Cette époque est révolue, Fan. En tant que membre de la triade, il est important que tu exprimes tes sentiments. Parandar compte sur nous.

La déesse du feu sentit son désarroi.

— Dis-moi ce qui te trouble en ce moment, la pressa-t-elle.

— On m'a appris beaucoup de choses qui échappent aux mortels, mais jamais on ne m'a parlé des dieux-fondateurs. Ce que je sais d'eux, je l'ai appris par des bribes de conversations entre vous.

— Je croyais que tous les Immortels connaissaient l'histoire de la formation de l'univers.

– J'ai été formée par les mages sholiens et non par les dieux.

– Dans ce cas, laisse-moi t'instruire. Au début des temps, alors qu'il n'existait rien, quelque part dans le néant, un germe de vie attendait que les conditions soient idéales pour se développer. Flottant dans l'Éther, cette minuscule cellule s'est mise à grossir jusqu'à ce qu'elle devienne la plus puissante émotion de toutes.

– Était-ce Lessien Idril ou Abussos ?

– Ce noyau contenait leurs deux essences. Tu vois, Fan, la dualité est le fondement de toute la création. Tout ce qui existe est composé de deux énergies complémentaires constamment en interaction, comme le positif et le négatif, le pair et l'impair, le masculin et le féminin. L'obscurité fait partie de la lumière tout comme le froid de la chaleur. La douceur de la mère complète l'autorité du père.

– Je comprends ce grand principe, mais dites-moi comment ils sont devenus une louve et un hippocampe s'ils ont été créés en même temps.

– En se solidifiant de plus en plus, ils ont adopté la forme qui les symbolisait le mieux. Lessien Idril voulait montrer que même dans le corps d'un carnassier battait un cœur tendre, tandis qu'Abussos tenait à prouver qu'une créature aussi fragile qu'un petit poisson avait le courage d'un lion. Ces animaux ne sont qu'une représentation visuelle de leurs convictions profondes. En réalité, tous les deux sont des êtres de lumière.

– Ont-ils créé les astres et les planètes qui tournent autour ?

– Ce n'était pas leur rôle. Ils ne sont venus au monde que pour semer la tolérance, l'harmonie et la vaillance dans l'univers, mais puisqu'il n'y avait rien autour d'eux, ils ont donné naissance aux jumeaux, Aiapaec et Aufaniae, en leur ordonnant de façonner autant de mondes qu'ils le pourraient durant leur longue existence.

– Pourquoi ont-ils décidé d'être perçus comme des dragons ?

– Pour que l'on comprenne bien qu'ils sont les invincibles gardiens des univers qu'ils ont modelés.

– Et pourtant, ils ont abandonné leurs cinq enfants.

– Non, Fan. Ils leur ont confié la bonne gestion de ce monde, tandis qu'ils continuaient leur grande œuvre. Leur erreur fut d'en avoir plus qu'un.

– Êtes-vous en train de me dire que vous n'auriez pas dû exister ? s'étonna la déesse des bienfaits.

– Je fais uniquement preuve de lucidité. S'ils n'avaient conçu que Parandar, rien n'aurait menacé l'équilibre de la création.

– Si nous les connaissons comme reptiliens, félidés ou falconiformes aujourd'hui, c'est qu'ils ont choisi de nous apparaître ainsi ?

— Tout comme pour leurs parents-dragons, il ne s'agit pas d'une décision consciente, mais de la manifestation physique de leur essence profonde. Parandar, Akuretari et moi devions être les maîtres des mystères de la vie et de la mort, ainsi que de la lumière alternativement éclipsée et foudroyante.

— Mais les choses ont mal tourné pour mon père.

— En effet, Akuretari a voulu s'approprier les pouvoirs qu'Aiapaec et Aufaniae ont confiés à Parandar, leur aîné. En agissant de la sorte, il mettait en péril tout ce qu'ils avaient créé.

— Pourquoi Lycaon et Étanna sont-ils aussi différents de vous ?

— Le condor symbolise la sagesse et la prudence. Il incarne la plus haute élévation, au-dessus des limitations et des obstacles. Quant au jaguar, il évoque la renaissance ou le pouvoir d'aller jusqu'au bout de ses capacités et de se dépasser. Son rôle est d'encourager et de soutenir les autres.

— Donc, à l'origine, ils représentaient des valeurs positives.

— C'est toujours le cas, malgré le fossé qui s'est creusé entre nous et qui nous fait oublier le véritable but de notre existence.

— Par conséquent, je suis un maître des mystères de la vie et de la mort.

— Oui, Fan, mais sans le savoir, tu t'acquittais déjà de cette mission bien avant de devenir Immortelle, puis déesse.

— Merci, Theandras. Je comprends mieux mon rôle maintenant.

— Si tu as d'autres questions, n'hésite pas à me consulter.

La déesse du feu quitta son pavillon en se demandant si un jour elle pourrait rassurer aussi facilement son frère aîné.

9

LE LARE

Possédant le pouvoir de voyager entre tous les mondes en plus de passer inaperçu partout, Tayaress surveillait toutes les actions des quatre autres enfants que les dieux-fondateurs avaient conçus après Aiapaec et Aufaniae. Deux d'entre eux menaient des vies tranquilles, mais les autres lui donnaient du fil à retordre. Depuis tout récemment, ils voyageaient ensemble, ce qui ne l'obligeait pas à parcourir de longues distances pour les avoir à l'œil tous les deux.

La plus récente métamorphose d'Onyx l'avait beaucoup troublé, car elle avait encore une fois été provoquée par la colère du jeune dieu. Ce n'était qu'une question de temps avant que ce dernier ne se mette vraiment dans l'embarras.

Tayaress avait été créé par Abussos bien avant qu'il ne vienne à Parandar l'idée de fabriquer des Immortels pour le servir. Il était discret, obéissant et dévoué à ses maîtres qui, en retour, lui accordaient toute leur confiance. Tayaress ne possédait que les armes qu'Abussos avait forgées pour lui. Son apparence et son habillement n'étaient qu'une illusion qu'il entretenait selon son bon plaisir. Lorsqu'il circulait dans le monde des mortels, il optait pour des vêtements sombres et dissimulait son visage sous un large capuchon, mais quand il se présentait devant les dieux-fondateurs, il changeait la couleur de sa tenue du noir au blanc.

Il émergea de la rivière limpide, qui coulait à proximité du domaine des démiurges, et marcha jusqu'à l'immense wigwam qu'habitaient ces derniers. Il se présenta à la fente qui servait d'entrée à l'habitation conique et baissa la tête.

— Entre, Tayaress, le convia Lessien Idril.

La déesse-lumière était assise en tailleur près d'un apaisant feu magique. Elle portait sa robe de suède blanche cousue de petites perles de couleurs. L'Immortel repoussa son capuchon sur ses épaules et s'agenouilla devant Lessien Idril.

— Je n'ai nul besoin de deviner ce que tu es venu m'apprendre, fit-elle. C'est écrit sur ton visage.

— Vous m'avez demandé de ne pas intervenir dans la vie de vos héritiers, mais si je ne fais rien, Nashoba finira par se faire tuer.

— Montre-moi de quoi il s'agit.

Tayaress plongea la main dans la petite bourse de peau qui pendait à sa ceinture et lança sur les flammes la poudre verte qu'il venait d'y puiser. Pendant qu'un grand miroir commençait à apparaître au milieu du feu, Abussos se planta debout derrière son épouse pour voir de quoi il s'agissait. Ils assistèrent alors à la première transformation d'Onyx en loup noir, à la suite de l'agression d'Azcatchi, puis à la seconde dans le palais d'un roi d'Enlilkisar.

— Seul un autre dieu pourrait lui faire perdre la vie, lâcha le dieu-hippocampe aux longs cheveux noirs.

— Il a suffisamment contrarié Azcatchi pour que cela finisse par se produire un jour, vénérable Abussos.

— Que suggères-tu, Tayaress ?

— Il faut dire la vérité à Nashoba et le mettre en garde contre lui-même.

— Il est encore trop tôt pour le faire entrer en scène.

— Je connais fort bien vos plans, mais s'il continue de se comporter ainsi, Nashoba les fera échouer.

Les deux hommes fixèrent leur regard sur Lessien Idril afin qu'elle se prononce sur la question.

— Il fallait bien nous y attendre, s'exprima-t-elle, au bout d'un moment. Il a ton caractère, Abussos.

Un sourire amusé flotta sur les lèvres du dieu-hippocampe.

— Tout comme Napashni, d'ailleurs, ajouta la déesse-louve. Nahélé et Naalnish me ressemblent davantage.

— Ces observations ne règlent nullement le problème, répliqua Abussos.

— Le pauvre enfant doit penser qu'il est victime d'un sort.

– En fait, il ne sait plus trop ce qu'il est, expliqua Tayaress. Au début, il croyait tenir ses incroyables pouvoirs de son apprentissage auprès du dieu-reptilien Akuretari, qui se faisait alors passer pour un Immortel. Puis, le dieu-félin Corindon a tenté de lui faire croire qu'il était l'un des membres de son panthéon. S'il est vrai que tous les septièmes descendants d'Étanna possèdent des facultés divines, Nashoba ne peut en avoir hérité puisqu'il n'est pas un félidé.

– Pourquoi essaie-t-on de le manipuler ainsi? s'étonna Abussos.

– Pour lui faire choisir un camp dans la guerre qui se prépare.

– Elle n'aura pas lieu.

– Je le sais bien, vénérable Abussos, mais vos petits-enfants n'ont pas encore compris qui détient le véritable pouvoir dans les cieux.

– C'est à toi de régler cette affaire, Lessien Idril, décida le dieu-hippocampe en retournant dans la forêt magique où il avait commencé à construire un grand canot.

La déesse lut les pensées de l'Immortel qui regardait s'éloigner Abussos.

– C'était mon idée d'avoir d'autres enfants, confessa-t-elle. Assieds-toi, Tayaress.

Le serviteur s'exécuta sur-le-champ.

— Parle-moi de Nashoba.

— C'est un homme difficile à comprendre, avoua l'Immortel. Il peut être tendre pendant un moment, puis éclater de colère la seconde suivante.

— Pour quelle raison ?

— Il aime qu'on lui obéisse.

— Comme son père, ricana Lessien Idril.

— Il se fâche beaucoup plus souvent que votre époux et c'est malheureusement lorsque cela se produit qu'il se métamorphose.

— Il est trop tôt pour lui apprendre à maîtriser ce pouvoir.

— Vous pourriez le lui retirer.

— Oui, mais je ne pourrais plus jamais le lui restituer. Nous devons trouver une façon de le rendre plus conciliant.

Tayaress lui adressa un regard incrédule.

— Tant qu'il sera à la recherche de sa fille sur un territoire hostile, je ne pourrai pas y arriver, expliqua-t-il.

— Ne peux-tu pas l'aider à la trouver ?

— J'y ai pensé, mais elle est également convoitée par le fils de Lycaon. Si Nashoba finit par la reprendre, Azcatchi essaiera de la lui ravir de nouveau.

– Tout ça est bien compliqué...

– Par chance, vos autres enfants me donnent moins de fil à retordre. Napashni accompagne son frère dans sa quête, mais elle a une meilleure maîtrise de ses émotions que lui. Quant à Nahélé et Naalnish, ils habitent dans un château d'où ils ne sortent jamais. Au lieu de provoquer les autres comme Nashoba, ils s'emploient plutôt à les aider.

– Je suis heureuse de l'apprendre.

Lessien Idril contempla pendant un moment le visage immobile d'Onyx dans les flammes.

– Y a-t-il un endroit où il ne s'emporte pas ? voulut-elle savoir.

– Chez lui, généralement.

– Alors, arrange-toi pour qu'il y retourne le plus rapidement possible.

– Il en serait fait selon votre volonté.

Toutefois, l'Immortel demeura assis de l'autre côté du feu.

– Sauf le respect que je vous dois, pourrais-je savoir à quelle fin vous avez conçu ces dieux si ce n'est pas pour créer aussi des mondes ? demanda-t-il en baissant la tête.

– Lorsque tu m'as appris que mes petits-enfants se disputaient les territoires de cette planète que Parandar avait parfaitement le droit de peupler, j'ai pensé qu'une intervention plus directe pourrait un jour être nécessaire. J'ai persuadé Abussos de m'aider à matérialiser l'âme de Nashoba et nous l'avons lancé dans un éclair fulgurant au cœur même des territoires qui connaîtraient un jour la guerre, afin qu'il les en préserve.

— Il a en effet repoussé deux invasions en menant les humains d'une main de maître, le complimenta Tayaress. Mais pourquoi ne pas vous être arrêtés là ?

— Comme je te l'ai déjà dit, tout dans l'univers a une contrepartie. Nashoba ne peut pas exister sans son opposé.

— Son frère Nahélé, donc.

— C'est exact. De la même façon, nous ne pouvions pas engendrer deux garçons sans produire deux filles.

— Qui sont également aux antipodes l'une de l'autre.

Lessien Idril acquiesça d'un léger mouvement de la tête.

— Auront-elles aussi un rôle à jouer dans la suite des événements ?

— Oui, mais en raison de leur nature, il sera fort différent. À présent, va et persuade subtilement Nashoba de rentrer à la maison.

Tayaress se courba très bas et se dirigea vers la rivière. D'un geste de la main, la déesse fit disparaître le miroir qui flottait au milieu des flammes et se leva. À pas feutrés, elle se rendit à la clairière où son époux rabotait une pièce de bois en vue d'en faire un arceau.

— Nashoba est aussi ton fils même lorsqu'il n'agit pas comme tu le voudrais, lui dit Lessien Idril.

— Il ne se préoccupe pas des autres.

— Nous l'avons déposé dans un monde où il tirera des leçons beaucoup plus difficiles qu'ici.

— Ne me dis pas que tu veux ramener tes enfants au bercail ?

Il se retourna et planta son regard sombre dans celui de son épouse.

— Pas avant qu'ils aient accompli leur destin, assura-t-elle. Après, je voudrai assurément apprendre à mieux les connaître, tout comme toi, j'en suis certaine.

— J'espère que tu sais ce que tu fais.

— Fais-moi confiance.

Elle se releva sur la pointe des pieds et effleura ses lèvres d'un doux baiser.

10

LE TAPIS VOLANT

De plus en plus hanté par la pierre qui lui permettrait de traduire les textes en Venefica, Wellan commença ses préparatifs de voyage sans en parler à Kira. Sa constitution n'étant pas humaine, cette dernière connaissait une grossesse plutôt rapide qui la mettait à rude épreuve.

Lassa et Kaliska l'aidaient de leur mieux en se chargeant des tâches ménagères, mais la femme Chevalier avait toujours dirigé son foyer elle-même et elle tenait à ce que les choses se fassent à sa façon. Entre les facéties de Marek, les angoisses de Lazuli et les coups de pieds des jumeaux qu'elle portait, il lui restait très peu de temps à consacrer à son mari et à son fils aîné, mais elle les savait parfaitement capables de s'occuper seuls.

Même si Wellan avait jadis été le commandant de Kira, dans sa deuxième vie, elle l'avait mis au monde et élevé comme tous ses enfants. L'adolescent ne pouvait pas partir en catimini, même si Lassa était au courant de ses plans. Il attendit donc que son père emmène Marek aux bains et que Kira rentre de la tour d'Armène où elle était allée visiter son cadet, avant de lui annoncer la nouvelle.

Kira referma la porte et s'y appuya le dos un instant afin de reprendre son souffle. Elle vit alors son aîné debout au milieu du salon, l'air grave.

— Je savais que ça finirait par arriver un jour, murmura-t-elle, mais j'aurais préféré que ce soit après mon accouchement.

— Ma mission n'est pas celle d'un guérisseur.

— Mais je ne m'attendais pas à ce que tu les mettes au monde, mon chéri.

La Sholienne marcha lourdement jusqu'au sofa où elle s'installa avec soulagement.

— Je t'aurais plutôt demandé de t'occuper de Lazuli pendant que je reprends des forces.

— Il a déjà la meilleure gouvernante qui soit.

— Tu veux donc toujours aller dans le Désert ?

— Oui. Ne te fie pas à ce qu'en disent les livres d'histoire. Ils remontent à des centaines d'années. Cet endroit a changé. Il n'est plus peuplé par des criminels exilés par leurs rois. Ces hommes ont eu des enfants qui, à leur tour, ont eu des enfants. Ils forment maintenant une véritable société.

— Dont nous ne savons rien.

— Pas tout à fait...

— Je ne sais pas si je devrais te laisser partir.

Un sourire amusé flotta sur les lèvres de l'ancien soldat, car il ne voyait pas très bien comment elle pourrait le retenir. La semaine suivante, soit le quatrième jour du mois de Parandar, il fêterait son seizième anniversaire. À cet âge, Kira se battait déjà contre les hommes-insectes.

— La pierre que je cherche est probablement une énorme tablette, car trois textes y sont gravés.

— Mais tu n'en es pas certain.

— Non. C'est Danalieth qui m'en a parlé. Tout ce qu'il sait, c'est qu'elle se trouve dans le Désert.

— Tu te rends bien compte que ce territoire est presque aussi grand que la moitié des royaumes d'Enkidiev ?

— Oui... C'est pour cette raison que je serai sans doute absent pendant de longs mois, à moins que la chance me sourie.

— Parles-tu au moins leur langue ?

— Elle n'est pas différente de la nôtre, Kira.

— Il n'y a rien à manger dans le Désert.

— Quelqu'un m'a appris à « emprunter » magiquement ce dont j'ai besoin.

— Je préférerais que tu n'y ailles pas seul.

Wellan soupira avec agacement. Étant donné qu'il n'était plus le géant blond de jadis, mais plutôt un adolescent mince et pas très grand, avec de longs cheveux noirs soyeux et des oreilles pointues, Kira oubliait souvent qui il était en réalité.

– Je veux bien y aller avec lui, offrit Lassa en entrant dans leurs appartements.

– Moi aussi ! s'exclama Marek qu'il transportait dans ses bras, enroulé dans un drap de bain.

– Je vais aller coucher ce beau jeune homme et revenir en discuter avec vous.

– Non ! Je veux discuter ! s'indigna le petit garçon.

Faisant fi de ses protestations, Lassa l'emmena dans le couloir.

– Est-ce prudent ? demanda Wellan à sa mère. Si je me rappelle bien, tu ne portes tes enfants que pendant trois ou quatre mois.

– Mais le Désert ne se situe pas de l'autre côté des volcans, ce qui nous permettra de demeurer en communication par télépathie. Lassa n'a pas perdu son vortex lorsque les dieux ont retiré aux Chevaliers leurs bracelets. Il pourra revenir à la maison en quelques secondes, tout comme toi, d'ailleurs.

– Sauf que si je suis sur une bonne piste...

– Il n'est pas question que tu restes là-bas sans ton père.

— Kira, j'ai été son mentor. C'est moi qui veillais sur lui.

— Sans vouloir t'offenser, mon chéri, tu n'as plus la même constitution.

— Je n'ai pas oublié comment me défendre.

— J'exige que tu rentres avec lui si je vous rappelle auprès de moi. Ce n'est pas négociable.

La seule façon de la satisfaire, c'était donc de trouver d'autres compagnons d'aventure qui lui permettraient de poursuivre sa quête en cas d'un enfantement prématuré. Les visages d'Ellie et de Daiklan apparurent aussitôt dans l'esprit de Wellan. Pour ajouter de nouveaux articles à leurs collections, ces deux anciens soldats seraient certainement heureux de l'accompagner.

Lassa revint au salon quelques minutes plus tard et s'assit près de son épouse gonflée comme un ballon.

— Tu as réussi à coucher Marek ? s'étonna Kira.

— En échange d'une promesse, expliqua son mari.

— Que tu pourras tenir ?

— Je respecte toujours mes engagements.

— Même si tu pars à la recherche de cette pierre avec Wellan ?

– Oui, affirma Lassa. Je veux y aller, surtout pour que tu aies l'esprit tranquille. Nous pourrions confier Marek à Armène jusqu'à notre retour. Cela te permettrait de te reposer un peu et Kaliska prendra bien soin de toi.

– Et tu reviendras lorsque j'aurai les premières contractions ?

– Évidemment.

Ils se mirent à échanger des baisers, alors Wellan quitta les appartements familiaux sur la pointe des pieds. La garde allait bientôt refermer les grandes portes du château et remonter le pont-levis, mais cela n'arrêta pas Wellan qui, grâce à son ascendance Enkiev, possédait de nouvelles facultés surnaturelles. Il se dématérialisa et réapparut devant l'imposante maison des Chevaliers devenus curateurs de musée. Des lampes étaient allumées à l'intérieur, alors il frappa à la porte.

– Wellan ! s'exclama Ellie en lui sautant dans les bras. Mais entre, voyons !

Elle avait déjà commencé à le tirer à l'intérieur.

– As-tu mangé ?

– Oui, assura l'adolescent.

– Veux-tu boire quelque chose ?

– Non. Je suis venu vous faire une proposition.

Ellie l'emmena s'asseoir dans le salon qui était finalement devenu un prolongement de leur galerie d'objets du passé. Wellan les avait tous étudiés depuis son enfance, alors il concentra plutôt son attention sur Daiklan et son épouse.

– Je pars bientôt en expédition dans le Désert, annonça l'adolescent.

– Nous acceptons ! s'exclama Ellie.

– Maintenant que c'est décidé, peux-tu nous dire pourquoi ? demanda plus prudemment Daiklan.

– Je suis à la recherche d'un objet qui m'aidera à comprendre la langue de l'ère primaire. Les dieux seuls savent ce que nous pourrons aussi trouver là-bas.

– Donne-nous au moins deux jours pour nous préparer.

– Merci.

Wellan quitta la maison, satisfait d'avoir trouvé une façon de rassurer Kira. Il utilisa sa magie pour rentrer au château, mais se matérialisa dans son coin préféré de la bibliothèque, où il lut jusqu'à ce que ses paupières deviennent trop lourdes pour qu'il garde ses yeux ouverts.

Il retourna dans les appartements de ses parents sans faire de bruit et s'allongea sur son lit. Au retour de sa quête, il lui faudrait trouver un logis bien à lui. « Où aimerais-je vivre ? » se demanda-t-il. Il avait passé toute sa première vie à Émeraude. L'océan l'attirait, mais il avait surtout fait la guerre sur ses longues grèves. Il y avait encore des baies inhabitées sur la côte de Zénor. « Je pourrais bâtir la maison de mes rêves et passer le reste de ma vie à traduire les ouvrages anciens... » Il s'endormit sur cette pensée apaisante.

Au matin, il mangea quelques fruits et commença à rassembler ses affaires dans une besace. Il emprunterait aussi plusieurs gourdes afin de transporter suffisamment d'eau pour ne pas souffrir de déshydratation.

Marek se présenta alors à la porte de sa chambre, les joues toutes rouges de plaisir.

— Quelqu'un veut te voir dans le salon ! annonça-t-il.

— Ce quelqu'un a-t-il un nom ?

— Probablement.

Le gamin pivota sur ses talons et gambada dans le couloir en chantant à tue-tête. « Je n'aurai pas d'enfants », décida Wellan en le suivant. Il aperçut la fille de Bergeau assise dans la pièce principale.

— Que puis-je faire pour toi, Danitza ?

— J'ai appris que tu étais sur le point de partir à l'aventure et je veux y aller moi aussi.

— Dans le chaud Désert où le soleil nous brûlera la peau et asséchera nos gorges ?

— Je suis prête à tout pour trouver l'inspiration de ma prochaine histoire d'amour.

— Des scorpions et des reptiles carnivores se cachent sous le sable et attaquent les voyageurs la nuit.

— Je n'ai rien à craindre en compagnie de magiciens.

Wellan comprit qu'il n'arriverait pas à la décourager.

— Je pars demain.

— Je serai là et je te promets de ne pas être un fardeau durant toute l'expédition.

Elle l'embrassa sur la joue et poussa un cri de joie lorsqu'elle fut dans le couloir.

— Il n'y a vraiment que du sable où tu vas ? voulut savoir Marek à demi dissimulé derrière le cadre de l'entrée de la cuisine.

— Depuis quand écoutes-tu aux portes ?

— Les portes ne parlent pas, voyons.

— C'est une expression, Marek. Il faut que tu perdes l'habitude d'espionner les adultes.

— Qu'est-ce que ça veut dire ?

Wellan secoua la tête avec découragement.

— Tu le demanderas à maman, d'accord ?

— Tu vas trouver quelque chose dans ce sable.

— Est-ce une autre de tes visions ?

— Oui, mais je ne la comprends pas.

« Évidemment, puisqu'il n'est qu'un petit pou », songea son grand frère.

— Dis-moi ce que tu as vu.

— Une porte en pierre.

— Une porte ?

L'enfant marcha jusqu'à celle qui les séparait du reste du palais.

— Grosse comme ça.

— A-t-elle quelque chose de particulier ?

— Elle est couverte de beaux dessins.

— Merci, Marek.

Wellan lui ébouriffa les cheveux et se dirigea vers sa chambre.

— Quelqu'un mourra, ajouta le gamin.

— Qui ? s'alarma l'aîné en se retournant.

— Je ne le connais pas.

— Peux-tu me le décrire ?

— Son visage est caché par un foulard, mais je pense que c'est un homme.

— Ce n'est pas un de mes compagnons de voyage, n'est-ce pas ?

Marek secoua la tête pour dire non.

— Tu dois être prudent, ajouta-t-il en imitant Kira.

Wellan termina ses préparatifs, attristé à l'idée que quelqu'un puisse perdre la vie à cause de lui. Il ne vit sa famille qu'au repas du soir et remarqua tout de suite l'absence de son petit frère.

— Il est chez Armène, expliqua Lassa.

— Nous allons pouvoir dormir plus tard, lança Kaliska en se versant du lait.

— Profitez-en pendant que vous le pouvez, recommanda Wellan.

Il faisait évidemment référence aux deux bébés qui allaient bientôt les tenir réveillés toutes les nuits. Il mangea en silence et attendit d'être seul avec son père pour discuter de leur voyage.

— Par où veux-tu commencer ? demanda Lassa.

– Mon vortex personnel, tout comme le tien, fonctionne exactement comme celui des bracelets magiques. Il ne peut m'emmener que dans les endroits que j'ai déjà visités. Je ne suis jamais allé plus loin que sur la plage non loin de Zénor dans ma première vie. Je crains que nous soyons forcés de marcher jusqu'à la première oasis.

– Je suggère que nous scrutions attentivement cette partie du Désert avant de nous y aventurer. De cette façon, nous pourrons facilement repérer les nomades.

– Je suis d'accord.

Le lendemain, Ellie et Daiklan se présentèrent au palais tôt le matin, chargés de grands sacs de toile et de gourdes. Danitza arriva quelques minutes plus tard, mais elle n'était pas seule. Le Prince Cameron des Elfes l'accompagnait.

– Est-ce une bonne idée ? s'inquiéta le jeune Wellan.

Autrefois, il avait toujours hésité à impliquer des membres des familles royales d'Enkidiev dans ce genre d'entreprises risquées.

– Vous ne pouvez pas vous passer de lui, affirma Danitza. Ses sens sont beaucoup plus aiguisés que les nôtres.

Il était vrai que les Elfes possédaient une meilleure vision et une ouïe plus fine que les humains, mais la magie leur serait certes plus utile dans un pays recouvert de sable. Wellan consulta donc Lassa du regard.

– Pourquoi pas ? répondit son père. Plus on est de fous, plus on rit.

Après que Lassa eut embrassé sa femme et ses enfants et recommandé à ces derniers de bien se tenir en son absence, Kira serra Wellan dans ses bras.

– Dépêche-toi de trouver cette pierre, chuchota-t-elle à son oreille. Je m'ennuie déjà de toi.

Wellan tendit les mains à Lassa et à Ellie qui, à leur tour, prirent celles de Daiklan et de Danitza. Cameron termina la chaîne. Le groupe disparut aussitôt, pour se matérialiser instantanément sur la plage, au sud de Zénor, là même où jadis Onyx avait établi un campement sous le commandement d'Hadrian d'Argent, afin de stopper l'invasion des Tanieths.

– Maintenant, où va-t-on ? demanda Ellie, enthousiaste.

Wellan sonda les alentours.

– Il y a de la vie au sud-est, affirma-t-il, mais c'est à plusieurs jours de marche.

– Ça nous remettra en forme, se réjouit la femme Chevalier.

Ils se mirent en route et, avant longtemps, la chaleur du sable traversa le cuir de leurs bottes. Toutefois, Ellie s'était bien renseignée avant de partir sur les dangers qui les guettaient dans cette partie du monde.

– Arrêtez-vous, ordonna-t-elle.

Elle s'accroupit devant chaque membre du groupe et posa les mains sur leurs pieds. Ils ressentirent immédiatement un grand soulagement, puisqu'un courant d'air froid s'était mis à circuler à l'intérieur de leurs bottes en remontant dans leurs braies et leurs tuniques.

— Où as-tu appris à faire ça ? s'émerveilla Lassa.

— C'est un enchantement sur lequel Madier a travaillé pendant longtemps, car, lorsqu'il était enfant, il vivait ici. Sa famille ayant trop souvent souffert de la chaleur, il est devenu obsédé par la façon de s'en garder.

Ellie sortit aussi d'un de ses sacs des chapeaux de paille circulaires.

— Je suis allée les chercher au Royaume de Jade, expliqua-t-elle. Ils protégeront nos têtes du soleil.

— Heureusement que je t'ai demandé de nous accompagner, se félicita Wellan. Je n'aurais jamais pensé à tout ça.

— C'est normal à ton âge.

Wellan n'ayant pas encore ouvertement avoué sa véritable identité, ses anciens soldats le voyaient comme un adolescent sans expérience. « Il faudra bien que je le leur dise un jour », songea-t-il.

— Je cherche toujours une façon de nous garder des attaques des bestioles qui se cachent dans le sable et qui ne sortent que la nuit pour se nourrir, avoua la femme Chevalier. J'ai pensé à un cercle de feu magique, mais ça n'empêchera pas celles qui sont sous nos pieds de nous atteindre.

– J'ai un plan, affirma Wellan avec un sourire mystérieux.

Il n'en reparla pas avant le coucher du soleil.

– Arrêtons-nous ici, décida-t-il.

Faisant montre pour la première fois de l'étendue des pouvoirs que lui avait légués son père naturel, Wellan déposa devant lui la petite natte de jonc qu'il avait transportée sur son dos. Il prononça quelques mots dans la langue des anciens Enkievs et se croisa les bras. Sous les yeux étonnés de ses compagnons, la pièce de brins végétaux se mit à s'élargir jusqu'à ce qu'elle soit suffisamment grande pour les accueillir tous les six.

– J'ignorais qu'il existait un tel sortilège, avoua Lassa.

– Les livres contiennent une foule de renseignements fascinants, répliqua son fils, moqueur. Assoyez-vous, je vous prie.

– Es-tu certain que les scorpions n'oseront pas s'y aventurer ? voulut savoir Danitza.

– Absolument certain.

Wellan prononça encore quelques mots et le grand tapis s'éleva doucement dans les airs, jusqu'à une hauteur de trois mètres.

– Même en sautillant, les reptiles ne pourront pas nous atteindre, affirma-t-il fièrement.

– Personne ne peut accomplir un tel prodige à partir d'une simple incantation, lâcha Cameron, incrédule.

– Disons que je suis doué.

– En fait, Wellan tient cette faculté de son véritable père, expliqua Lassa. Aux dires de Kira, Lazuli possédaient des pouvoirs dont il avait lui-même à peine conscience.

– Vive Lazuli ! s'exclama Ellie. Grâce à lui, je vais pouvoir dormir tranquille.

Ils mangèrent une partie de leurs rations et découvrirent très rapidement que dans le Désert, la nuit, il faisait plutôt froid. Seule Ellie avait pensé à apporter des couvertures pour Daiklan et elle, alors Wellan se servit de sa faculté « d'emprunt » pour en faire venir quatre du palais. Bien emmaillotés, ils se mirent en boule sur la natte solide comme une planche, et fermèrent l'œil.

Au cœur de la nuit, Lassa se réveilla en sursaut au milieu d'un rêve durant lequel Marek venait de jeter tous les bijoux préférés de Kira dans le puits de la grande cour du château. Rassuré de s'apercevoir qu'il ne s'agissait que d'un cauchemar, Lassa allait se retourner de l'autre côté pour retrouver le sommeil, lorsqu'il lui sembla ressentir un mouvement provenant de la plate-forme. Il se redressa et vit que son fils était assis, le visage éclairé par les rayons de la lune.

– Tu es incapable de dormir ? s'inquiéta le père.

– Je voulais faire l'essai d'une nouvelle incantation, chuchota Wellan pour ne pas réveiller les autres.

– Qu'est-ce que tu as fait, cette fois ?

– J'ai réussi à persuader le tapis de voler.

– Quoi ?

Lassa se pencha prudemment sur le bord de la natte. Il était bien difficile de percevoir quelque mouvement que ce soit sur un terrain aussi uni, mais le vent qui soufflait dans ses cheveux acheva de le convaincre qu'ils bougeaient.

– Ça nous épargnera des jours de marche, s'égaya Wellan.

– Mais tu seras mort de fatigue si tu dois rester éveillé pour maintenir cette magie.

– Je me souviens encore comment recouvrer mes forces en quelques minutes, comme on me l'a enseigné au Royaume des Ombres. Ça vous permettra de vous délier les jambes.

C'était dans ces moments-là que Lassa se rendait vraiment compte que son fils était la réincarnation du maître qui l'avait jadis formé.

– Recouche-toi et profite de la fraîcheur pour dormir, lui conseilla Wellan.

Lassa fit ce qu'il demandait en se disant que Kira ne le croirait jamais lorsqu'il lui raconterait leur curieuse aventure.

11

LA PIERRE DE TAHER

À leur réveil, les compagnons de Wellan furent bien surpris de constater que leur couchette filait au-dessus du paysage désertique. La natte redescendit doucement sur le sol, et Lassa leur expliqua qu'il était nécessaire que son fils se repose un instant avant de pouvoir la remettre en vol. Ils profitèrent donc de cet arrêt obligatoire pour s'occuper de leurs besoins personnels en s'éloignant chacun de leur côté.

Lorsque le jeune Wellan sentit qu'il avait récupéré toutes ses forces, il prit une profonde inspiration et sonda la région. Le regroupement d'humains qu'il avait capté la veille n'était plus qu'à quelques lieues. L'adolescent alla soulager lui aussi sa vessie, puis avala les dattes que Kira avait glissées dans ses affaires, sachant qu'il les aimait beaucoup.

– Pourquoi ne pas nous avoir dit que tu savais faire voler les tapis ? lui demanda Cameron en revenant s'asseoir sur la natte.

– Je l'ignorais. On n'apprend la valeur d'un enchantement que lorsqu'on en fait l'essai. Or, je ne l'ai trouvé dans un vieux livre que la veille de notre départ.

– J'espère que tu as emporté cet ouvrage.

– Il est dans ma besace.

Lorsque tous furent prêts, Wellan fit prendre de l'altitude à leur nouveau moyen de transport et lui soumit une impulsion renouvelée.

– Si tu vendais cette incantation, tu ferais beaucoup d'argent, fit alors remarquer Daiklan.

– Malheureusement, elle ne peut pas être réussie par n'importe qui, expliqua Wellan. Il faut avoir du sang Enkiev pour y arriver.

– Où as-tu appris ça ? voulut savoir Lassa.

– C'est écrit dans le même livre où j'ai trouvé ces sortilèges.

– Je suggère de vérifier la véracité de cette affirmation lorsque nous en aurons l'occasion, déclara Ellie.

– Lorsque nous nous poserons, nous tenterons à tour de rôle de réussir ce prodige, ajouta Cameron.

– Ce sera amusant, répliqua Wellan.

Lorsqu'ils aperçurent au loin les hauts palmiers de l'oasis, Lassa suggéra à son fils de faire redescendre le tapis sur le sable afin de ne pas indisposer les nomades qui s'y étaient arrêtés. Wellan jugea que c'était un sage conseil, s'il voulait s'assurer de leur collaboration. Il fit donc rapetisser la natte, la roula pour l'attacher sur son dos et incita ses compagnons à faire la fin du trajet à pied.

Ce qui surprit surtout les Danakis, lorsqu'ils virent arriver les étrangers, c'était l'absence de sueur sur leurs corps et de découragement sur leurs visages. Ce point d'eau se trouvait à des kilomètres de l'océan et de la grande falaise qui séparait le Désert du reste du monde. Un homme vêtu d'une tunique et d'un pantalon bleu clair s'approcha des visiteurs. Sa tête et son cou étaient enroulés dans un long foulard blanc qui les protégeait du soleil.

— Je suis Rijal, le *patris* de la tribu.

Puisqu'il n'était encore qu'un adolescent, Wellan laissa son père présenter les membres de leur groupe.

— Qu'est-ce qu'un *patris* ? demanda innocemment Danitza.

— C'est le grand chef, répondit Rijal. Si vous ne savez pas au moins ça, c'est que vous n'appartenez pas à notre monde.

Il les emmena s'asseoir sous une tente dont on avait roulé les murs pour laisser passer le vent. La petite communauté comptait une centaine d'individus. Méfiants de nature, ils observaient les nouveaux venus de loin en continuant de vaquer à leurs occupations quotidiennes. Les femmes lavaient des vêtements sur le bord de l'eau en surveillant leurs plus jeunes enfants, tandis que les hommes s'occupaient des animaux avec les aînés. Leurs chèvres paissaient aux abords de l'oasis en compagnie d'un curieux animal plus grand qu'un cheval qui avait deux bosses sur le dos.

— C'est un chameau, indiqua Rijal en apercevant l'étonnement sur le visage de Danitza. Nous ne pourrions pas survivre dans le Désert sans ces bêtes.

Lassa lui expliqua qu'ils étaient des ressortissants du Royaume d'Émeraude.

— Que faites-vous aussi loin de chez vous ? s'étonna Rijal.

— Mon fils est à la recherche d'une tablette de pierre qui a été cachée dans le Désert il y a plus de mille ans.

— Que représente-t-elle pour vous ?

— Elle me permettrait de déchiffrer une langue ancienne, répondit Wellan. En avez-vous entendu parler ?

— Les pierres font partie de presque toutes nos légendes et je dois avouer que je ne suis pas un spécialiste du folklore des Danakis.

— Est-ce ainsi qu'on appelle les habitants du Désert ? s'intéressa Ellie.

— Ils sont divisés en deux grandes tribus : les Danakis et les Midjats. Je ne sais pas grand-chose de ceux-ci, puisque leurs territoires se situent à l'extrême sud.

— Y a-t-il quelqu'un parmi vous qui pourrait me renseigner ? persista Wellan.

— Le grand chef du conseil tribal est un vieil homme très savant, lui apprit Rijal.

– Où pourrais-je le trouver ?

– Mon fils Zuhri pourrait vous conduire jusqu'à lui dans quelques mois.

– Quelques mois ? répétèrent en chœur les membres du groupe.

– À ce temps-ci de l'année, les tempêtes de sable sont nombreuses, alors nous nous arrêtons tous quelque part jusqu'à la saison douce.

– Je n'avais pas pensé à ça, avoua Wellan.

Il n'était toutefois pas prêt à renoncer à son projet.

– Existe-t-il des cartes de la région ? demanda-t-il, tenace.

– Tous les *patris* en ont.

Rijal claqua des doigts et un jeune homme d'une vingtaine d'années lui apporta un grand coffre de bois. Il le déposa devant Rijal et s'agenouilla en retrait.

– Je vous présente mon fils aîné.

Zuhri inclina la tête pour les saluer. Rijal retira une carte tracée sur une peau d'animal et la déroula devant les étrangers.

– Nous sommes ici, indiqua-t-il en posant le doigt sur l'illustration d'une petite palmeraie. L'homme à qui vous voulez parler vit ici.

Wellan reconnut le grand cours d'eau séparant le Désert de la Forêt Interdite, qui était en fait un affluent de la rivière Mardall. La distance qui séparait les deux tribus était impressionnante.

– Ces tempêtes se produisent-elles au centre du pays ? demanda l'adolescent.

– Nous ne savons jamais où elles frapperont, répondit Zuhri d'une voix douce. Tous les ans, elles anéantissent les caravanes qui ne se sont pas réfugiées dans les oasis.

– Ce n'est pas très réjouissant, soupira Danitza.

– Cela fait partie de la vie des Danakis.

Wellan mémorisa la carte juste à temps, car Rijal avait commencé à la rouler sur elle-même.

– Vous n'avez que deux choix : rentrer chez vous ou attendre le moment propice de partir, déclara-t-il.

– Il y a quelque chose que nous ne vous avons pas dit, fit Wellan.

Le *patris* fronça les sourcils avec inquiétude.

– Nous sommes magiciens.

– Même les plus grands pouvoirs du monde ne vous protégeront pas des tempêtes.

« À moins de nous construire un abri que nous pourrions attacher au tapis », songea Wellan.

— Je vois que vous êtes très têtu, remarqua Rijal en étudiant les émotions qui se succédaient sur le visage de l'adolescent aux oreilles pointues.

— Ma mère va bientôt enfanter, alors je ne peux pas me permettre de faire durer cette quête aussi longtemps. Pourrions-nous vous acheter suffisamment de scirpes pour nous construire une petite maison ?

— Les gens du Désert les utilisent pour faire des meubles ou des paniers. Ils vivent plutôt sous des tentes que tissent les femmes.

— Alors, nos mœurs sont différentes.

Lassa ne comprenait pas très bien les plans de son fils, mais il n'allait certainement pas le questionner devant tout le monde.

— Les joncs n'appartiennent à personne, répondit finalement Rijal. Nous ne les vendons pas. Cependant, ils sont essentiels à la vie aquatique des oasis, alors il ne faudrait pas tous les arracher. Savez-vous les tresser ?

— Non, fit l'adolescent, mais j'apprends vite.

— Ma fille Danah va vous le montrer. Accepterez-vous mon hospitalité pour le repas du soir ?

— Avec plaisir, acquiesça Lassa au nom du groupe.

Les visiteurs accompagnèrent la jeune femme jusqu'aux abords du grand point d'eau. Elle leur expliqua que les scirpes et les roseaux étaient des plantes aquatiques envahissantes

171

et que pour éviter qu'elles ne dessèchent éventuellement la mare, il fallait cueillir celles qui poussaient le plus loin de la berge. Wellan et ses compagnons enlevèrent donc leurs bottes et suivirent Danah dans l'eau. Pendant plusieurs heures, ils arrachèrent les joncs et les lancèrent sur la terre où des femmes s'empressèrent de les ramasser et de les aligner sur le sable.

– Quelle taille doit avoir votre abri ? demanda Danah.

Ne connaissant pas le système de mesure de ce peuple, Wellan traça les dimensions de son tapis dans le sable et lui indiqua que les murs devaient atteindre au moins un mètre et demi, soit environ la taille des scirpes. Il était également inutile d'y percer des fenêtres, mais il fallait toutefois prévoir un battant pour la porte. De cette façon, la plate-forme pourrait continuer de voler et ses passagers ne seraient pas étouffés par les nuées de sable.

Bientôt toute la tribu participa au projet et, au coucher du soleil, la petite maison de jonc fut enfin complétée. Discrètement, Wellan avait élargi la natte non loin de la tente de leur hôte. Il fit donc transporter l'abri qui y fut solidement attaché à l'aide d'autres joncs humides.

Leurs nouveaux amis se firent ensuite un plaisir de leur offrir leurs mets traditionnels et de leur faire boire leur thé sucré. Wellan continuait ainsi de réaliser son rêve d'étudier d'autres civilisations. Le soir venu, Rijal accompagna les étrangers jusqu'à leur curieux logis qui ressemblait davantage à une niche qu'à une maison. Wellan y fit entrer ses compagnons.

– Les joncs sont tressés serrés, mais je ne suis pas certain qu'ils empêchent totalement les insectes piqueurs de vous atteindre, s'inquiéta le *patris*.

– Nous sommes magiciens, rappelez-vous, lui dit l'adolescent en souriant.

L'abri s'éleva doucement dans les airs sous le regard sidéré de Rijal.

– Mais comment...

– Nous vous sommes infiniment reconnaissants de votre aide. Soyez assurés que nous reviendrons pour vous offrir quelque chose en retour.

Le logis volant prit alors la direction de l'est. Rijal demeura immobile un long moment à se demander s'il n'était pas en train de rêver.

Wellan resta éveillé toute la nuit afin de parcourir la plus grande distance possible avant le lever du soleil. En conservant la même direction, ils arriveraient éventuellement sur le bord de la rivière où vivait l'homme qui savait où se trouvait la pierre. Au matin, il fit atterrir la nef de fortune et se reposa. Ce fut son père qui le réveilla quelques minutes plus tard.

– Il se passe quelque chose d'étrange, l'avertit Lassa.

Wellan sortit de l'abri à quatre pattes et rejoignit ses compagnons qui regardaient au loin. Il remarqua alors que la terre tremblait sous ses pieds. Utilisant ses facultés surnaturelles, il chercha à savoir ce qui se passait et comprit en même temps que Lassa le danger qu'ils couraient.

— Tout le monde à l'intérieur ! ordonna-t-il.

Dès que tout le monde y fut, Wellan prononça les paroles magiques. Écoutant son instinct, il fit grimper le tapis des centaines de mètres dans les airs, ne se décidant pas à refermer le battant.

— Que se passe-t-il ? s'alarma Cameron.

Wellan s'étira le cou pour regarder en bas et vit passer sous lui une colossale vague de sable qui roulait comme si elle allait s'échouer quelque part.

— Je pense que c'est l'une des tempêtes dont nous a parlé Riyal, répondit-il enfin. Ne bougez surtout pas, sinon nous risquons de perdre notre cap.

Mais les vents violents à la base du phénomène météorologique les frappèrent de plein fouet. Wellan tira sur les cordes du battant et s'y accrocha de toutes ses forces. Daiklan et Lassa les lui arrachèrent aussitôt des mains.

— Concentre-toi uniquement sur ta magie ! cria le père dans les sifflements qui devenaient de plus en plus assourdissants.

Wellan ferma les yeux et ordonna à la nef de jonc de s'élever davantage dans le ciel. Au bout d'un moment, la tourmente cessa, mais un froid glacial mordit leurs membres.

– Que se passe-t-il, cette fois ? s'alarma Cameron en se frictionnant les bras.

Puisque la petite maison avait fini de tourner sur elle-même, Lassa risqua un œil dehors. Dans l'obscurité, il était impossible de savoir s'ils se dirigeaient dans la bonne direction ou s'ils revenaient sur leurs pas.

– Wellan, fais-nous redescendre, exigea le père qui avait de plus en plus de mal à respirer.

Ellie s'aperçut que l'adolescent en transe grelottait de tous ses membres. Elle détacha sa couverture et lui couvrit les épaules.

– Nous sommes saufs, Wellan, murmura-t-elle à son oreille.

Voyant qu'il ne réagissait pas, elle le secoua doucement. L'adolescent battit des paupières en revenant à lui, mais la perte de sa concentration fit aussitôt plonger la nef vers le sol, écrasant ses passagers contre le plafond.

– Wellan ! hurla Lassa en essayant de rapprocher les membres du groupe afin de pouvoir les transporter magiquement ailleurs.

La gravité ne leur permettait toutefois pas de bouger. Évaluant le danger, l'adolescent s'efforça de calmer sa terreur et prononça l'incantation. Le tapis s'immobilisa brusquement, projetant tout le monde vers le bas.

— Ça va, assura Wellan. J'ai repris la maîtrise du tapis.

Pour leur prouver qu'il disait vrai, il les fit redescendre juste au-dessus de la zone de turbulence. Une fois la tempête passée, il se rapprocha davantage du sol, mais refusa d'arrêter leur course. Effrayés, les membres du groupe furent incapables de trouver le sommeil et veillèrent avec Wellan.

Lorsque le soleil se leva, directement devant eux, ils comprirent qu'ils n'avaient pas perdu leur cap. À bout de forces, l'ancien commandant posa l'abri sur le sol, et se laissa retomber sur le dos. Au lieu d'aller voir où ils étaient rendus, les passagers décidèrent de dormir un peu.

Lassa fut le premier à s'éveiller. Il poussa le battant et se redressa, fourbu et courbatu. Il pivota sur lui-même. Il n'y avait que des dunes autour d'eux. Puis, soudain, il crut apercevoir un léger mouvement au loin. Utilisant ses sens surnaturels, il découvrit qu'une dizaine de personnes se dirigeaient vers eux. Lassa réveilla tout de suite ses amis et son fils.

— Nous avons de la compagnie, leur apprit-il.

— Alliés ou ennemis ? voulut savoir Daiklan.

— C'est difficile à dire...

Ils sortirent de la petite maison tressée en se demandant s'ils devaient attendre ou fuir. Au bout d'un moment, Cameron parvint à distinguer les silhouettes des animaux sur lesquels veillaient les guerriers berbères.

— Ils ressemblent aux gens que nous venons de quitter, les informa l'Elfe.

— Je ne perçois aucune agressivité, ajouta Ellie.

— Y a-t-il encore des brigands parmi ces tribus ? voulut savoir Lassa.

— Selon mon père, non, affirma Danitza. Ils sont tous réformés.

Cependant, Bergeau avait le don d'exagérer tout ce qu'il disait.

— Je penche du côté de la prudence, réclama Daiklan. Si nous retournons dans l'abri, ils ne pourront pas nous voir, et s'ils nous attaquent, nous pourrons leur échapper par la voie des airs.

— Je suis d'accord, l'appuya Cameron.

En se retournant pour plonger dans la nef, ils constatèrent avec stupeur que Wellan était allongé sur le sable, évanoui. Lassa lui tapota le visage, mais ne parvint pas à le ramener à lui.

— Nous n'avons plus le choix, soupira-t-il.

Les cavaliers arrivèrent plusieurs heures plus tard, sur le dos de leurs chameaux.

— Nous avons vu cette boîte tomber du ciel, déclara celui qui semblait être le chef. Vous a-t-elle frappés ?

— Nous étions à l'intérieur, rétorqua Lassa.

— Êtes-vous des dieux ?

— Non. Nous sommes des magiciens et nous avons tenté de notre mieux d'échapper à une tempête de sable.

— Vous avez des blessés ?

— Mon fils est inconscient.

— Nous allons vous ramener dans notre village et nous occuper de lui.

Les hommes sur le dos de leurs animaux à deux bosses firent monter chacun un membre du groupe. Lassa cueillit Wellan dans ses bras et le tendit au chef des Danakis.

— Je suis Zharan, se présenta-t-il.

— Et moi, Lassa.

Les bêtes reprirent le chemin par lequel elles étaient venues sans se presser. Bercé par le mouvement régulier de sa monture, Lassa ferma les yeux. Lorsqu'il les ouvrit de nouveau, il vit qu'ils approchaient non pas d'une oasis comme celle qu'ils venaient de quitter, mais d'un grand rassemblement de tentes de toutes les couleurs.

Les chameaux se couchèrent sur le sol, laissant descendre leurs cavaliers. Zharan transporta l'adolescent jusque chez lui et le déposa dans un océan de coussins sous le regard inquiet de son père.

– Je vais le faire examiner par notre meilleur chaman.

– À mon avis, il est surtout épuisé, mais je vous en remercie.

Tandis qu'il faisait appeler le guérisseur, Zharan emmena les étrangers se rafraîchir à la fontaine. Lassa avait vu bien des puits durant sa vie, mais aucun comme celui-là. Au milieu d'un grand bassin s'élevait trois poissons de pierre qui crachaient de l'eau claire. Il s'aspergea le visage, puis chercha à savoir ce que ressentaient ses compagnons. Danitza et Cameron étaient angoissés, tandis qu'Ellie et Daiklan étaient surtout habités par la curiosité.

En hôte parfait, Zharan leur offrit un repas matinal composé essentiellement de fruits exotiques. Tandis qu'ils mangeaient, Lassa raconta aux principaux représentants de la tribu ce qui leur était arrivé. Les gamins, assis derrière les hommes, allèrent aussitôt raconter à leurs familles ce qu'il venait d'entendre et bientôt, tout le village fut au courant de l'histoire des magiciens du nord.

Pendant ce temps, Wellan reprenait connaissance. Il procéda d'abord à un examen complet de son corps et constata qu'il n'avait rien de cassé et aucune blessure. Il pouvait encore entendre siffler le vent de la tourmente dans ses oreilles. Il regarda autour de lui et constata qu'il reposait sous une grande tente. Ses yeux s'arrêtèrent alors sur le visage halé et ridé d'un vieillard qui l'observait en silence.

– Où suis-je ? demanda Wellan en se relevant sur ses coudes.

– Tu es dans le lit du *patris* Zharan de la tribu des Danakis.

– Où sont mes compagnons ?

– Ils sont en train de se sustenter.

– Quelqu'un a-t-il été blessé ?

– Pas à ce que je sache.

– Êtes-vous Zharan ?

– Non, je suis son grand-père. Je m'appelle Keyah. Et toi ?

– Wellan d'Émeraude.

– Ah... Émeraude...

– Vous connaissez ?

– Mon père y est né, il y a fort longtemps. Moi, je suis né ici même.

L'adolescent comprit que c'était sans doute un criminel qui avait été exilé dans ce pays inhospitalier pour purger sa peine, mais il prit bien garde de ne pas le mentionner.

— J'ai entendu dire que tu cherchais une pierre bien spéciale.

Wellan se redressa d'un seul coup, comme si un scorpion l'avait piqué.

— Comment le savez-vous ?

— C'est ce que ton père vient de raconter à mon petit-fils. Les rumeurs circulent très rapidement dans le Désert, mais j'imagine que c'est ainsi partout.

— Un Immortel m'a dit que je pourrais la trouver par ici.

— Tu dois être un jeune homme très spécial pour que les dieux s'adressent directement à toi.

— C'est compliqué à expliquer...

— Es-tu l'un d'eux ?

— Non...

— Tu es pourtant tombé du ciel.

— Ce n'était qu'un truc de magie, rien de plus, et je n'ai pas su le terminer en beauté. Heureusement, personne n'a été blessé par ma faute.

— Parle-moi de toi, Wellan d'Émeraude.

— Il n'y a pas grand-chose à dire à part que je vais bientôt avoir seize ans et que ma soif de connaissances est sans borne.

— Si j'étais un homme ordinaire, je te croirais, mais je vois l'âme des gens et la tienne est bien plus vieille que cela. Je suis chaman.

— Un prêtre-sorcier... se rappela Wellan, qui l'avait lu dans un livre.

— Non seulement je peux guérir tous les maux, mais je distingue ce qui est invisible. Je ne sais pas comment tu y es arrivé, mais tu te caches dans le corps d'un enfant.

— Me croiriez-vous si je vous disais que j'ai eu une vie avant celle-ci ?

— Cela expliquerait ce que je ressens en te regardant.

— J'ai été le commandant d'une grande armée, mais j'ai perdu la vie lors de mon dernier combat, car la déesse que je vénérais avait besoin de moi dans son monde. Pour me remercier de l'avoir débarrassée d'une grave menace, elle a retourné mon âme dans le corps d'un nouveau-né.

— Mais tu n'as rien oublié de ce que tu savais déjà... Il doit être très frustrant d'avoir à franchir à nouveau toutes les étapes de la croissance au lieu de poursuivre son existence là où on l'a laissée.

Un sourire timide apparut sur les lèvres de l'adolescent.

— Vous êtes le premier à le comprendre, avoua-t-il.

— La quête de cette pierre fait-elle partie des choses que tu n'as pu achever avant ta mort ?

— Non. C'est une toute nouvelle quête.

— À quoi te servira-t-elle lorsque tu l'auras trouvée ?

— Elle me permettra de déchiffrer une centaine de vieux traités écrits à l'ère primaire.

— Comme c'est intéressant...

— Savez-vous où elle est ?

— J'en ai déjà vu une sur laquelle apparaissait des inscriptions, mais l'écriture n'est plus enseignée depuis longtemps ici, alors je ne sais pas ce qu'elles signifient.

— Cela ressemble beaucoup à la description de celle que je cherche.

— Es-tu capable de marcher, Wellan d'Émeraude ?

— Oui, bien sûr.

Pour le lui prouver, l'adolescent mit les pieds sur le sol recouvert d'un épais tapis. Keyah tendit la main et dégagea l'une des oreilles de Wellan de ses cheveux noirs.

— As-tu fait tailler tes oreilles ? s'étonna le vieil homme.

— Non. Je suis né ainsi. Ma mère aussi a les oreilles pointues.

— Le monde est vraiment truffé de mystères...

– Qui attendent d'être élucidés par des gens passionnés comme vous et moi.

Keyah lui tendit la main. Sans dire un mot, il l'entraîna derrière de nombreuses divisions, ce qui fit penser à Wellan qu'ils passaient d'une tente à une autre.

– Es-tu déjà monté sur un chameau ?

– Non.

Le vieil homme murmura des mots doux aux deux animaux qui s'agenouillèrent aussitôt devant lui. Il se hissa entre les deux bosses et fit signe au jeune homme d'en faire autant sur l'autre animal.

Lassa ? appela alors l'adolescent. *Wellan, est-ce que ça va ?* répliqua son père. *Oui, je vais très bien. Je veux seulement te dire de ne pas t'inquiéter. Le chaman m'emmène voir une pierre qui pourrait bien être celle dont m'a parlé Danalieth. Si c'est le cas, je reviendrai vous chercher.*

S'il s'agissait d'un piège, l'ancien commandant des Chevaliers d'Émeraude n'allait certainement pas y entraîner ses compagnons avec lui. Il suivit donc Keyah entre les dunes, ballotté dans tous les sens. « Je préfère les chevaux », se dit-il, l'estomac à l'envers. Mais tous ses malaises s'envolèrent lorsqu'il aperçut les ruines à demi enfouies dans le sable.

– Qu'est-ce que c'est ? demanda-t-il.

– C'est une très vieille cité. Elle était déjà abandonnée quand mon père s'est installé ici.

Wellan aurait voulu presser sa monture, mais elle suivait l'autre, absolument indifférente à l'enthousiasme de son cavalier. D'ailleurs, celui-ci n'attendit pas qu'elle se remette à genoux pour en descendre. Dès qu'ils furent suffisamment près des grosses pierres, il sauta à terre et fit le reste du chemin à pied.

— Étant donné que tu sais lire, tu vas enfin pouvoir me dire qui habitait entre ces murs, se réjouit Keyah en descendant de son chameau.

L'adolescent s'arrêta devant une arche qui servait sans doute d'entrée au complexe. Il plaça la main sur la pierre usée par le vent et découvrit qu'elle correspondait à la partie supérieure d'une structure qui s'enfonçait profondément dans la terre.

— Je n'ai jamais réussi à persuader le conseil tribal de procéder à des excavations, indiqua le vieil homme. Il est plus préoccupé par la survie du groupe que par l'exploration d'autres cultures.

— Où est la pierre ?

— Continue de marcher. Tu ne pourras pas la manquer.

Wellan pénétra dans la forteresse ensevelie et ne fit que trois pas. Devant lui, s'élevait une colonne en forme d'aiguille quadrangulaire de la taille d'une tour ! Il en fit le tour et constata qu'un message était écrit sur trois de ses quatre faces. La dernière présentait une surface lisse. « Je ne pourrai jamais rapporter cet objet à Émeraude... » se découragea-t-il.

— Es-tu capable de lire ce qui y est écrit ?

– Seulement sur deux des côtés de l'obélisque. Je ne crois pas que ces inscriptions aient été gravées au même moment. Les lettres du Venefica sont beaucoup plus usées que celles de l'Enkiev. Celles de la langue d'Enkidiev sont plus récentes que celles de l'Enkiev. À mon avis, le message original a été traduit par les civilisations dominantes des époques suivantes.

– Si je ne savais pas que tu es plus âgé que tu en as l'air, je me méfierais de toi, plaisanta Keyah.

Wellan lut le message dans la langue des Anciens puis retourna se poster devant le message écrit dans la langue la plus moderne, afin de s'assurer que la traduction était exacte.

– Quand vas-tu te décider à me dire ce que raconte ce texte? le pressa le chaman.

– C'est un avertissement. Voici ce qu'il dit: « À tous ceux qui peupleront ce monde, n'oubliez jamais votre véritable nature. Vous êtes nos enfants et nous vous avons placés ici pour que vous fondiez une civilisation qui se nourrira de paix et d'amour. Sachez que nous reviendrons à un moment que nous jugerons opportun afin de voir comment vous avez traité vos frères et les ressources que nous avons mises à votre disposition. Votre sort dépendra de vos actions. »

– Vu l'état dans lequel se trouve cette cité, je dirais que ses fondateurs n'ont pas aimé ce qu'ils y ont trouvé.

Wellan se demanda s'il y avait une deuxième partie au message sous le sable. Il revint vers Keyah et l'incita à s'éloigner avec les bêtes.

– Et surtout, n'ayez pas peur.

L'adolescent tendit les bras devant lui et fit appel à ses pouvoirs de lévitation pour déterrer les ruines. De timides volutes de sable se soulevèrent autour du monument et se transformèrent quelques minutes plus tard en tourbillons déchaînés. Émerveillé, le chaman vit apparaître devant lui une cité parfaitement conservée aux dimensions cyclopéennes. Lorsque l'adolescent en eut nettoyé l'intérieur, il fit reculer davantage Keyah pour en dégager l'entrée. L'arche qui lui avait paru gigantesque s'éleva bientôt des centaines de mètres au-dessus du sol.

– C'est incroyable... souffla le vieil homme.

Épuisé, Wellan tomba sur ses genoux.

– Maintenant, je sais que tu es un dieu.

– Je ne suis qu'un magicien...

Une grande clameur éclata derrière les bêtes. Keyah se retourna et vit que tout le village accourait, Zharan en tête. En apercevant l'imposante forteresse, les Danakis se turent et ralentirent le pas. Lassa les dépassa et se précipita au secours de Wellan.

– As-tu envie de mourir avant tes seize ans ? le gronda-t-il en l'étreignant contre sa poitrine.

Une lumière éclatante enveloppa le père et le fils.

12

L'ILLUMINATION

Marek fut heureux d'apprendre que pendant quelques jours, il ne coucherait pas dans sa chambre du palais. Ce petit garçon, qui rêvait d'aventure, détestait profondément la routine. La seule idée de faire quelque chose différemment l'enchantait. Il se laissa donc reconduire par Kaliska jusqu'à la tour d'Armène, mais ne voulut pas qu'elle y entre avec lui, pour ne pas passer pour un bébé. La dernière chose que désirait sa sœur, c'était qu'il pique une crise dans la cour du palais, alors elle le poussa dans la porte.

La tête haute, Marek grimpa l'escalier. À cette heure, les trois pensionnaires à demi rapaces de la gouvernante prenaient leur premier repas du jour.

Armène aperçut le visage curieux du benjamin de Kira qui s'était immobilisé sur la dernière marche. Il ressemblait physiquement à Lassa, mais il avait le caractère de sa mère au même âge.

— As-tu faim, Marek ? demanda la gouvernante.

— Juste un peu.

Il grimpa sur un tabouret et examina le contenu des plats des plus vieux.

— Prends ce que tu veux, mon chéri, lui permit Armène.

Marek plongea les mains dans le bol de dattes.

— Mali sera bientôt ici pour vous donner une leçon de mathématiques.

— Je sais déjà compter, affirma le petit.

— Alors, tu pourras l'aider.

Toute la journée, Marek se comporta comme un grand. Le soir venu, il se coucha en même temps que les autres, dans l'un des lits de l'étage supérieur. Malgré la lourdeur de ses jambes, Kira vint border son plus jeune fils.

— Armène m'a dit que tu avais été très gentil avec elle, aujourd'hui, se réjouit-elle. Je suis vraiment fière de toi.

— Maman, est-ce que je pourrais rester ici pour toujours ?

— Je ne crois pas que papa soit capable de se passer de toi pendant tout ce temps.

— Il sera parti longtemps ?

— Non.

— Je déciderai quand il sera revenu.

Kira l'embrassa sur le front et accepta l'aide d'Armène pour descendre l'escalier. Marek écouta les bavardages de Cyndelle et d'Aurélys jusqu'à ce qu'il ferme les yeux. À peine s'était-il endormi qu'une voix troubla son sommeil. Il regarda autour de lui, dans la pièce circulaire éclairée par l'unique chandelle qu'Armène avait laissée, au cas où il aurait eu besoin d'utiliser le petit pot avant le lever du soleil. Tout le monde dormait.

— Marek... l'appela une voix familière.

Pensant que c'était Lazuli, il se rendit jusqu'à son lit, mais constata que son grand frère dormait à poings fermés.

— Marek...

La voix provenait de l'étage inférieur. Le garçon courut jusqu'à l'escalier et se mit à descendre en s'accrochant à la rampe. Il s'immobilisa à mi-chemin entre les deux paliers et jeta un coup d'œil en bas. Un homme se tenait au pied des marches. Il ressemblait à Lassa, mais ce n'était pas lui.

— Tu ne me reconnais pas ?

— Non...

— Pourtant, nous sommes liés par le sang.

Marek ne savait évidemment pas ce que cela signifiait.

— Je t'ai apporté un présent. Tu aimes les présents, n'est-ce pas ?

– Seulement quand ils ne sont pas trop gros.

– Celui-ci est minuscule.

L'étranger ouvrit la main, mais de son perchoir, l'enfant ne pouvait pas voir ce qu'elle contenait.

– Approche, Marek. Je ne te mangerai pas.

Poussé par la curiosité, le petit garçon descendit encore quelques marches.

– Qu'est-ce que c'est ?

– C'est un bijou.

– Les bijoux sont pour les filles.

– Pas quand ils sont magiques.

Marek continua d'hésiter, alors l'homme fit pendre le médaillon sphérique au bout de sa chaîne.

– C'est quoi sa magie ?

Une lumière éclatante jaillit de la curieuse breloque. Marek poussa un cri de terreur et se réveilla dans son lit.

– Que se passe-t-il, mon poussin ? s'alarma Armène en arrivant près de lui.

– J'ai peur...

La gouvernante le prit dans ses bras et le serra très fort. Il lui raconta alors ce qui venait de se passer et elle s'empressa de lui expliquer que ce n'était qu'un rêve.

— Personne ne peut entrer ici pendant la nuit, mon chéri. Le Magicien de Cristal a jeté un sort à ma tour pour nous protéger.

Elle lui fit boire du lait chaud et le recoucha dans son lit.

— Est-ce que ça ira?

— Oui, c'était juste un rêve.

— Rappelle-toi que je suis tout près et que je veille sur toi.

— Merci, Armène.

Aucun autre incident semblable ne survint cette nuit-là. Le lendemain, Marek sembla même avoir oublié son cauchemar. Il alla jouer dans la cour avec les autres enfants et revint manger dans la tour avec son frère. Armène lui lut une histoire, puis le mit au lit après avoir vérifié avec lui que la porte de la tour qui donnait sur l'extérieur était bel et bien verrouillée.

Tout comme la veille, Marek se réveilla au milieu de la nuit. En entendant son nom, cette fois, il choisit de se cacher sous ses couvertures. Il sentit alors que quelqu'un venait de grimper dans son lit et dégagea tout doucement son visage. Il arriva nez à nez avec un énorme chat aux yeux brillants. Ses cris d'effroi réveillèrent tous les dormeurs de la tour et firent même sursauter les sentinelles qui surveillaient les grandes portes de la forteresse.

Armène l'emmena dans le fauteuil à bascule sans rien comprendre à son histoire entrecoupée de sanglots. Assis sur leur lit, les trois autres enfants tentaient aussi d'y voir clair.

– Un chat plus gros que toi ? s'étonna Lazuli.

– Avec de grands yeux et des taches partout !

– Aucun félin à Enkidiev n'en a, affirma Cyndelle.

– Les grands chats de Rubis sont roux et les panthères de Jade sont noires, ajouta Aurélys.

– Celui-là était jaune ! se fâcha Marek.

Armène berça l'enfant jusqu'à ce qu'il s'endorme et le coucha avec elle. Le lendemain, elle le reconduisit dans le hall où Bridgess donnait un cours d'écriture, puis poursuivit son chemin jusqu'aux appartements de Kira.

– Ce ne sera plus bien long, constata la gouvernante en remarquant que le ventre de la future maman avait encore grossi.

– Je l'espère. Je ne peux même plus me pencher. Es-tu montée jusqu'ici pour m'encourager, Mène ?

– Pas tout à fait. Je voulais te demander si Marek a l'habitude de faire des cauchemars.

– Il se lève en pleine nuit pour faire des coups pendables, mais jamais il ne m'a parlé de mauvais rêves. Il me décrit plutôt ses visions, quand elles ne le concernent pas, évidemment.

Armène lui raconta donc ce qui s'était passé.

— Il est sans doute déstabilisé par l'absence de son père, même s'il fait le brave, avança Kira. Peut-être serait-il préférable qu'il revienne dormir au palais.

— Tu as besoin de sommeil, ma chérie.

— J'ai aussi besoin que mes enfants soient heureux. S'il fait encore des mauvais rêves cette nuit, j'aimerais que tu me le ramènes.

La journée se passa normalement, mais le soir venu, Marek ne se présenta pas à la tour. Armène se mit donc à sa recherche, puis, ne le trouvant nulle part, alerta les serviteurs et les servantes, tandis qu'elle se rendait une fois de plus aux appartements royaux.

— Je ne l'ai pas vu du tout aujourd'hui, affirma Kaliska, mais il adore explorer le château. Il a dû trouver une nouvelle entrée dans les passages secrets.

La petite utilisa aussitôt ses sens invisibles pour le localiser.

— Je ne sens pas sa présence... s'alarma-t-elle.

Kaliska fonça jusqu'à la chambre de sa mère.

— Maman, Marek a disparu ! s'écria-t-elle.

Kira se redressa avec difficulté et chercha elle aussi son fils à l'aide de sa magie. Ne le trouvant pas au château, elle poussa son enquête sur la campagne environnante, car l'enfant s'était déjà rendu par lui-même jusqu'au musée d'Émeraude.

– Aide-moi à me lever, ma chérie.

Kaliska la tira sur ses pieds et l'accompagna au salon où Armène faisait les cent pas.

– Je l'ai reconduit dans le hall ce matin, puis je ne l'ai plus revu, expliqua nerveusement la gouvernante.

– S'il s'agissait d'un autre enfant, j'aurais tendance à croire qu'il a été enlevé, avança Kira, mais Marek a des idées si différentes de ses semblables.

– Il a peut-être décidé d'aller rejoindre papa, suggéra Kaliska.

– J'y pensais justement.

Lassa, j'ai une question à te poser et je ne veux pas que tu paniques, fit la Sholienne par télépathie. *Que se passe-t-il ?* s'inquiéta son mari. *Marek est-il avec toi ?* Au lieu de lui répondre, Lassa apparut au milieu du salon.

– Non, affirma-t-il.

– Il s'est encore éclipsé, se découragea la mère. Où est Wellan ?

– Je viens de le déposer dans sa chambre. Ne t'éloigne pas, je vais aller chercher le reste de l'expédition, puis je m'occupe de lui.

Il embrassa Kira sur les lèvres et se dématérialisa.

– Dis-moi quoi faire, insista Armène.

– On ne peut qu'attendre, se résigna la mère.

– La dernière fois, c'est papa qui l'a trouvé, affirma Kaliska, maintenant plus confiante.

※ ※ ※

Après qu'Armène l'eut reconduit à la porte du hall afin qu'il puisse assister au cours de Bridgess, Marek avait entendu des miaulements de détresse dans le couloir. Alors, au lieu d'entrer dans la grande salle, il s'était plutôt précipité au secours de l'animal. Sa recherche le mena jusqu'à la salle d'armes. Un panneau s'ouvrit sur le mur du fond, mais au moment où Marek y arriva, à la course, il vit la queue du chat disparaître dans l'ouverture. Sans réfléchir, il l'avait suivi dans le tunnel qui s'illuminait mystérieusement devant lui.

– Arrête-toi, miaou! ordonna l'enfant. Je veux juste te sauver!

La petite bête le mena finalement sur le palier supérieur d'un escalier qui descendait dans une énorme caverne. Marek s'arrêta net, surpris de se retrouver dans cet endroit qu'il n'avait jamais vu auparavant. Il se rappela alors les recommandations de sa mère, qui lui avait défendu d'explorer seul les passages secrets du château. Il abandonna donc la poursuite et pivota sur ses talons pour retourner dans le couloir et se frappa à un mur. Le tunnel qu'il avait emprunté pour se rendre jusque-là n'existait plus !

— Maman ! hurla le petit garçon terrorisé.

— Tu n'as rien à craindre, Marek.

L'enfant fit volte-face et reconnut le visage de l'homme qui venait de lui adresser la parole. C'était le même qui avait voulu lui offrir un présent dans son cauchemar.

— Est-ce que je suis en train de rêver ? murmura le petit.

— Pas du tout, bien que, souvent, les gens confondent le rêve et la magie.

— Pourquoi la porte n'est plus là ?

— C'est moi qui l'ai fait disparaître, parce que je voulais que nous puissions discuter tous les deux.

— Ma mère ne veut pas que je parle aux étrangers.

— Elle a raison, mais je n'en suis pas un. Je m'appelle Solis et je suis ton père.

— Mon père, c'est Lassa.

— Est-il aussi le père de Lazuli ?

Marek plissa le nez en essayant de se rappeler ce que les adultes disaient à ce sujet.

— Non, répondit-il enfin. Son père est un homme-oiseau, mais mon père s'est occupé de lui quand même depuis qu'il est bébé.

— C'est la même chose pour toi, Marek.

— Mon père n'est pas un homme-oiseau !

— Tu as raison, car c'est un homme-chat.

L'enfant ne cacha pas son étonnement.

— Lassa n'est le véritable père que des jumeaux qui vont bientôt naître.

— Mais Wellan... et ma sœur...

— Il existe dans l'univers des femmes exceptionnelles qui ont toutes les qualités requises pour mettre au monde les enfants des dieux. Wellan est le fils d'un dieu-orque qui s'appelait lui aussi Lazuli. Ton frère Lazuli est le fils d'un dieu-rapace et ta sœur, c'est encore plus compliqué.

— Mais moi ?

— Tu es un félin, car en réalité, je suis un dieu-jaguar.

— Qu'est-ce que c'est ?

Solis se transforma en fauve sous ses yeux. Marek poussa un cri de frayeur et s'écrasa le dos contre le roc. Le fauve reprit aussitôt son apparence humaine.

— Un jour, tu pourras faire la même chose, mon enfant.

— Je ne veux pas ! Je pourrais manger Lazuli !

Le dieu-félin éclata d'un grand rire qui se répercuta dans la caverne.

— Viens avec moi, Marek, l'invita Solis. J'ai une foule de choses à te montrer, et nous n'avons pas beaucoup de temps.

Le garçon descendit quelques marches, puis s'arrêta.

— Pourquoi maman ne m'a-t-elle jamais parlé de vous ?

— C'est sans doute parce qu'elle juge que tu es encore trop petit. Moi, je pense que les enfants ne sont jamais trop jeunes pour apprendre la vérité.

— Est-ce que je serai obligé d'aller vivre avec les autres jaguars ?

— Seulement quand tu seras prêt.

Marek poursuivit sa route et s'arrêta devant cet homme aux larges épaules et aux bras musclés. Solis s'accroupit pour être à sa hauteur. Il avait les mêmes yeux bleus que son père, mais ses cheveux étaient moins blonds et moins longs.

— Tous les dieux-félins ne sont pas automatiquement des jaguars. Aimerais-tu savoir à quoi tu ressembles réellement ?

— Oh oui !

– Très bien. Nous allons commencer par réveiller tes pouvoirs.

Solis fit apparaître au creux de sa main un médaillon tout rond.

– C'est mon présent de l'autre soir ?

– Le même.

– Va-t-il encore faire beaucoup de lumière ?

– Seulement quand il sera sur ta poitrine et pendant quelques secondes seulement. Tu ne dois pas avoir peur.

Avec douceur, Solis attacha la chaînette autour du cou de son fils. Tout comme il l'avait annoncé, un éclair jaillit de la minuscule sphère. Marek ferma les yeux et serra les poings.

– Tu es encore plus brave que moi, le félicita son père naturel.

Solis lui prit la main et ils se retrouvèrent instantanément dans une grande forêt.

– Je n'ai pas le droit de sortir de la forteresse, gémit Marek.

– Tu n'es plus à Émeraude, mon petit. Tu es chez toi, dans le domaine des félidés.

Ils marchèrent pendant de longues minutes sur un sentier creusé dans la terre par le passage de nombreux animaux. Les sens de l'enfant se réveillèrent un à un. Ses oreilles se mirent à entendre des sons nouveaux et ses yeux à distinguer le moindre mouvement entre les branches des arbres. Son nez capta aussi des odeurs différentes. Le père et le fils s'arrêtèrent finalement devant une mare.

– Penche-toi et regarde ton visage, le convia le jaguar.

Marek posa les mains sur le sol et s'étira le cou, s'attendant à ce que la surface de l'eau lui renvoie la même image que les miroirs de sa mère, mais ce qu'il vit, c'était la face d'un jeune animal qui ressemblait à un jaguar, sauf qu'il était blanc avec des taches noires.

– C'est moi ?

En voyant la bouche du félin former les mots qu'il venait de prononcer, Marek comprit que Solis disait la vérité. L'enfant se mit donc à faire des grimaces, à fermer un seul œil et à pencher la tête d'un côté puis de l'autre. Son reflet l'imitait en tous points.

– Je suis un jaguar ?

– On dirait plutôt que tu es un irbis, aussi connu sous le nom de léopard des neiges.

Marek leva la main. Une patte apparut près du reflet de son visage.

– Mais pourquoi l'eau me voit-elle autrement ? s'étonna-t-il.

– C'est un étang magique. Nous l'utilisons pour nous promener entre les mondes.

Le garçon se laissa retomber sur ses fesses.

– Quand pourrai-je me transformer au complet, moi aussi ?

– Tout de suite, si tu as envie.

– S'il vous plaît !

– Il faudra par contre faire tout ce que je te dis.

– Je le jure.

– Au cours des prochaines années, tu ne pourras devenir un irbis qu'en ma présence, puis, lorsque tu seras grand, tu le feras à volonté. Referme ta main sur le médaillon et découvre ta véritable nature.

Marek lui obéit aussitôt et vit ses bras et ses mains se recouvrir de fourrure blanche tachetée de noir. À quelques pas de lui un jaguar l'observait. *Suis-moi*, entendit l'enfant dans sa tête. L'animal adulte s'élança dans la clairière. D'abord maladroitement, Marek mit une patte devant l'autre, puis parvint à trottiner et finalement à courir. Il n'avait pas encore la grâce de son père, mais il se moquait pas mal des apparences. Les deux félins se pourchassèrent entre les broussailles, sur les branches des arbres et même dans les ruisseaux. Lorsque Solis ramena enfin Marek sous le palais, dans la caverne où se trouvait jadis le miroir de la destinée, l'enfant était exténué.

– Je te rendrai visite de temps en temps, promit le père. Quand tu entendras ma voix, descends jusqu'ici.

– C'est promis.

Solis aida son fils à grimper l'escalier où l'ouverture avait réapparu. Il l'embrassa sur le front et le poussa dans le tunnel.

✳ ✳ ✳

Lassa venait de rentrer au château les mains vides, après avoir parcouru toute la campagne d'Émeraude, lorsqu'il sentit la présence de son benjamin sous la terre. Vibrant d'espoir, il suivit le mouvement énergétique jusque dans la salle d'armes et arriva face à face avec Marek. Au lieu de le gronder, Lassa le cueillit dans ses bras et l'étreignit avec soulagement.

– Nous t'avons cherché toute la journée !

– J'étais dans les passages secrets.

«Alors, pourquoi ne l'avons-nous pas ressenti ?» se demanda le père. Au lieu de faire part de ses inquiétudes à l'enfant, il le ramena à l'étage royal où Kira se faisait du mauvais sang.

– Maman ! s'exclama joyeusement Marek. Tu ne croiras jamais ce qui m'est arrivé !

Lassa l'empêcha de sauter sur le gros ventre de sa femme en le saisissant par sa tunique.

— Je me suis transformé en chat !

— Et tu as poursuivi des souris, je présume, rétorqua Kira, qui croyait qu'il s'agissait d'une autre de ses incroyables histoires.

— Non ! J'ai couru toute la journée dans la campagne.

— J'en reviens et tu n'y étais pas, lui fit savoir son père.

— Ce n'était pas la nôtre.

Kira l'obligea à s'asseoir sur le sofa et à se calmer.

— Recommence du début, exigea-t-elle.

— J'ai suivi un chat dans les passages secrets et j'ai rencontré un homme qui m'a dit que moi aussi j'en étais un, raconta Marek en soupirant.

— Comment s'appelle-t-il ?

— Je ne suis pas sûr... Ça ressemble à soleil... Il est capable de se transformer en gros chat jaune avec des taches.

— Solis ? s'étonna Lassa.

— Oui, c'est ça ! s'écria l'enfant. Il m'a dit qu'il était mon père, puis il m'a donné le médaillon et il m'a montré comment devenir un chat moi aussi.

Kira éprouva alors un vertige.

— Je pense que je vais vomir... gémit-elle.

— Où as-tu mis ce médaillon ? continua Lassa.

— Là, répondit son benjamin en pointant sa poitrine.

— Il n'y a rien dans ton cou, Marek.

L'enfant prit la petite sphère entre son index et son pouce et la tira au bout de sa chaîne pour la rapprocher des yeux de son père.

— Je suis censé voir quelque chose ? commença à se fâcher le père.

— Mais il est là, entre mes doigts !

Lassa consulta son épouse du regard.

— C'est peut-être un bijou magique que toi seul peux voir, trancha Kira pour éviter que la discussion se termine en querelle. Si c'est le cas, tu as beaucoup de chance d'avoir reçu un tel présent.

Voyant que sa mère le croyait, Marek se calma sur-le-champ.

— Va laver tes mains, mon chéri, poursuivit Kira. Nous allons bientôt manger.

— Tout de suite, maman !

L'enfant gambada jusqu'au corridor où il disparut en imitant les grognements d'un félin.

— Solis ? répéta Lassa, fâché. Alors, ce rêve que tu as fait avant de te rendre compte que tu étais enceinte de Marek, ce n'était pas un rêve, après tout.

— Ce n'est pas un dieu-jaguar qui m'a séduite, c'était ton frère Zach ! Et je ne suis même pas certaine que ce soit vraiment arrivé ! Je t'en prie, ne ravivons pas cette vieille querelle, ou du moins, attends que j'aie accouché.

— Ces deux-là sont-ils vraiment de moi ?

— Lassa d'Émeraude, comment oses-tu me demander une chose pareille ? Penses-tu vraiment que j'ai sciemment conçu des enfants avec des dieux ? Au cas où tu l'aurais oublié, aucun d'entre eux ne m'a demandé ce que j'en pensais.

Au lieu de dire quelque chose qu'il aurait regretté, Lassa quitta leurs appartements en claquant la porte.

13

LES PETITES SORCIÈRES

Kaliska s'étonna de ne pas voir son père à table avec la famille, car il insistait pour que tous s'y retrouvent sans faute, même Wellan. Elle crut d'abord que son récent voyage l'avait épuisé, puis en ressentant la profonde tristesse de Kira, elle comprit qu'ils s'étaient querellés. La petite prit donc sur elle d'égayer le repas, même si au fond, toute dispute la chagrinait beaucoup.

Lazuli étant toujours à l'abri dans la tour d'Armène et Wellan se remettant de l'excavation de la cité perdue dans le Désert, Kaliska mangea avec Marek et sa mère. Elle écouta le récit fantastique du benjamin et lui posa mille et une questions au sujet de son escapade féline. Kira remuait sa nourriture dans son assiette du bout de sa fourchette, sans rien avaler. Son esprit était ailleurs.

— Va te reposer, maman, fit Kaliska à la fin du repas. Je m'occupe de tout.

— Merci, ma chérie.

La fillette fit la vaisselle, emmena Marek visiter Lazuli, puis le conduisit aux bains et le mit au lit. Elle lui raconta son histoire favorite et attendit qu'il ferme l'œil avant d'aller voir comment se portait Wellan. Il était enfin réveillé, mais plutôt mal en point. Kaliska lui prépara une assiette sommaire de nourriture et la lui porta. Elle s'arrêta ensuite dans la porte de la chambre de sa mère afin de tenter de la consoler, mais Kira dormait déjà à poings fermés.

Kaliska se réfugia donc dans sa chambre et s'assit sur son lit, les jambes repliées contre sa poitrine. Éclairées par une seule chandelle, ses poupées de chiffon étaient assises en rang serré sur la tablette que lui avait installée Lassa. *Papa, où es-tu ?* l'appela-t-elle par télépathie. Son silence l'effraya. Le seul endroit où on n'entendait pas ces messages, c'était de l'autre côté des volcans. «Il ne peut pas être allé là-bas, c'est trop dangereux», tenta-t-elle de se convaincre.

Son regard se porta ensuite sur la petite table où reposait sa vaisselle miniature. Elle y avait passé des heures à prendre le thé avec Cornéliane. «Pourquoi les gens que j'aime disparaissent-ils tout à coup ?» se demanda-t-elle. Le Roi Onyx était parti à la recherche de sa fille depuis trop longtemps déjà. Cela ne pouvait signifier qu'une chose : il ne l'avait pas encore retrouvée. «Je ne peux pas rester à ne rien faire...» songea Kaliska.

Elle se rappela alors le serment qu'elle avait prononcé avec ses amis magiques Cornéliane, Malika, Lazuli et toutes les filles de Myrialuna. Ces dernières étaient reparties pour leur royaume de glace et il était trop risqué pour son frère Lazuli de pratiquer la magie sans attirer les dieux-rapaces à Émeraude. Son seul espoir était Malika. Heureusement, ses parents vivaient désormais non loin du château sur une petite ferme.

« Comment vais-je me rendre chez elle, puisque je n'ai pas le droit de quitter la forteresse ? » se demanda la fillette.

Malika était une enchanteresse. C'était la plus puissante sorcière de leur petit groupe. « Si je ne peux pas y aller, alors ce sera à elle de venir ici », décida Kaliska. Elle sortit de sa chambre, s'assura que tout le monde dormait encore et quitta les appartements de ses parents. Aussi silencieuse qu'une souris, elle sortit du palais et grimpa sur la passerelle des remparts. Même les sentinelles ne la virent pas. Malika habitait quelque part par là. « Comment pourrais-je communiquer avec elle sans que personne d'autre ne m'entende ? »

— Onyx a enseigné la télépathie individuelle à ses élèves lorsqu'il était encore Farrell.

Kaliska fit volte-face en posant les mains sur son cœur.

— Wellan ? Mais tu dormais quand je suis sortie.

— Ton inquiétude m'a réveillé, alors je suis venu voir si je pouvais t'aider. C'est à Cornéliane que tu aimerais parler ?

— Ce serait peine perdue, puisqu'elle se trouve de l'autre côté des volcans. Tout le monde sait que nos pensées ne peuvent pas les franchir.

— Alors, qui ?

— Malika, la fille du Chevalier Nogait et de la Princesse Amayelle.

– Vous êtes amies ?

– Oui, mais nous n'avons jamais l'occasion de nous voir, même si elle vit tout près. J'aurais bien aimé que Farrell soit mon maître et qu'il m'enseigne aussi à former mon propre vortex.

– Il avait une façon bien particulière d'enseigner la maîtrise de la magie, mais elle fonctionnait à merveille. Lassa a été un de ses élèves, jadis.

– Pourquoi ne l'appelles-tu plus « papa » ?

En tant que Chevalier d'Émeraude, il avait appris à dire la vérité toutes les fois que c'était possible, par respect pour autrui.

– Parce que nous avons occupé des rôles différents dans une autre vie.

– Une autre vie ? s'étonna Kaliska.

– À part Hadrian d'Argent et Onyx d'Émeraude, la majorité des gens ne vivent qu'une fois, puis ils jouissent du repos éternel sur les grandes plaines de lumière.

– Pas toi ?

– Parce que j'ai rendu un fier service aux dieux après ma mort, ils m'ont donné une seconde chance de réaliser mes rêves en expédiant mon âme dans le corps d'un enfant en train de naître.

— Qui étais-tu avant ?

— Je portais le même nom.

— Le Chevalier Wellan ? Mais c'est impossible ! Il était blond !

— Et plus grand et plus fort que moi, je sais, ajouta l'adolescent, avec un sourire amusé. N'as-tu pas écouté ce que je viens de te dire ? Ce n'est pas mon corps que Theandras a laissé retourner dans le monde des mortels, c'est mon âme. Je ne me reconnais pas quand je me regarde dans un miroir, mais je n'ai rien oublié de ce que j'ai appris dans ma vie précédente, durant laquelle Lassa a été mon Écuyer.

— Est-ce que maman le sait ?

— Si elle ne l'avait pas deviné, elle ne m'aurait jamais laissé partir à la recherche de la pierre de Taher.

— Et papa ?

— J'ai dû le lui avouer, car il me connaissait mieux que quiconque.

— As-tu l'intention de redevenir Chevalier ?

— Théoriquement, je n'ai jamais cessé de l'être, mais la guerre ne m'intéresse plus. Avant de devenir soldat, je rêvais d'enseigner l'histoire ou d'être explorateur.

Kaliska observa le visage de son frère pendant un long moment.

— Qui est Taher ? demanda-t-elle finalement.

— Ce n'est pas une personne, c'est une vieille cité qui dormait sous le sable. Maintenant que je l'ai trouvée, je vais pouvoir déchiffrer la langue la plus ancienne du monde.

— Là, je te reconnais davantage.

— Si je te reconduisais chez ton amie, me promettrais-tu d'être prête à rentrer dans une heure ?

— Oui, mais les sentinelles ont l'ordre de n'ouvrir les portes des murailles sous aucun prétexte après le coucher du soleil.

— Qui parle de passer par là ?

Wellan prit la main de sa sœur en plantant son regard dans le sien. Lorsqu'il la lâcha, ils se trouvaient devant la ferme des parents de Malika.

— Comment fais-tu ça ?

— Je n'ai qu'à le désirer.

— Moi aussi je désire des dizaines de choses, mais elles ne se matérialisent pas pour autant.

— Tout vient à point à qui sait attendre, Kaliska. La magie que je sens en toi est bien plus puissante que la mienne, mais nous en reparlerons plus tard. Ne perds pas de temps. Je serai de retour dans une heure.

La fillette se hissa sur la pointe des pieds et l'embrassa sur la joue en le remerciant. Wellan lui sourit et s'évanouit comme un mirage. Kaliska fit aussitôt le tour de la maison en jetant un coup d'œil dans toutes les fenêtres jusqu'à ce qu'elle découvre enfin celle de la chambre de l'enchanteresse. Celle-ci était assise sur son lit, entourée de chandelles, et tournait les pages d'un grand livre. Kaliska frappa quelques coups sur le verre. La jeune Elfe se précipita pour lui ouvrir.

– Mais qu'est-ce que tu fais ici à une heure pareille ? s'étonna Malika.

– J'avais besoin de te parler.

– Et la télépathie, elle ?

– Je ne voulais pas que tout le monde m'entende.

Malika l'agrippa par sa robe de nuit et la tira à l'intérieur.

– Je connais un sortilège qui nous mettrait en communication sans que personne ne le sache, affirma la fillette aux oreilles pointues.

– En connais-tu aussi qui nous dirait où se cache Cornéliane ?

– J'ai appris à retrouver ceux que je cherche, mais pas à Enlilkisar. Même la magie des plus grandes enchanteresses n'y a aucun effet.

– En es-tu certaine ?

– Sans aide divine, cette entreprise est vouée à l'échec.

– Alors, tout ce que nous devons faire, c'est d'attirer la sympathie d'un dieu du nouveau monde ?

Malika se rappela alors de la belle femme-oiseau qui lui était apparue au milieu d'un cromlech tandis qu'elle exécutait un rituel avec les filles du Chevalier Maïwen. Elle raconta aussitôt cette aventure étrange à Kaliska.

– Comment pourrions-nous la faire descendre à nouveau dans notre monde ?

– Nous pourrions refaire l'expérience, mais où trouverons-nous un cercle de pierres ? De plus, il faut être au moins trois pour reproduire cette cérémonie.

– Trois...

« Wellan accepterait-il de nous aider ? » se demanda Kaliska.

– Uniquement des filles, précisa Malika.

– Tu entends mes pensées ?

– Entre autres.

– Au château, les filles qui ont notre âge ne peuvent pas sortir de la tour d'Armène. Les autres sont bien trop jeunes. Est-ce que ce pourrait être une adulte ?

— À moins que je puisse attirer Maiia jusqu'ici dans deux jours, car les conditions seront idéales. Il nous faut aussi un cromlech.

— Il y en a un dans la forêt derrière la forteresse.

— Dans ce cas, je vais préparer tout ce qu'il nous faut pour retrouver Cornéliane. Invite-nous à te visiter au château. Nos parents ne doivent se douter de rien.

— Entendu.

Wellan revint chercher sa sœur à l'heure convenue et la ramena directement dans sa chambre.

— Apprends-moi à me déplacer de cette façon, le supplia la fillette.

— Pour que tu puisses échapper à la surveillance de nos parents ? la taquina le grand frère.

— Non, pour offrir plus facilement mon aide à ceux qui en ont besoin.

L'adolescent savait qu'elle était sincère.

— À une seule condition, accepta-t-il. Tu ne dois pas l'enseigner à Marek avant qu'il ait mon âge.

— Je t'en fais la promesse.

Durant les jours qui précédèrent l'arrivée des petites sorcières, Kaliska s'exerça à se déplacer magiquement d'une pièce à l'autre à l'intérieur du palais, lorsque personne ne s'occupait d'elle. Elle espérait surtout que sa mère ne donnerait pas naissance aux jumeaux au moment choisi pour le rituel.

Malika et Maiia arrivèrent le matin suivant, annonçant que leurs parents leur donnaient la permission de passer un peu de temps au château. Kaliska dirigea aussitôt sur sa mère un regard suppliant.

— Je suis d'accord, si vous ne torturez pas Marek, plaisanta Kira.

— C'est promis.

De toute façon, le petit garçon avait recommencé à suivre ses cours dans le hall du palais et à coucher dans la tour d'Armène.

Les filles allèrent s'enfermer dans la chambre de Kaliska. « Ça lui fera du bien d'avoir de la compagnie », songea Kira en retournant s'asseoir pour lire. De toute façon, elle ne pouvait plus faire autre chose, incommodée par son gros ventre.

Lassa était rentré à la maison sans dire où il était allé. Il s'occupait des repas et des travaux du ménage en conservant un silence rancunier. Kira faisait bien attention de ne pas jeter d'huile sur le feu. Elle lui avait déjà juré que ce n'était pas sa faute si elle avait été piégée par des dieux malhonnêtes. Elle n'avait plus rien à ajouter.

Tandis que la Sholienne se plongeait dans l'étude de sa langue maternelle, qu'elle avait cessé de parler à l'âge de trois ans, elle ne se doutait pas du tout des projets de sa fille. Dans la chambre, Kaliska avait demandé à ses amies de ne pas élever la voix. Les petites sorcières s'étaient assises en triangle sur le lit pour préparer leur tentative de sauvetage.

– J'ai expliqué à Maiia que nous avions besoin de l'aide de la déesse Orlare pour retrouver Cornéliane, chuchota Malika. Elle a tout de suite accepté de nous aider.

– Elle m'a dit qu'il y avait un cercle de pierres par ici, ajouta Maiia.

– C'est vrai, je l'ai vu, affirma Kaliska.

– Est-il possible de s'y rendre en plein jour ?

– Les sentinelles ne laissent pas les enfants sortir de la forteresse sans adultes, expliqua Kaliska, mais je connais une autre façon de traverser les murailles. Je l'ai pratiquée plusieurs fois pour me déplacer vers la forêt derrière le château. Êtes-vous prêtes à y aller maintenant ?

– Le plus tôt sera le mieux, décida Malika.

– Donnez-moi vos mains.

Les fillettes lui obéirent sans hésitation. Elles se retrouvèrent alors assises au milieu du cromlech.

– Qui t'a enseigné ça ? s'émerveilla Malika.

– C'est mon frère. Quand nous aurons sauvé Cornéliane, je vous montrerai à le faire à mon tour. Dépêchons-nous avant que ma mère s'aperçoive de notre absence.

Puisqu'elles étaient déjà installées au bon endroit, au milieu des menhirs, elles commencèrent par fermer les yeux et se concentrer.

– Ô déesse Orlare, du panthéon des rapaces, nous sommes les enfants à qui vous avez promis appui et protection, implora Malika. Revenez vers nous en ces temps d'inquiétude et de besoin.

Le vent se mit à siffler entre les pierres, ébouriffant les cheveux des enfants.

– Dans ce cercle de pierre, entendez notre prière, descendez jusqu'à nous, nous avons besoin de vous.

Les fillettes répétèrent cette phrase à la façon d'un mantra jusqu'à ce qu'un épais brouillard se lève à l'extérieur du monument mégalithique.

– Voyez-vous ça... fit une voix rauque.

Les petites sorcières sursautèrent. « Si Orlare est une déesse, pourquoi est-ce une voix d'homme que je viens d'entendre ? » s'inquiéta Kaliska. Elles tournèrent la tête de tout côté, mais ne virent personne entre les pierres.

– Si c'est Orlare que vous tentez d'attirer, alors vous perdez votre temps, car je l'ai tuée.

Un homme habillé tout en noir atterrit dans le grand cercle, non loin de Malika. Celle-ci tira immédiatement sur les mains de ses amies pour les placer derrière elle. L'étranger ressemblait étonnamment au Roi Onyx, sauf que ses bras étaient recouverts de plumes sombres.

– Fuyez ! cria Malika.

Les enfants se précipitèrent dans les interstices, mais n'allèrent pas plus loin, car elles se heurtèrent à un mur invisible et retombèrent à l'intérieur du cercle.

– Et en plus, vous pensez pouvoir m'échapper ?

Malika se releva la première. Elle s'empara des mains de ses amies et recula jusqu'à ce que son dos touche l'une des grosses pierres. Kaliska tenta de ramener magiquement le groupe au château, mais n'y parvint pas.

– Que vous a-t-on raconté sur les dieux, petites sottes ? Qu'ils entendent toutes vos prières ? Qu'ils exaucent tous vos désirs ? Sachez que c'est plutôt le contraire. Les mortels ont été créés pour nous servir et pour satisfaire notre appétit.

Maman, papa, au secours ! appela Kaliska qui captait de plus en plus la haine et la cruauté du dieu-rapace.

– Vous n'êtes pourtant pas des enfants ordinaires. Je ressens même de la magie en vous. Laquelle mangerai-je en premier ?

Il fit un pas vers les petites sorcières qui poussèrent des cris de terreur.

– Pourquoi t'en prends-tu toujours à des plus faibles que toi, Azcatchi ? fit alors une voix masculine.

Le crave fit volte-face et se retrouva nez à nez avec un homme musclé aux cheveux blonds, vêtu comme un paysan.

– Ne te fie pas à mon apparence, fils de Lycaon.

– Qui es-tu ?

L'espace d'un instant, l'étranger se métamorphosa en jaguar.

– Je suis Solis, fils d'Étanna. Libère-les immédiatement ou je ne ferai qu'une bouchée de toi.

– Je les ai trouvées le premier.

– Les dieux-félins ne dévorent pas leurs sujets. Ils en prennent le plus grand soin, car ils sont suffisamment intelligents pour comprendre qu'ils n'existeraient pas sans eux.

Des filaments électrifiés se mirent à courir sur les plumes d'Azcatchi. Voyant qu'il allait s'attaquer à leur unique sauveteur, Kaliska fit un geste désespéré. Elle tendit les bras devant elle et fit tourbillonner autour du crave le gravillon répandu à l'intérieur du cromlech. Profondément irrité, Azcatchi lança sa première décharge non pas sur son adversaire félin, mais sur la petite. À la grande surprise des fillettes, les faisceaux éclatèrent devant elles sans leur faire le moindre mal. Une curieuse énergie lumineuse était apparue pour les protéger.

— Laisse-les partir, insista Solis.

Azcatchi fonça sur lui comme un taureau. Le choc de leurs corps produisit un terrible coup de tonnerre qui fit trembler la terre.

— Il faut sortir d'ici ! s'exclama Malika.

L'enchanteresse tenta de passer entre deux menhirs, mais plus prudemment cette fois. La membrane invisible créée par Azcatchi leur bloquait toujours la route. Elle prit donc les mains de ses amies

— Ramène-nous dans ta chambre, Kaliska !

La fillette se concentra de son mieux, mais échoua une seconde fois.

— Nous allons mourir... pleura Maiia.

Depuis qu'elle avait découvert la puissance de ses mains, Kaliska ne l'avait utilisée qu'à des fins de guérison. Toutefois, elle savait que les Chevaliers s'en servaient autrefois pour tuer leurs ennemis ou démolir les obstacles qui se levaient sur leur route. Tandis que les dieux s'entredéchiraient dans un nuage noir d'où fusaient des éclairs, l'enfant joua le tout pour le tout. Elle alluma ses paumes et laissa partir un rayon incandescent pour détruire la barrière magique qui les empêchait de quitter les lieux. Celui-ci rebondit aussitôt à sa surface et revint vers elle. Malika eut la présence d'esprit de se jeter sur le ventre, entraînant ses amies avec elle.

— Kaliska ! cria une voix à l'extérieur du cromlech.

— Papa ! répliqua la fillette terrorisée. À l'aide !

Constatant lui aussi que l'accès entre les menhirs était bloqué par un sortilège, Lassa plaça la main sur l'un des gros rochers. La créature maléfique qui s'en prenait à sa fille n'avait pas cru utile d'y étendre sa magie. Il bombarda aussitôt la surface de celui qui s'élevait devant lui avec les rayons ardents de ses mains et y perça rapidement un trou très rond suffisamment grand pour que l'enfant s'y faufile.

— Venez vite ! se réjouit la petite en fonçant vers l'ouverture.

Lassa saisit sa fille par les bras pour l'aider à glisser à travers le roc et fut étonné de voir apparaître d'autres bras derrière elle.

— Combien êtes-vous ?

— Trois ! affirma Kaliska. Malika et Maiia sont avec moi.

Les deux fillettes se glissèrent dans le passage.

— Qui vous retenait prisonnières ?

— Azcatchi ! répondirent en chœur les petites sorcières.

— Solis a empêché Azcatchi de nous manger, ajouta Kaliska.

L'espace d'un instant, Lassa se demanda s'il était aussi le père de sa fille, sinon pourquoi se serait-il porté à son secours ?

— Courez jusqu'au château et ne vous arrêtez pas ! ordonna-t-il.

Les enfants ne demandèrent pas leur reste. Les jambes à leur cou, elles disparurent dans la forêt. Puisque le trou qu'il avait creusé n'était pas suffisamment grand pour qu'il s'y introduise, Lassa chercha une autre façon d'entrer dans le cromlech. Utilisant son pouvoir de lévitation, il sauta au sommet de la plus grosse pierre et s'accroupit aussitôt pour s'y cramponner. Autour de l'autel de pierre roulait un nuage noir dans lequel jaillissaient des flashs aveuglants. « Comment pourrais-je intervenir pour faire pencher la balance du bon côté ? » se demanda Lassa.

Il n'avait pas encore trouvé de solution que le combat divin prenait fin. La nuée se dispersa et un énorme oiseau noir fonça vers le ciel. Sur le sol, un homme allongé sur le ventre tentait de se relever sans y parvenir. Lassa sauta de son perchoir et se précipita à son aide. Il lui agrippa les épaules et le retourna doucement sur le dos.

— Zach ? s'étonna-t-il. C'est toi, Solis ?

— Il est devenu beaucoup trop fort... hoqueta son frère aîné.

Il n'y avait aucune blessure apparente sur le corps du Prince de Zénor et, pourtant, il semblait en proie à d'atroces souffrances.

— Protège les enfants...

— Lesquels ? s'alarma Lassa.

Zach s'évapora sous les yeux de son petit frère. Avec sa main, Lassa vérifia que la membrane qui l'avait empêché de passer entre les rochers avait disparu en même temps que les protagonistes, puis s'élança vers le château. Lorsqu'il rattrapa enfin les petites sorcières dans le salon de ses appartements, elles étaient en train de raconter toutes en même temps leur aventure à Kira qui n'y comprenait rien.

— Une à la fois ! exigea-t-elle.

— Nous sommes allées dans le cercle de pierre pour soutenir les efforts du Roi Onyx qui cherche Cornéliane, expliqua Kaliska, encore essoufflée.

— Je ne vous ai jamais vues sortir...

— Nous voulions parler à la déesse Orlare, mais ce n'est pas elle qui nous a entendues.

— Qui est Orlare ? s'étonna la mère.

Lassa se posait justement la même question, mais Kira semblait avoir la situation en main, alors il se contenta d'écouter les réponses des jeunes imprudentes.

— C'est une déesse-chouette toute blanche, précisa Malika.

— Depuis quand priez-vous les dieux-oiseaux ?

— Elle nous a déjà rendu visite à Maiia et moi, donc nous avons pensé qu'elle reviendrait si nous l'appelions.

— Mais c'est un autre dieu qui est apparu à sa place et il voulait nous manger ! s'exclama la fille de Maïwen d'une voix aigüe.

— Est-ce que vous êtes en train de vous payer ma tête ? se fâcha Kira.

Lassa lui fit signe que non.

— Comment s'appelait cet autre dieu, alors ? fit la Sholienne en jouant le jeu.

— Azcatchi ! s'écrièrent les trois fillettes.

— Quoi ?

Kira sentit sa toute première contraction.

— Vous avez attiré ce monstre à Émeraude ?

— Nous ne l'avons pas fait exprès... geignit Kaliska.

Une deuxième contraction. Kira plaça les mains sur son ventre.

— Nous avons été sauvées par un autre dieu qui se transforme en chat, voulut la rassurer Malika.

— Je pense que c'était le jaguar dont nous a parlé Marek, ajouta Kaliska.

Kira poussa une plainte sourde.

— Est-ce que tu es en train d'accoucher, maman?

— Avec toutes ces émotions, oui, ça se pourrait.

La mère dirigea un regard suppliant vers son mari.

— Je vais aller les conduire chez Armène, décida-t-il. Tiens bon.

Kira en profita pour s'allonger sur le divan et ralentir sa respiration.

— On se calme, là-dedans, recommanda-t-elle aux jumeaux.

Lorsque Lassa revint auprès d'elle, la Sholienne venait de perdre ses eaux.

— C'est trop tôt, mais je ne peux plus les retenir, annonça-t-elle.

Puisqu'ils en étaient à leurs cinquième et sixième enfants, le couple ne demanda l'assistance de personne. Lassa engourdit graduellement la douleur de sa femme et l'encouragea à pousser, le moment venu. Le garçon naquit le premier, puis fut suivi quelques minutes plus tard par une fille.

— Au moins, nous ne les confondrons pas s'ils se ressemblent, plaisanta la mère.

Elle parvint à s'asseoir et nettoya l'un des jumeaux, pendant que Lassa nettoyait l'autre.

– Ils sont si petits que je crains pour leur vie, avoua le père.

– S'ils ont la moitié seulement de notre courage, ils survivront.

Lassa déposa le bébé sur le bras gauche de Kira, puisqu'elle tenait déjà l'autre sur le bras droit.

– Tu as déjà pensé à leurs noms ? voulut-il savoir.

– Étrangement, je les ai trouvés ce matin. Papa Lassa, je te présente ta fille Maélys et ton fils Kylian. Et, avant que tu me le demandes, oui, ils sont de toi.

– Je suis désolé de m'être emporté l'autre jour...

– Je ne t'en veux pas. Je sais bien que notre situation n'est pas facile.

– J'en suis même venu à penser que si autant de dieux t'avaient choisie, c'était sans doute parce qu'ils voyaient en toi la même chose que moi.

– Tu m'aimes encore ?

– Encore plus qu'avant...

Ils s'embrassèrent pendant un long moment, jusqu'à ce que les petits se mettent à gémir.

– C'est ici que ça se complique, laissa tomber Kira.

Avec l'aide de son mari, elle parvint à nourrir les deux bébés en même temps. Lassa les couvrit d'une chaude couverture et s'assit sur le plancher, à côté du sofa.

– Maintenant que je ne risque plus d'accoucher, dis-moi ce que tu as vu.

– J'ai assisté à un combat entre un dieu-oiseau et un dieu-chat. J'ai bien peur que mon frère Zach et Solis soient bel et bien la même personne. Il s'est précipité au secours de Kaliska et de ses amies qu'Azcatchi voulait dévorer.

– Avant que tu te fasses des idées, Kaliska ne peut pas être la fille de ton frère, affirma Kira. Il n'y a eu que toi dans mon lit avant sa naissance.

– Peut-être que Zach était en route pour aller voir Marek ? fit Lassa en haussant les épaules. Ce qui importe c'est qu'il ait mis Azcatchi en fuite. Maintenant, je vais avoir une longue discussion avec Kaliska au sujet des cérémonies magiques qui tournent mal.

– À mon avis, elle a déjà tiré sa leçon.

– Tu as sans doute raison, mais encore faut-il qu'elle connaisse notre position à ce sujet.

– Tu es un bon père, Lassa d'Émeraude...

Il se redressa sur les genoux pour l'embrasser de nouveau.

14

ALBALYS

près avoir arraché son frère Atlance à une mort certaine aux mains de Lycaon, Fabian avait erré un long moment avant de regagner le monde des falconidés afin d'y refaire ses forces, mais il n'avait pas parcouru la moitié du domaine qui menait chez sa bien-aimée que cette dernière fonçait sur lui, le forçant à interrompre son vol. Fabian crut d'abord qu'elle tenait à le mettre en garde contre son redoutable frère-crave, mais ce qu'elle lui apprit le renversa : Lycaon avait demandé à Shvara de le tuer !

Ne voulant pour rien au monde être chassée à son tour du panthéon des rapaces, car elle hériterait du trône de Lycaon s'il devait arriver malheur à ce dernier, Aquilée avait froidement tourné le dos au milan royal. Délaissé et désorienté, Fabian resta immobile plusieurs jours sur la branche d'un arbre géant, à analyser sa situation. N'étant plus humain et ayant choisi le camp des rapaces, il ne pouvait pas retourner à Émeraude ni offrir ses services aux félidés ou aux reptiliens, puisqu'on lui avait clairement expliqué qu'ils ne pouvaient pas survivre dans leurs mondes respectifs.

« Le mieux, c'est sans doute de laisser Shvara m'exécuter », se découragea le jeune prince. Les grandes plaines de lumière étaient peuplées de gens heureux, car les dieux avaient effacé leur mémoire. «Les dieux y ont-ils accès eux aussi?» se demanda le milan. Où allaient-ils lorsqu'ils mouraient?

Fabian laissa l'énergie des lieux divins réparer ses forces, sans pour autant faire preuve d'imprudence. Tous ses sens étaient en alerte. «Je voulais devenir puissant pour impressionner mon père et maintenant, je ne suis plus rien», constata-t-il au bout d'un moment. Si Aquilée l'avait aussi rapidement abandonné, après tous ses efforts pour le séduire, c'est que la situation était grave.

«Vers qui pourrais-je me tourner?» se demanda Fabian. Certainement pas vers les divinités reptiliennes de son enfance qui détestaient les membres des autres panthéons dont il faisait maintenant partie. Il ne voulait pas l'avouer, mais le seul à pouvoir le sortir de ce mauvais pas était probablement Onyx. Le jeune homme s'efforça donc de trouver une autre solution.

Le domaine de Lycaon était très vaste. Sans doute pourrait-il vivre en ermite dans l'une de ses régions les plus éloignées en évitant, bien sûr, d'être surpris sur les terrains de chasse préférés des falconiformes. Swan, sa mère, lui répétait souvent que seuls les imbéciles ne trouvaient pas de solutions à leurs problèmes. Il n'avait qu'à chercher plus loin...

Un cri strident le fit sursauter. Il écouta attentivement les suivants et comprit qu'il s'agissait du busard cendré que Lycaon avait lancé à ses trousses. Fabian n'avait pas été un rapace suffisamment longtemps pour deviner ce que Shvara était en train de faire. En instillant de la terreur dans le cœur de ses proies, ce traqueur ailé les forçait à fuir leur refuge et pouvait ainsi fondre sur elles. Les deux oiseaux étaient sensiblement de la même taille, mais Shvara avait une plus longue expérience de la chasse que son nouvel oncle.

«Deux choix s'offrent à moi», comprit finalement Fabian qui continuait de raisonner comme un être humain. «Je peux survivre ou je peux mourir honorablement.» Ce troisième fils du Roi d'Émeraude n'avait jamais été un froussard. Après Nemeroff, il était le prince qui ressemblait le plus à l'indomptable Onyx.

Alors, en attendant que le busard s'éloigne, Fabian prit la décision de ne pas s'éteindre avant d'avoir laissé au moins sa marque dans l'histoire d'Enkidiev. Ce duel de rapace n'aurait donc pas lieu dans un endroit où personne ne pourrait en être témoin.

Fabian se laissa planer au ras du sol en zigzaguant entre les larges troncs. Sa prochaine destination était l'étang qui permettait aux falconiformes de traverser entre leur monde et celui des humains. La couleur de son plumage pouvait le faire passer inaperçu sur un fond de terre ou de pierre, mais son camouflage était moins efficace au-dessus des fougères et des petits arbustes aux feuilles lobées, dentées ou sinuées, aiguës à la base et obtuses au sommet.

Le milan entendit soudain la source qui coulait en petites cascades sur un escalier de grosses roches naturelles pour se jeter dans un large bassin avant de reprendre son cours vers une autre partie du domaine des oiseaux. Les cris du busard avaient cessé, mais son instinct lui recommandait tout de même la plus grande prudence.

Repérant enfin le ruisseau qui serpentait entre les arbres, Fabian le suivit et arriva bientôt au-dessus de l'étang. Il referma ses ailes afin de plonger dans ce qui était, en réalité, un passage cosmique vers les mondes physiques, mais son bec n'eut pas le temps d'effleurer la surface de l'eau. Un projectile l'atteignit brutalement sur le côté et le fit tournoyer jusqu'à ce qu'il heurte un arbre et s'écroule sur la mousse. Du peu de temps qu'il avait passé avec son épouse aigle royal, Fabian avait appris que la moindre seconde d'inattention pouvait coûter la vie à un dieu. Il secoua la tête et tituba entre les prêles. Il ne semblait pas avoir été blessé, mais ressentit une douleur sous son aile droite lorsqu'il essaya de la déployer.

Le busard passa juste au-dessus de lui, frôlant les fougères. Fabian se pressa contre le sol. Le bord du bassin n'était qu'à quelques pas de lui. Comment l'atteindrait-il sans que Shvara ne lui plante cruellement ses serres dans le dos ? Il pouvait tenter de s'y rendre en demeurant sous le couvert de la végétation, mais celle-ci ne s'étendait pas jusqu'à l'eau. Alors, le jeune prince eut recours à un moyen auquel le rapace ne s'attendrait pas : il reprit sa forme humaine et se releva en poussant une plainte sourde, car ses côtes le faisaient atrocement souffrir.

Voyant sa proie lui échapper par cet habile subterfuge, le busard cendré émit une série de sifflements perçants. Fabian n'attendit pas qu'il s'en prenne à sa tête ou à son visage et plongea dans l'eau glacée. Celle-ci, d'origine divine, lui apporta tout de suite un grand soulagement. Il se laissa flotter dans l'Éther, aspiré par une spirale descendante qui allait bientôt le faire pénétrer dans l'univers où il avait vu le jour. « Sans mes ailes ! » paniqua alors le jeune homme. Lorsque le vortex le relâchait, il lui fallait planer sans attendre jusqu'à ce qu'il détermine l'orientation du vent. Sous sa forme humaine, plongerait-il à sa mort ?

Fabian chassa aussitôt ces pensées paralysantes et se concentra profondément. Il ne lui restait plus que quelques secondes avant d'être rejeté dans l'atmosphère. « Je suis le dieu Albalys, le plus fier milan royal de la famille de Lycaon », se répéta-t-il plusieurs fois. Il sentit les plumes percer sa peau sur toute la surface de son corps juste au moment où il commençait à tomber.

Il mit le cap vers les plus proches nuages pour s'y dissimuler, persuadé que Shvara ne mettrait pas fin aussi facilement à la chasse. Fabian savait qu'il ne pourrait pas tenir longtemps en vol, car la douleur dans son flanc était de plus en plus insupportable. Il perdit suffisamment d'altitude pour discerner et clairement identifier le paysage qui défilait sous ses yeux. Par chance, l'est d'Enkidiev était délimité par d'énormes volcans. Leurs cratères rougeoyants lui permirent de choisir sa prochaine destination : le Royaume d'Émeraude.

Tandis qu'il tentait bravement de regagner son pays natal, Fabian songea à sa famille. Ses frères et lui avaient pourtant été si heureux lorsqu'ils étaient petits. Pourquoi leurs relations s'étaient-elles détériorées au fil du temps ? « À cause de l'intransigeance de notre père et de son manque total de confiance en nous », conclut-il au bout d'un moment. Onyx avait tout planifié pour ses enfants, sans jamais leur demander ce qu'ils en pensaient.

Fabian risqua un œil derrière lui. Au loin, un petit point noir empruntait exactement la même trajectoire que lui.

« Il doit être vraiment déterminé à me tuer pour me suivre dans cet univers qu'il ne connaît pas », songea le prince, étonné par le dévouement du rapace. Il survola le Royaume de Jade et se dirigea vers la Montagne de Cristal. Même si la vue du busard était perçante, les teintes dominantes de la falaise permettraient à sa proie de lui échapper pendant un moment.

À quelques mètres de la surface pierreuse, le milan piqua vers le sol. Cette fois, il était sur son territoire. Il avait parcouru les forêts d'Émeraude si souvent que, même après sa transformation, il continuait de les voir en rêve. Sans perdre une minute, il suivit les sentiers de son enfance entre les arbres dont le feuillage laissait à peine filtrer la lumière. Lorsqu'il fut finalement en vue de la forteresse de ses parents, il longea les créneaux et plongea dans l'étroite fenêtre de l'ancienne tour qui servait jadis de prison, soulagé de constater qu'on n'en avait jamais remplacé la vitre.

Shvara possédait sans doute des sens divins qui lui permettraient de retrouver son oncle rapace. Fabian devait se reposer pendant quelques heures afin d'être en meilleure forme pour affronter son exécuteur. Il reprit sa forme humaine et s'allongea sur le sol, heureux d'être de retour chez lui. À toutes petites doses, le prince utilisa sa magie pour soigner ses côtes brisées. Il devait faire bien attention de ne pas attirer le busard dans sa cachette avant qu'il ne soit complètement remis.

Lorsque son corps arrêta enfin de le faire souffrir, Fabian se plongea dans une profonde méditation, ce qu'il n'avait pas fait depuis des lustres. Mentalement, il prit place au milieu du temple qu'il avait construit pierre par pierre depuis ses jeunes années. Swan lui avait expliqué que la seule façon de mettre son âme au diapason des forces cosmiques, c'était de s'isoler dans un lieu où on se sentait bien et en sécurité. Après que son père lui eut raconté la formidable histoire d'un héros d'Osantalt qui avait tout sacrifié par amour, Fabian avait commencé à imaginer à quoi ressemblait le palais lointain de cet Elfe et il en avait fait son lieu sacré intérieur.

Pendant de longues minutes, il chassa toutes ses craintes, toutes ses peines et toutes ses déceptions pour se laisser envahir par l'énergie qui vibrait dans tout ce qui l'entourait. Lorsqu'il ouvrit enfin les yeux, il faisait sombre dans la tour. Shvara avait dû se poser quelque part pour la nuit, car ce n'était pas un prédateur nocturne. Fabian s'approcha de la fenêtre et regarda dans la cour. Les serviteurs avaient allumé les flambeaux et l'endroit était désert. Au troisième étage du palais, il vit de la lumière dans les appartements royaux. « Ai-je vraiment envie d'essuyer les sarcasmes de mon père ? » se demanda-t-il. Onyx l'avait mis en garde contre les dangers de céder aux caprices des déesses. Il en profiterait certainement pour retourner le fer dans la plaie. Le prince hésita donc un long moment à quitter son abri, mais l'envie de revoir sa mère le subjugua.

Reprenant son apparence de milan, Fabian vola sans bruit jusqu'au balcon. En posant les serres sur la balustrade, il ressentit de saisissants picotements dans tout son corps, comme s'il était tombé dans une fontaine vivifiante. « Ce doit être un autre envoûtement d'Onyx », songea-t-il en sautant sur le sol. Il se dandina jusqu'aux grandes portes légèrement entrouvertes et étira le cou à l'intérieur. Swan était assise sur son lit, penchée, et sanglotait amèrement. Le prince se faufila dans la chambre et reprit sa forme humaine.

– Maman ?

La pauvre femme sursauta. Elle allongea le bras en direction de la dague qui reposait sur la petite table près du lit lorsqu'elle reconnut enfin les traits de l'étranger en pantalon et veste de cuir marron qui se dressait devant elle.

– Fabian ?

– Le seul et l'unique.

– Je croyais que tu avais été enlevé par les dieux...

– Ça, c'est Atlance. Moi, je me suis laissé séduire de mon plein gré, mais le résultat n'a guère été plus brillant.

Swan marcha au ralenti jusqu'à son enfant en examinant son visage fatigué.

– Mais qu'est-ce qui t'est arrivé ?

– Je pourrais te demander la même chose, rétorqua-t-il en l'emprisonnant dans ses bras. Dis-moi pourquoi tu pleurais.

– Après la guerre, je croyais que je reviendrais vivre ici à tout jamais avec mon mari et mes enfants, mais rien ne s'est passé selon mes espérances. Maximilien est parti à la recherche de ses véritables parents. Tu es tombé amoureux d'Aquilée. Atlance s'est disputé avec Onyx et il est parti mener sa vie ailleurs. Cornéliane a été enlevée par un dieu-rapace et ton père est parti à sa recherche.

— Était-ce Lycaon ? Car c'est de ses griffes que j'ai libéré mon frère, non loin d'ici.

— Non. Il s'appelle Azcatchi.

Swan ressentit l'angoisse qu'éprouva instantanément son fils.

— Tu crains donc pour sa vie, toi aussi, se désespéra-t-elle.

— Azcatchi n'a aucun sens de l'honneur. S'il s'est emparé de ma sœur, ce n'est certainement pas pour lui faire faire une visite de courtoisie du monde des falconiformes.

— S'il l'a vraiment emmenée là-bas, alors elle doit être déjà morte à l'heure qu'il est.

— Papa est pourtant tenace. Comment se fait-il qu'il ne l'ait pas encore ramenée à la maison, morte ou vivante ?

— Je n'ai aucune nouvelle de lui. Il est impossible de communiquer avec ceux qui s'aventurent de l'autre côté des volcans.

Si Fabian n'avait pas eu le busard sur ses talons, il se serait immédiatement mis en route pour le nouveau monde, afin de venir en aide à son père.

— Et toi, que viens-tu faire ici ? voulut savoir Swan en faisant un gros effort pour oublier son chagrin.

— Tu n'aimeras pas ce que je vais t'apprendre.

– Viens t'asseoir et raconte-moi tout.

Elle l'emmena dans le salon de ses appartements et le laissa s'installer dans la bergère en face d'elle.

– J'ai l'impression d'avoir encore sept ans, plaisanta Fabian.

– Dans les yeux d'une mère, les enfants ne grandissent jamais.

Son fils lui raconta donc de quelle façon il avait provoqué le déplaisir du chef du panthéon aviaire.

– Il a mis un prix sur ta tête? se hérissa Swan.

– Je ne sais pas ce qu'il a promis à Shvara, mais il veut très certainement me faire disparaître.

– C'est tout à fait indigne d'un père.

– Il est bien inutile de débattre cette question, maintenant, car elle n'a plus aucune importance. Au lever du soleil, j'affronterai mon bourreau et je paierai le prix de ma fanfaronnade.

– Ne parle pas ainsi, Fabian.

– J'ai voulu devenir un puissant sorcier uniquement pour impressionner Onyx. Je pense que j'aurais plutôt dû suivre l'exemple d'Atlance. Mon impudence est inexcusable.

— Y a-t-il une petite chance que ce soit toi qui tues l'autre oiseau ?

— Rien n'est impossible, mais il chasse depuis bien plus longtemps que moi.

— Maman, à qui parle ?

Anoki s'arrêta net en voyant Swan en compagnie de l'étranger.

— À mon fils Fabian.

— Revenu ? s'égaya le petit Ressakan.

Incapable de contenir sa joie, l'enfant sauta dans les bras du fils prodigue.

— Tu n'as pas tellement grandi depuis la dernière fois qu'on s'est vus, dis donc, le taquina Fabian.

— Toi, un dieu ?

— Oui, mais il n'y a pas de quoi se vanter. À part la femme-aigle qui m'a conquis, tous les autres ne veulent que m'éliminer depuis que je fais partie de leur belle grande famille.

— Fabian, il est trop petit pour entendre ça, le mit en garde Swan.

— Toi connaître Azcatchi ?

— Il fait en effet partie de mes ennemis jurés.

— A pris Cornéliane. Toi, retrouver ?

— Il n'y a rien que j'aimerais autant, mais je crains que mes jours soient comptés.

Anoki adressa un regard interrogateur à sa mère adoptive.

— Fabian a ses propres ennuis, expliqua-t-elle.

— Rester ?

— Seulement cette nuit, Anoki.

— Non...

L'enfant se blottit dans les bras du dieu-milan en le serrant de toutes ses forces.

— Si c'était à refaire, je prendrais une décision fort différente, crois-moi, avoua Fabian.

Il chatouilla Anoki jusqu'à ce qu'il parvienne à le faire rire.

— Est-ce que tu as un aussi grand lit que celui que j'avais quand je vivais ici ? demanda Fabian.

— Non, pas grand.

— Que dirais-tu de coucher dans le mien pendant que je te raconte une histoire ?

– Oh oui !

– Ai-je besoin de te rappeler encore une fois son âge ? fit alors Swan.

– Je te promets que les princesses seront gentilles et les héros, invincibles.

Swan les regarda s'éloigner en se demandant si c'était une bonne idée. Elle souffla toutes les chandelles et alla se coucher, même si elle savait que le sommeil ne lui viendrait pas facilement, une fois de plus. Elle ne possédait évidemment pas autant de magie que Fabian, mais elle avait la ferme intention de l'utiliser au matin pour l'aider à vaincre son ennemi rapace.

Lorsqu'elle ouvrit l'œil, elle entendit rire Anoki dans la grande salle des bains privés du roi. «C'est rassurant d'apprendre que les dieux se lavent eux aussi», songea-t-elle. Elle fit sa toilette et ordonna aux serviteurs de lui apporter le premier repas de la journée dans ses appartements, puis convia ses deux fils à manger avec elle.

– Notre nourriture te convient-elle toujours ? demanda la reine au plus vieux.

– Quand je n'ai pas le choix, j'en mange, affirma Fabian, mais il est préférable pour mon bien-être que je me nourrisse dans l'autre monde.

Anoki insista pour tout savoir du panthéon aviaire, puisque l'enfant était né dans une famille qui vénérait les reptiliens. Pendant son séjour forcé chez les Tepecoalts, on ne lui avait parlé que de Séléna et d'Azcatchi. Fabian répondit de son mieux à toutes ses questions, puis adressa à sa mère un regard suppliant. Swan comprit qu'il ne désirait pas que le petit assiste au duel qui se préparait. Conservant son sourire, la reine fit reconduire Anoki à ses cours dans le hall et attendit qu'il soit parti pour offrir son aide à Fabian.

– Je ne veux surtout pas que tu interviennes, exigea-t-il.

– Mais...

– La seule chose que je te demande, c'est de raconter à mon père ce que tu es sur le point de voir.

– Tu n'as rien à lui prouver, Fabian. Nous connaissons ton courage.

Il embrassa sa mère sur le front et se dirigea vers le balcon royal. Il ouvrit toutes grandes les portes et s'y aventura en prenant une profonde respiration. Tout comme il s'y attendait, le busard cendré était perché au sommet du toit d'une des tours qui flanquaient le pont-levis.

Fabian se transforma en milan et sauta sur la balustrade. Derrière lui, Swan se sentit bien impuissante. « Pourquoi Onyx n'est-il jamais à la maison quand on a besoin de lui ? » se demanda-t-elle en se triturant nerveusement les doigts.

Shvara fut le premier à s'élancer. Fabian observa les grands cercles qu'il effectuait au-dessus de la cour, puis prit lui aussi son envol. Les oiseaux de proie commencèrent par s'étudier en volant en rond, puis le busard fonça brusquement sur son adversaire. Fabian eut tout juste le temps de piquer vers le sol, évitant ainsi de se faire labourer le dos.

Après deux autres attaques similaires de Shvara, le prince décida d'en faire autant. Il ne s'était jamais battu en duel, surtout contre un rapace, alors il se fia davantage à son instinct. Ses coups, portés un peu n'importe comment, exaspérèrent de plus en plus le dieu-busard. Ce fut d'ailleurs la colère qui fit prendre à ce dernier une regrettable décision. Grimpant de plus en plus haut dans les airs, Shvara se laissa brusquement retomber en effectuant une vrille, avec l'intention d'arracher la tête de cet insolent milan.

Ne sachant pas trop comment réagir devant cette nouvelle charge, Fabian prit de l'altitude à son tour et fonça sur le busard. Le choc fut si brutal que les deux oiseaux furent projetés dans la forêt, de l'autre côté des remparts.

Fabian heurta de nombreuses branches avant de s'écraser dans les broussailles. «Je ne suis pas mort!» s'étonna-t-il. Il se tortilla pour se dégager des ronces et roula finalement dans le sentier qui passait juste à côté des arbustes. Sans perdre de temps, il reprit sa forme humaine et se mit à la recherche de Shvara, d'abord avec ses yeux, puis avec ses sens invisibles. Il le trouva plusieurs mètres plus loin, couché sur le côté, au pied d'un gros chêne.

— Allez, achève-moi, souffla le busard.

— Ce n'est pas ainsi que mes parents m'ont élevé, rétorqua Fabian. On ne frappe pas les gens quand ils sont sans défense.

— En me tuant, tu pourrais prouver à Lycaon que tu es digne de faire partie de sa lignée.

— C'est bien là le moindre de mes soucis. J'ai grandi parmi les hommes et j'ai vécu chez les rapaces et, bien franchement, je préfère mon monde. Où es-tu blessé ?

Shvara garda le silence.

— Puis-je te soulever sans aggraver tes souffrances ?

— Pourquoi ferais-tu une chose pareille ?

— Pour t'emmener au château, évidemment. Si je te laisse ici, les bêtes sauvages ne feront qu'une bouchée de toi.

— Je sais me défendre.

Fabian ne voulait pas passer toute la journée à raisonner le busard, alors, faisant fi de ses protestations, il le transporta jusqu'au pont-levis, où sa mère venait d'arriver en courant.

— Les dieux soient loués, laissa-t-elle tomber, soulagée.

Elle aperçut le rapace qu'il serrait contre sa poitrine.

— Que veux-tu en faire ?

— Je vais le soigner et le laisser repartir chez lui.

— Après qu'il eut tenté de te tuer ?

— Je ne suis pas un assassin.

Swan suivit son fils jusqu'à la tour qu'elle avait jadis occupée avec Onyx, avant qu'il soit proclamé roi. Fabian déposa le busard sur la table de cristal et lui ordonna de prendre sa forme humaine.

— Pourquoi ? s'offensa Shvara.

— Parce que cette magie ne fonctionne pas sur les oiseaux.

Le rapace se transforma petit à petit en un jeune homme pas tellement plus vieux que Fabian. Il portait une chemise à jabot blanche, un pantalon brun et des bottes noires. Du sang se mit à couler de son crâne dégarni. Dès que la métamorphose fut complète, la table de cristal s'illumina et montra au jeune prince ce qu'il voulait savoir : Shvara s'était non seulement blessé à la tête, mais aussi disloqué les deux épaules. De toute évidence, sous sa forme aviaire, il n'aurait jamais été capable de reprendre son envol.

— Maintenant que tu as vu l'étendue de mes blessures, mets-moi à mort, ordonna le busard.

— Cesse de répéter cette rengaine, Shvara. Je t'ai déjà dit que c'était hors de question.

Fabian contourna la table ronde pour aller se placer derrière le dieu-oiseau.

— Qu'est-ce que tu fais ?

— De la bonne vieille magie reptilienne, répondit Fabian en faisant sourire sa mère.

— Qui ne pourra jamais guérir un rapace ! protesta le busard.

— Tu me demandes de te tuer, mais tu as peur que je te soigne, c'est bien ça ?

Il plaça ses mains sur les épaules de Shvara et les enveloppa d'une lumière éclatante, puis referma la lacération sur sa tête.

— C'est tout ce que je peux faire, pour l'instant, annonça Fabian.

Le busard tenta de se redresser, mais retomba aussitôt sur le dos.

— Que se passe-t-il ? s'alarma le prince.

— Toute la pièce tourne autour de moi...

— Parfois, les chocs à la tête causent des étourdissements, les informa Swan. J'ai déjà vu des soldats mettre des jours avant de pouvoir se lever.

— Moi, ce qui m'inquiète, c'est que Shvara est un dieu, pas un humain comme les Chevaliers d'Émeraude, avoua Fabian. Je sais comment remboîter des os et refermer des plaies, mais mes connaissances médicales s'arrêtent malheureusement là.

— Le plus puissant guérisseur d'Enkidiev est assurément Santo.

Shvara se transforma en rapace et s'envola, mais s'écrasa contre le mur devant lui. Fabian le prit entre ses mains avec délicatesse.

— Tu as le choix : les chats ou le guérisseur.

Le busard refusa obstinément de reprendre sa forme humaine. Cela ne découragea toutefois pas le Prince d'Émeraude. Il le ramena dans ses appartements et fit appeler Santo. Heureusement, ce dernier n'avait pas encore commencé sa tournée des villages. Il accepta sur-le-champ d'examiner l'invité de la famille royale. Toutefois, en constatant qu'il s'agissait d'un oiseau de proie, le guérisseur questionna Fabian du regard.

— Shvara, ne nous oblige pas à utiliser nos facultés pour te transformer contre ton gré, le menaça le milan.

Ne voulant pas être contaminé par leur énergie reptilienne, le busard se métamorphosa sous leurs yeux.

— Voilà une magie que nous n'avons jamais maîtrisée, s'émerveilla le Chevalier.

— Évidemment, puisque vous êtes humains, grommela son patient.

— Santo, je te présente Shvara, un dieu falconiforme.

— Vraiment ?

— Ce n'est pas une blague, confirma Swan.

Santo passa ses mains lumineuses au-dessus du corps du busard, puis s'arrêta au-dessus de sa tête.

— As-tu trouvé quelque chose ? s'impatienta Fabian.

— Oui, mais je ne m'explique pas comment un dieu pourrait souffrir d'une hémorragie interne. Ne nous a-t-on pas enseigné que ces créatures étaient essentiellement des êtres lumineux qui se servaient d'illusions pour nous apparaître ?

— Dans ce cas, vous êtes bien incultes, lâcha Shvara. Un dieu peut infliger des blessures à ses semblables. Il peut même les tuer.

— Je vois mal comment je pourrais vous aider, puisque je n'en suis pas un. Néanmoins...

— Kira vient d'accoucher et Jenifael est en mission, lui rappela Swan.

— J'ai entendu dire que Danalieth visitait souvent le palais.

— Nous essaierons de l'attirer jusqu'ici. Merci d'avoir essayé, Santo.

Le guérisseur s'inclina respectueusement devant cette femme, qui dirigeait le royaume d'une main de maître, et prit congé.

— Je dois m'acquitter des devoirs de ton père, ce matin, déclara Swan à son fils. Dois-je te fournir des gardes du corps ?

— Non, affirma Fabian. J'ai vaincu Shvara une fois, alors je peux bien le faire deux fois. Ne t'inquiète pas pour moi.

Swan l'embrassa sur la joue et quitta la chambre à son tour. Le prince se tira une chaise et s'assit au chevet du busard.

— Laisse-moi te montrer comment mettre proprement fin à ma vie, lui dit alors Shvara.

— Pourquoi tiens-tu autant à mourir ?

— Lycaon ne tolère pas l'échec.

— C'est donc ça...

— Je n'ai pas envie de subir sa colère, car il est terrifiant lorsqu'on le déçoit. Il voulait ta tête et je n'ai pas su la lui rapporter.

— N'est-ce pas un châtiment abusif pour un homme qui n'a fait que sauver son frère ?

— Il ne m'a pas expliqué la nature de ta faute.

— Vous lui obéissez donc sans vous poser de questions.

— C'est notre chef. Il sait mieux que nous ce qui est bon pour nous.

— Alors, mon cher Shvara, bienvenue dans le monde des humains, où nous sommes encouragés à penser par nous-mêmes. Puisqu'il semble que tu y passeras encore quelques jours, aussi bien apprendre à vivre comme nous.

— Si c'est si merveilleux d'être humain, pourquoi tenais-tu tant à devenir un dieu ?

— Moi aussi, j'ai un père exigeant. Je voulais seulement lui montrer de quoi j'étais capable.

— Nous avons donc plus de choses en commun que je le croyais.

— C'est en discutant comme des créatures civilisées qu'on arrive à s'entendre.

— J'aimerais bien te voir essayer avec Azcatchi.

— Il y a une exception à toutes les règles. Parle-moi de toi, Shvara. Qui t'a élevé ? Quelles sont les étapes que doit traverser un dieu-oisillon avant de pouvoir prendre sa place parmi les siens ?

Toute la journée, les deux jeunes hommes se racontèrent leurs vies et comprirent rapidement qu'ils avaient traversé les mêmes épreuves et vécu les mêmes angoisses. Au coucher du soleil, lorsqu'on frappa à la porte de la chambre, Fabian crut que c'était sa mère qui voulait savoir comment les choses se passaient avec leur invité.

— Entrez, lança le prince, toujours assis près de Shvara.

Quelle ne fut pas sa surprise de voir apparaître le jeune Wellan à ses côtés, les yeux écarquillés.

— J'ai ressenti une curieuse énergie... avoua-t-il.

— La tienne aussi m'est étrangement familière, rétorqua Shvara. Es-tu d'essence divine ? Je flaire un félin en toi.

— Ça m'étonnerait beaucoup, puisque ma mère est la petite-nièce de Parandar.

Fabian expliqua à Wellan qui était Shvara et pourquoi il était couché dans son lit.

— Les dieux saignent ? s'étonna le jeune érudit en remarquant le sang séché sur le crâne de Shvara.

— Seulement lorsque d'autres dieux leur infligent de graves blessures, répondit le busard.

— Comme c'est bizarre...

Avide d'apprendre, Wellan se pencha pour examiner la lacération que Santo avait refermée. Lorsqu'il approcha la main du crâne de Shvara, cette dernière s'y colla comme si elle avait été attirée par un aimant.

— Libérez-moi ! ordonna l'adolescent, mécontent.

— Je ne suis pas responsable de ce phénomène, protesta le busard.

Fabian tenta de venir en aide à son jeune parent, mais constata que la main de Wellan était bel et bien figée sur la tête du dieu falconiforme. L'adolescent allait se résoudre à appeler Lassa par télépathie, lorsqu'une intense lumière jaillit entre ses doigts. L'opération magique ne dura que quelques instants, et dès qu'elle eut pris fin, la main de Wellan se décolla du crâne de Shvara. Il tituba vers l'arrière. Fabian s'empressa de le saisir par les épaules pour le maintenir en équilibre.

— Qu'est-ce que tu lui as fait ? s'enquit le prince.

— Je n'en sais rien...

Shvara parvint à s'asseoir et à mouvoir sa tête sans être pris de vertiges.

— Seul un dieu peut en guérir un autre, déclara-t-il en plantant son regard dans celui de l'adolescent.

— Je n'en suis pas un, se défendit Wellan.

— Mon cher Shvara, voici venu le moment de décider si tu veux retourner chez toi et être mis en pièces par le chef de ton panthéon, ou apprendre à vivre selon nos coutumes, indiqua Fabian.

Le busard reprit brusquement sa forme d'oiseau de proie et poussa un cri aigu en déployant ses ailes. Il prit son envol, plana près du plafond de la pièce et, ayant repéré la fenêtre, s'élança à l'extérieur.

— Mais... s'étrangla Wellan.

— Je vais tout t'expliquer, assura Fabian.

— En commençant par ce que tu fais ici.

— Je crois que tu ferais mieux de t'asseoir.

De toute façon, Wellan n'était plus capable de tenir sur ses jambes.

15

L'IMPASSE

Sous le couvert de la nuit, Hadrian, Jenifael, Napalhuaca et Aydine avaient réussi à se rendre jusqu'au port en empruntant des rues secondaires plutôt que la grande allée qui grouillait maintenant de soldats agéniens. Ces derniers couraient partout, des torches à la main, et ordonnaient aux habitants de rentrer chez eux, afin de pouvoir repérer les meurtriers qui avaient assassiné les meilleurs guerriers de Byblos et failli tuer la famille royale.

— Tous les autres peuples d'Enlilkisar connaissent-ils cette prophétie stupide ? maugréa Jenifael en suivant Hadrian derrière les empilements de caisses sur l'appontement.

— Nous le saurons bien assez vite, répondit Hadrian qui se concentrait sur l'énergie d'Onyx.

Ils devaient le retrouver avant que l'armée atteigne les quais ou que les marins les dénoncent.

— Le voilà, annonça Napalhuaca, soulagée.

Ses vêtements étaient en lambeaux, Onyx était couché sur le dos, derrière de gros barils de vin.

Hadrian s'accroupit et posa le bout de ses doigts sur son cou.

— Je suis vivant, grommela l'intraitable Roi d'Émeraude.

— On dirait bien que chaque fois que tu t'emportes, tu te transformes en loup.

— Au lieu de me faire la morale, emmène-nous loin d'ici.

— Es-tu si affaibli que tu ne peux pas le faire toi-même ?

— Je n'ai pas envie de discuter avec toi.

Les soldats arrivèrent en vue des bateaux en criant aux capitaines de leur livrer tous les étrangers qui cherchaient à quitter Byblos. Hadrian chuchota aux femmes de se prendre la main. Il serra celle de Jenifael dans la sienne et posa l'autre sur la poitrine d'Onyx. En un instant, ils se retrouvèrent sur la plage où les Ipocans les avaient fait monter à bord du tridacne.

Jenifael alluma aussitôt un feu magique pour les éclairer et Napalhuaca s'assit sur le sable en attendant les ordres d'Hadrian. Quant à Aydine, une fois encore, elle maudissait intérieurement tous les dieux de l'univers qu'elle tenait responsables de sa mauvaise fortune.

— Où as-tu mal ? demanda Hadrian à Onyx en se débarrassant de sa tunique bleue.

— Ma tête...

L'ancien Roi d'Argent commença donc par réduire la pression dans son crâne, puis il recouvrit son ami du vêtement qu'il venait d'enlever et examina attentivement son cuir chevelu.

– Je ne vois aucune lésion, alors c'est sans doute le résultat de ta métamorphose.

– Cette histoire de loup devient agaçante !

– Pour toi ou pour nous ?

Onyx réussit à s'asseoir en grimaçant.

– Nous n'avons même pas eu le temps de manger, geignit Aydine.

– Est-ce qu'il vous arrive de penser à autre chose qu'à vos propres besoins ? se fâcha Onyx. Vous devriez remercier Hadrian d'être encore en vie au lieu de vous préoccuper uniquement de votre estomac !

– Du calme, mon frère, tenta de l'apaiser son vieil ami. Je vais m'assurer que tu n'as rien de cassé, puis nous trouverons quelque chose à nous mettre sous la dent.

Une table et deux longs bancs apparurent à quelques pas d'eux. Napalhuaca bondit sur ses pieds en dégainant son poignard, mais il n'y avait personne. Jenifael alluma ses paumes et découvrit le festin qui les attendait. Des chandeliers sur pied se matérialisèrent alors au beau milieu de la nourriture.

— D'où cela provient-il ? s'étonna Aydine.

— De la cour de la reine fourbe, maugréa Onyx en tentant de se lever.

Hadrian l'aida à se rendre jusqu'à l'un des bancs tandis que les femmes s'installaient en face d'eux.

— Merci ! s'exclama joyeusement la servante en plongeant les mains dans le plat de poulet rôti.

Avec étonnement, Jenifael la regarda se gaver comme si rien ne s'était passé. Pourtant, à peine une heure avant, ils avaient tous failli être passés au fil de l'épée. Assise de l'autre côté de la femme Chevalier, Napalhuaca observait les traits tirés du Roi d'Émeraude.

— Que fait-on, maintenant ? demanda Jenifael.

— Je vais retourner là-bas pour leur reprendre ma fille, répondit Onyx en se versant de l'eau.

— Nous allons commencer par te trouver des vêtements, parce que tu as encore une fois déchiré ceux que tu portais, l'avertit Hadrian.

— Je ne les aimais pas, de toute façon.

— En tout cas, tu viens de donner aux Agéniens une bonne raison de croire à leur prophétie, laissa tomber Jenifael. Tu es vraiment terrible quand tu es fâché.

— Je supporte mal la trahison, grommela Onyx.

Ils mangèrent en silence pendant un long moment.

— Je crois savoir pourquoi Cornéliane ne répond pas à nos appels, lâcha Onyx. Lorsque je me transforme, je perds tout contact avec la réalité. Si elle a hérité elle aussi de ce pouvoir sans doute n'est-elle plus sous sa forme humaine.

— Si elle est devenue un animal, ou bien elle s'est enfuie ou bien on l'a mise dans une cage, ajouta Napalhuaca.

— Et son énergie n'est peut-être plus la même, alors nous avons du mal à la repérer, comprit Jenifael.

— Qu'est-ce qu'on cherche : une fillette ou un louveteau ? s'enquit Hadrian.

— Elle pourrait également être un félin, indiqua Onyx en soupirant. Elle porte la marque de Solis.

— Mais toi aussi.

— C'est quoi cette histoire de Solis ? voulut savoir Jenifael.

— Apparemment, un dieu-félin a fait un enfant à une des ancêtres d'Onyx, expliqua Hadrian, et sa magie est léguée à chaque septième enfant, de génération en génération.

— Mais si tu portes également cette marque, pourquoi te transformes-tu en loup plutôt qu'en félin ? s'étonna Jenifael.

– J'aimerais bien le savoir, avoua le Roi d'Émeraude, découragé.

Onyx ressentit alors une curieuse énergie, mais fut incapable de déterminer si elle était négative.

– Qu'est-ce que c'est ? demanda Hadrian en remarquant l'inquiétude sur son visage.

– Nous ne sommes pas seuls.

Les magiciens effectuèrent en même temps un balayage des lieux.

– Il a raison, affirma Jenifael.

Au même moment, de curieuses lueurs apparurent sous les flots. Les aventuriers se levèrent lentement, les yeux rivés sur la mer. Seule Aydine continua à manger en se disant que ces soldats n'avaient pas besoin d'elle pour se défendre. Au moindre danger, elle détalerait comme un lapin pour se réfugier dans la forêt.

Le spectacle sous-marin était pourtant fascinant. On aurait dit que des poissons lumineux se pourchassaient à un mètre à peine sous la surface de l'eau.

– As-tu déjà lu quelque chose sur ce phénomène ? demanda Onyx à son ami.

– Dans mon ancien royaume, les pêcheurs qui rentraient après le coucher du soleil, rapportaient parfois la présence de méduses aussi brillantes que les étoiles. À mon avis, il y a dans les profondeurs de l'océan des centaines de créatures dont nous ignorons encore l'existence.

L'eau se mit à bouillonner comme si sa température avait soudain atteint le point d'ébullition.

— Et ça? s'inquiéta Onyx.

— Je n'ai aucune idée de ce que c'est.

Les têtes d'une dizaine d'hippocampes géants émergèrent de l'eau, aussitôt suivies d'un tridacne semblable à celui sur lequel les aventuriers s'étaient rendus au port d'Abyla.

— Ce sont les Ipocans, fit Hadrian.

— J'avais au moins deviné ça, grommela Onyx.

Dans le chariot amphibie se tenait un homme que les aventuriers n'avaient pas encore rencontré. Debout, les mains posées sur le bord du mollusque géant, il émanait de lui une incroyable force. Les écailles dont il était recouvert jusqu'au cou brillaient sous les rayons de la lune, et ses longs cheveux retombaient dans son dos. Dans l'éclairage blafard de la nuit, il était impossible de distinguer leur couleur. Autour de la petite nef apparurent un à un les guerriers sous le commandement de Riga.

— Lequel d'entre vous a causé un grand remous à Byblos? demanda l'Ipocan.

Sa voix porta jusqu'à la grève sans difficulté.

— Sont-ils venus pour nous châtier ? murmura Jenifael.

— Nous allons le savoir tout de suite, répondit Onyx en marchant d'un pas mal assuré à la rencontre des représentants de ce peuple marin.

— Attends, lui recommanda Hadrian.

Le Roi d'Émeraude fit la sourde oreille et s'avança sur le sable, vêtu de la longue tunique que son ami avait ravie aux Agéniens. Aussitôt, l'occupant du tridacne vint à sa rencontre. *Onyx, garde ton calme, je t'en conjure,* le supplia Hadrian par télépathie.

— Je suis Skalja, Prince d'Ipoca.

— Et moi, Onyx, Roi d'Émeraude.

— Tu portes aussi un autre nom dans les royaumes célestes.

— Si c'est vrai, j'en ignore la nature.

— Les Ipocans vénèrent les véritables dieux du monde, pas ceux qui sont venus par la suite.

— Pour tout vous dire, ce qui se passe là-haut ne m'intéresse pas vraiment.

— Pourtant, le jour arrivera où Nashoba devra reprendre la place qui lui revient naturellement dans l'ordre des choses.

— Si vous le dites...

— En attendant ce grand jour, mon père aimerait vous offrir un présent.

Riga sauta de sa monture et alla prendre quelque chose au fond du tridacne.

— Nous avons ressenti votre puissance jusque dans les grottes où nous vivons. C'est ainsi que nous avons su que vous étiez descendu parmi les humains.

— Je ne comprends pas vraiment ce que vous me racontez, Prince Skalja, mais ce que vous avez capté, c'est ma colère, car le Roi et la Reine d'Agénor ont essayé de me tuer.

— Ils seront punis pour cet affront.

— Par qui, exactement ?

— Par l'armée d'Ipoca, bien sûr.

— Si vous voulez vraiment me faire plaisir, au lieu de les frapper, aidez-moi à retrouver ma fille.

Skalja pencha doucement la tête de côté, intrigué, car jamais les grands prêtres n'avaient informé les Ipocans que le fils d'Abussos avait une descendance.

— Elle a été repêchée par un bateau d'Agénor, mais en raison des superstitions auxquelles croient les Agéniens, je n'ai pas pu faire des recherches auprès de tous les capitaines de vaisseaux.

– Si telle est votre volonté.

– Je tiens à cette enfant comme à la prunelle de mes yeux. Elle m'arrive à peu près à l'épaule et ses cheveux sont blonds comme les blés. Il est également possible qu'elle se soit métamorphosée en félin quelconque.

Riga tendit à son prince une armure noire à laquelle pendaient de nombreuses cravates. De loin, elle ressemblait beaucoup à celle que portaient les Chevaliers d'Émeraude.

– Veuillez accepter cet humble présent de la part de tout le peuple d'Ipoca, fit Skalja.

Il mit un genou en terre et présenta le vêtement au renégat du bout des bras.

– Ce que j'ai fait à Byblos, c'était pour protéger ma vie et celle de mes amis, protesta Onyx. Ça ne mérite certainement pas une récompense.

On ne refuse pas les présents des autres souverains, lui rappela Hadrian.

– Mais je l'accepte avec plaisir, ajouta le Roi d'Émeraude en s'efforçant de sourire.

Soulagé, le prince déposa l'armure sur les bras d'Onyx.

– Elle a été fabriquée avec des écailles du grand serpent de mer, poursuivit Skalja. Aucune arme ne pourra la transpercer. Qu'elle vous protège contre vos ennemis et qu'elle vous permette de triompher en tous lieux. Quant à votre fille, au nom de mon père, j'ordonnerai à tous les Ipocans de se mettre à sa recherche jusqu'à ce qu'elle vous soit rendue.

Toutes les créatures marines s'inclinèrent devant Onyx, comme s'il était le plus grand de tous leurs héros, puis reculèrent dans les flots. Skalja remonta à bord du mollusque géant et, en quelques secondes, toute la procession s'enfonça dans les profondeurs. Hadrian vint se planter près de son ami pour voir ce qu'on lui avait remis.

— C'est plutôt inusité, laissa tomber l'ancien monarque.

— Suis-je en train de rêver ? répliqua Onyx en dirigeant sur lui un regard interrogateur.

— Pas du tout.

Hadrian alluma une de ses paumes et examina la cuirasse.

— Excellente façon, commenta-t-il.

— Qu'est-ce qu'un grand serpent de mer ?

— Je n'en ai jamais entendu parler.

Ils revinrent s'asseoir à la table, où Napalhuaca et Jenifael se détendirent en même temps, contentes que la visite du peuple de la mer ne les ait pas obligées à se battre. Ils poursuivirent le repas d'un cœur plus léger et, lorsqu'il ne resta plus rien dans les plats, Onyx fit disparaître le mobilier. Les aventuriers se rapprochèrent de la forêt pour établir leur camp, au cas où la marée continuerait de monter. N'ayant pas envie de dormir à la merci des éléments, le renégat se mit mentalement à la recherche d'un abri, puis fit apparaître sur le sable une maison complète en pierre, coiffée d'un toit de chaume.

— Tu commences à devenir douillet, le taquina Hadrian.

— Y a-t-il quelqu'un là-dedans ? s'enquit Napalhuaca.

— Non, affirma Onyx. On vient juste d'en terminer la construction.

— Où l'as-tu prise ? voulut savoir Jenifael.

— À Byblos.

Ils s'enroulèrent dans les longues tuniques qu'ils avaient également obtenues dans cette même ville et s'allongèrent sur le plancher de terre battue recouverte de paille.

— C'est malheureux qu'elle ne contienne aucun meuble, se lamenta Aydine.

— Préféreriez-vous dormir dehors ? grommela Onyx.

Ils n'entendirent plus la moindre plainte de sa part et parvinrent à fermer l'œil. Un peu avant le lever du soleil, se sentant épié, le Roi d'Émeraude se réveilla. Lorsqu'il ouvrit les yeux, il vit que Napalhuaca était assise et l'observait intensément.

— Allons parler à l'extérieur, chuchota Onyx.

Ils sortirent sur la plage. À l'horizon, le soleil commençait à se lever au-dessus de la mer, colorant le ciel en rose.

— As-tu le mal du pays ? demanda Onyx, une fois qu'ils se furent éloignés de la maison.

— Juste un peu, avoua-t-elle.

— Alors, pourquoi ce regard désemparé ?

— J'ai changé d'idée à ton sujet.

— Ne recommençons pas à nous quereller au sujet de mon dû, d'accord ?

— Sans que ce soit une obligation, je serais fière d'être la mère de tes enfants, mais ce que je ressens va plus loin encore. Ça ressemble beaucoup à une vénération que je n'accorde même pas à mes dieux.

— Je ne désire pas qu'on m'admire pour des pouvoirs innés, mais plutôt pour ce qu'ils m'auront permis d'accomplir.

— J'ai de la difficulté à bien exprimer mes sentiments.

— Moi aussi. J'ai souvent l'impression que personne ne comprend ce que je dis.

Napalhuaca soupira bruyamment, frustrée de ne pas trouver les mots qui traduiraient ce qu'elle ressentait.

— Je me sens comme toi et différente à la fois, tenta-t-elle.

— C'est encore moins clair...

— Je te ressemble plus que je ressemble à ma sœur.

— De quelle façon ? s'inquiéta Onyx.

— Dans tes convictions, ta franchise et tes réactions exagérées.

— Exagérées ?

— Au lieu de parler, tu préfères agir, comme moi. Quand on fait preuve d'injustice envers toi, tu te révoltes avec une grande fureur.

— Ce n'est pas nécessairement un comportement apprécié.

— Mais ces excès nous assurent à tous les deux une position d'autorité sur les autres.

— Il ne faut pas oublier nos titres, non plus. Je suis roi et tu es une princesse. C'est normal de gouverner lorsqu'on fait partie de la classe dirigeante.

— C'est beaucoup plus que ça. Hadrian m'a raconté que tu te comportais déjà comme un grand roi quand tu étais censé n'être qu'un simple soldat. Tu commandais déjà le respect de tes compagnons et de tes chefs.

— Je dirais plutôt que j'étais fantasque et un brin suicidaire.

Constatant qu'elle n'arrivait pas à lui communiquer sa pensée, Napalhuaca l'embrassa tendrement sur les lèvres. Onyx la repoussa aussitôt. S'il avait beaucoup de défauts, il était par contre d'une fidélité exemplaire.

– Je serai ta compagne, lorsque ta femme sera morte, promit la Mixilzin, sans s'offenser de sa dérobade.

– Nous n'en sommes pas encore là.

Dissimulé derrière un platane, Tayaress épiait les gestes de ces deux enfants des dieux-fondateurs. Puisque l'union d'Aiapaec et d'Aufaniae avait produit des enfants dégénérés qui menaçaient maintenant l'équilibre du monde, l'Immortel se vit contraint d'intervenir pour que ces deux-là ne répètent pas cette erreur. N'utilisant que la force de ses pensées, il fit éclater un orage violent dans un ciel où, quelques secondes plus tôt, il n'y avait aucun nuage. Une pluie drue s'abattit sur le couple en puissance, les obligeant à se réfugier dans leur abri. La présence de leurs compagnons mettrait sûrement fin aux efforts de séduction de Napashni.

Une fois à l'intérieur de la maison, Onyx se pencha à l'une des fenêtres et regarda dehors. Ce n'était pas le temps maussade qui l'intéressait, mais l'énergie qu'il venait de percevoir non loin. « C'est la même que j'ai ressentie hier soir, avant l'arrivée des Ipocans », se rappela-t-il. Était-ce Azcatchi qui les traquait ? Onyx n'en reparlerait aux autres que lorsqu'il en serait bien certain.

16

CAPTIVE

Les marins agéniens, qui avaient repêché l'enfant tombée de la falaise sous leurs yeux, la transportèrent jusqu'à Abyla en attendant qu'elle reprenne connaissance. Une fois au port, le capitaine l'emmena chez lui, où sa femme lui trouva d'autres vêtements, les siens ayant été déchirés dans sa chute. Cornéliane n'ouvrit les yeux qu'à la fin de la journée. Elle ne reconnut pas la femme qui était penchée sur elle et qui nettoyait les lésions sur son crâne et sur son épaule. La fillette était à peine revenue à elle que la douleur l'assaillit, lui faisant pousser des gémissements.

— Doucement, ma belle enfant, murmura l'étrangère.

Soulevant lentement son cou, l'Agénienne lui fit boire une potion très amère. Cornéliane grimaça et chercha à repousser le gobelet.

— Je sais que c'est dégoûtant, mais c'est très efficace contre la douleur. Dans un instant, ton mal sera engourdi.

Elle avait dit vrai, car quelques secondes plus tard, la princesse se décrispa.

– Comment t'appelles-tu, petite ?

Voyant qu'elle la regardait avec de grands yeux effrayés, la femme traduisit la question dans toutes les langues qu'elle connaissait, jusqu'à ce qu'elle utilise l'Enkiev, que Cornéliane avait appris auprès de Mali. La petite ouvrit la bouche, mais aucune réponse ne se forma dans son esprit. « Comment peut-on oublier son nom ? » s'étonna-t-elle.

– D'où viens-tu ?

Toujours rien !

– Qui sont tes parents ?

Des larmes se mirent à couler sur les joues de la fillette.

– Je ne m'en souviens plus... hoqueta-t-elle.

– Elle a reçu un sacré coup sur la tête, affirma le marin. Nous ne sommes pas certains si c'est survenu contre la paroi de la falaise ou au fond de l'eau.

– Alors, nous n'avons aucune raison de nous inquiéter, les rassura l'Agénienne. Lorsque ses plaies seront guéries, sa mémoire reviendra.

– Qu'est-ce qu'on en fait, en attendant ?

– Il est facile à voir qu'elle est Madidjin. N'es-tu pas censé remonter la côte pour aller marchander avec les Ressakans ?

– En fait, il faudrait qu'on parte à la première heure demain.

– Emmène la petite et quand tu auras fini tes affaires, va chez les Madidjins. Quelqu'un la reconnaîtra sûrement.

Le capitaine avait donc porté Cornéliane dans ses bras jusqu'à son bateau et l'avait installée dans son hamac. Pendant qu'elle se remettait de ses blessures, ses anciens vêtements se retrouvèrent sur une autre embarcation avec d'autres articles usagés qui seraient vendus à Byblos. Les Agéniens étaient des as de la récupération. Pour qu'ils acceptent de brûler un objet, il fallait qu'il soit très abîmé.

La princesse avait dormi presque sans arrêt pendant les cinq jours entre Abyla et le port de Datguddiad, sur la rive sud du grand fleuve Sirioldeb. Encore faible sur ses jambes, Cornéliane observa la ville à partir du pont de la birème. L'architecture de Ressakan, avec ses maisons grèges à plusieurs étages et ses temples juchés sur les hautes collines, n'évoquait rien chez elle. « Si c'était chez moi, je le sentirais dans mon cœur », se disait la fillette, découragée. Il ne restait que deux hommes à bord. Tous les autres étaient partis livrer de la marchandise avec le capitaine. Puisqu'ils devaient aussi en rapporter, ils ne seraient de retour qu'au coucher du soleil, auquel moment ils se réuniraient tous à la *tafarn*, soit le seul établissement qui acceptait de servir de la bière près des installations portuaires. Les Ressakans étaient des gens profondément spirituels qui ne consommaient pas d'alcool. D'ailleurs, les *tafarns* étaient la plupart du temps tenues par des étrangers. Le peuple les tolérait à condition qu'elles ne soient la cause d'aucun désordre social.

Les matelots de garde avaient la ferme intention de rejoindre leurs compatriotes, le soir venu. Le crime était inexistant à Datguddiad, tout comme dans les autres cités des Ressakans. Ils pourraient donc laisser la petite sur le vaisseau, en parfaite sécurité. Elle ne risquait pas non plus de se perdre dans la petite ville côtière, car elle n'arrivait pas encore à marcher sans qu'on la tienne par le bras. Alors, avant de partir, les deux hommes lui remirent une cruche d'eau, une miche de pain et un bol de dattes. Une fois rassasiée, elle s'endormirait à la belle étoile et, peut-être qu'au matin, elle saurait finalement qui elle était.

La princesse les regarda s'éloigner sans aucune appréhension. Elle ne se rappelait ni son enlèvement ni les traits de son ravisseur. Elle se doutait qu'elle avait des parents quelque part et qu'ils étaient certainement morts d'inquiétude, mais elle ne savait plus à quoi ressemblaient leurs visages. Parfois, elle entendait des voix qui prononçaient un nom étrange : Cornéliane... Celles-ci lui demandaient de lui répondre, mais il n'y avait personne autour d'elle. Le capitaine lui avait dit que c'était sans doute la vilaine bosse sur sa tête qui créait toutes ces illusions.

L'obscurité enveloppa progressivement le port, et le vent commença à rafraîchir la côte. L'enfant monta sa couverture jusqu'à son menton. À bout de forces, elle ferma les yeux pour se laisser bercer par le faible roulis de l'embarcation qui frappait doucement le bord du quai. Elle avait à peine commencé à rêver qu'elle fut brusquement réveillée par une main qui venait de se plaquer sur sa bouche. Le mot « papa », qu'elle cria sous le coup de la terreur, la fit sursauter. Comment son père pourrait-il la sauver alors qu'elle ignorait qui il était ?

On la retourna sur le ventre pour lui lier les pieds et les mains et on la bâillonna avant de glisser un sac de toile sur sa tête. Incapable de se débattre, elle se laissa emporter jusqu'à un autre bateau, apparemment amarré beaucoup plus loin, puisque les ravisseurs marchèrent longtemps avant de la déposer sur un plancher de bois.

— Partons tout de suite, avant qu'ils s'aperçoivent qu'elle a disparu ! lança une voix en Enkiev avec un accent prononcé.

Cornéliane n'était plus capable de bouger. Malgré sa position inconfortable, elle finit par s'endormir. Lorsqu'on la libéra enfin de ses liens, le matin était levé. On ôta le sac de sa tête et elle ferma les yeux, aveuglée par le soleil.

— Es-tu la fille d'un grand raïs ? lui demanda un jeune en s'accroupissant devant elle.

Même si elle comprenait cette langue ancienne, la princesse baissa la tête, refusant de leur rendre la vie plus facile. Au lieu de la maltraiter pour la faire parler, l'étranger lui tendit plutôt un bol de potage chaud.

— Je m'appelle Tiarnan, et toi ?

Plutôt que de lui répondre, la fillette se mit à boire le bouillon chaud. Elle manquait tellement de force que ses mains tremblaient.

— Est-ce que tu comprends ce que je te dis ?

Sans réagir, Cornéliane le regarda par-dessus son bol. Il était jeune, mais ce n'était pas un enfant. Contrairement à tous ceux qu'elle avait rencontrés jusqu'à présent, ses cheveux blonds étaient raides et tombaient en frange devant ses yeux bleus et sur ses épaules. Voyant qu'elle demeurait muette, Tiarnan lui adressa la parole dans plusieurs langues, comme la femme agénienne l'avait fait à Abyla. « Si seulement je savais mon nom, je pourrais lui demander de retrouver mon père... » se découragea la petite.

— Ne perds pas ton temps, Tiarnan, lui dit un marin qui passait près d'eux. Il est évident qu'elle est Madidjin.

— Qu'est-ce qui te fait dire ça ? s'étonna le jeune homme.

— Premièrement, la couleur de ses cheveux et, deuxièmement, son entêtement.

— Je ne sais pas grand-chose de ce peuple.

— Dans ce cas, tu vas pouvoir parfaire ton éducation, car nous sommes en route pour le port d'Aabit. Le Prince Fouad nous en donnera certainement un bon prix.

— À moins qu'il sache qui elle est.

— Cesse de jouer à l'éternel optimiste, Tiarnan, ou ça finira par te jouer des tours. Au lieu de te laisser emporter par ton imagination, sers-toi de tes facultés de raisonnement. Cette enfant Madidjin est blessée à la tête et elle se trouvait sur une birème en provenance du détroit d'Agénor. Si tu veux mon avis, elle est tombée à la mer parce que ses parents s'enfuyaient vers le sud.

— Pourquoi des membres du pays le plus puissant au monde auraient-ils besoin de s'échapper ?

— Tu n'es vraiment au courant de rien, toi.

Cornéliane risqua un œil sur ce deuxième homme qui se tenait debout à côté d'elle. Ses cheveux blonds étaient parsemés de mèches grises et il lui manquait plusieurs dents.

— Les Madidjins n'ont pas de pouvoir central. Pendant des années, des centaines de petits rois ont régné sur leur propre État en ignorant leurs voisins, à condition qu'ils n'empiètent pas sur leur territoire, évidemment. Récemment, les plus puissants d'entre eux ont commencé à s'emparer des domaines des plus faibles. Certaines familles se sont soumises à la loi du plus fort, mais d'autres sont parties s'installer ailleurs. Quand cette petite sauvagesse se déliera la langue, elle te confirmera ce que je viens de te dire.

L'homme poursuivit son chemin afin d'aller encourager les rameurs qui leur permettraient de quitter le plus rapidement possible les eaux territoriales des Ressakans.

— Faisais-tu vraiment partie de cet exode ? demanda Tiarnan à la captive.

Cornéliane déposa le bol vide devant elle en faisant bien attention de ne pas exprimer ses émotions, que ce soit de l'étonnement ou de l'agacement. Peut-être cet homme disait-il vrai ? Elle ne pouvait ni le confirmer, ni le réfuter. Tiarnan attacha alors les fers autour des chevilles de la petite, mais ils étaient si grands qu'elle n'aurait aucun mal à s'en échapper. Toutefois, il était convaincu qu'elle n'en ferait rien. Il y avait sur le visage de cette enfant une résignation qu'il n'avait jamais vue sur celui des autres esclaves qu'ils avaient transportés chez leurs nouveaux maîtres partout sur la côte. Les Ressakans étaient généralement dociles, tandis que les enfants de Djanmu ou d'Anasazi tentaient constamment de s'enfuir. C'était la première fois qu'ils capturaient une Madidjin.

Cornéliane s'allongea sur le plancher et ferma les yeux. «Quelque chose ne tourne pas rond», songea Tiarnan. Ce manque d'énergie se manifestait habituellement chez les gens qui sentaient l'approche de la mort ou chez ceux qui savaient qu'on était sur le point de les libérer. «Si j'essaie de mettre le capitaine en garde contre la possibilité d'être arraisonnés par une flottille Madidjin, il va encore me traiter de catastrophiste», se découragea le jeune marin. Il retourna donc vaquer à ses occupations et ne revint nourrir la prisonnière qu'au coucher du soleil.

Décidé à la faire parler, il lui apporta un repas un peu plus substantiel de galettes trempées dans l'huile d'olive. Cornéliane commença par détourner le regard, comme si la vue de la nourriture l'indisposait. Avec douceur, Tiarnan prit le menton de l'enfant entre ses doigts et ramena son visage devant le sien.

— Si tu as mal quelque part, tu dois me le dire.

Cornéliane déchira un morceau du gâteau plat et le porta à sa bouche.

— As-tu plus de succès que ce matin, garçon ? demanda le capitaine qui venait allumer les lampes de la poupe.

— Elle ne comprend rien de ce que je lui dis, et j'ai l'impression que ses blessures la font encore souffrir.

— Donne-lui du vin, ça la soulagera.

À court d'idée, Tiarnan suivit son conseil. Tandis qu'il versait le liquide vermeil dans un gobelet de fer, Cornéliane sentit qu'un souvenir tentait de refaire surface dans sa mémoire. Une image se forma graduellement dans son esprit : une main portant une bague en forme de griffes de dragon retenant entre elles une pierre noire. Cette main se saisissait d'une coupe sertie de pierres précieuses, remplie de vin jusqu'au rebord... Un rire sonore la fit sursauter.

— Que se passe-t-il, petite fille ? s'inquiéta Tiarnan.

« Si ce n'est pas lui ou le capitaine qui s'est esclaffé, alors qui était-ce ? » se demanda-t-elle. Elle ne comprenait pas encore qu'il s'agissait d'une voix de son passé. Elle avala le vin et repoussa la gamelle. Pour s'assurer que la prisonnière n'était pas en train de mourir à petit feu, le jeune homme examina les lacérations sur sa tête et sur son épaule. Il n'y avait aucune infection. En fait, ces plaies se refermaient plutôt rapidement.

— Le bateau de tes parents s'est-il fracassé sur des écueils ? s'enquit-il soudain.

Cornéliane n'en savait franchement rien.

– Est-ce que tu es triste parce que toute ta famille s'est noyée ?

L'enfant ramena ses genoux contre sa poitrine avec ses bras et s'y cacha le visage. Tiarnan abandonna en soupirant. Il continua de la nourrir jusqu'à ce qu'ils atteignent le pays des Madidjins, mais ne la questionna plus. Il savait que le Prince Fouad ne maltraiterait pas cette jeune beauté.

Lorsque le bateau accosta enfin au port d'Aabit, le capitaine lui-même porta Cornéliane sur son épaule. Tiarnan adressa un dernier regard chargé de regret à la princesse et lui tourna le dos. La prisonnière ne se débattit pas. Elle n'émit pas non plus la moindre plainte, ce qui fit penser au marin qu'elle ne comprenait vraiment pas ses intentions.

Fouad rentrait tout juste d'une inspection de ses frontières, mais il accepta tout de même de recevoir le marchand agénien, qu'il connaissait depuis longtemps.

– D'où vient-elle ? voulut savoir Fouad en examinant la petite que le capitaine venait de déposer devant lui.

– Nous n'en savons rien. Elle a, en toute vraisemblance, été victime d'un accident dont elle ne veut pas parler.

Le prince ordonna à ses servantes d'emmener Cornéliane et paya au marchand la somme qu'il demandait. Il était beaucoup trop préoccupé ce jour-là par les manigances du Prince Ziad, dont les terres s'étendaient au nord des siennes, pour accorder plus de temps à sa nouvelle acquisition.

Cornéliane fut donc conduite dans la partie du palais réservée aux femmes. Les servantes la déshabillèrent, la firent asseoir dans un grand bassin d'eau parfumée et la lavèrent en faisant bien attention à ses blessures encore fraîches. Elles lui firent ensuite enfiler une tunique rose pâle d'une douceur exquise et lui firent boire une boisson épicée destinée à lui redonner des forces.

Une fois seule dans la modeste chambre qu'on lui avait assignée, Cornéliane s'allongea sur les coussins multicolores et tenta, une fois de plus, de se souvenir de son passé. Pendant que les femmes lui avaient donné son bain, elle avait revu dans ses pensées le visage souriant d'une femme aux longs cheveux bruns bouclés. «Était-ce ma mère?» se demanda-t-elle. Découragée, elle se recroquevilla dans un coin.

— Tu dois être plus forte que ça, ma petite, fit alors une voix masculine.

Cornéliane crut que c'était une fois de plus un des hommes qu'elle entendait régulièrement lui parler dans sa tête. Elle sursauta lorsqu'une main se posa sur son épaule.

— N'aie pas peur.

Il employait une langue qu'elle comprenait encore mieux que l'Enkiev!

— Qui êtes-vous? chuchota la princesse en se redressant.

— Je suis ton plus grand protecteur.

Puisqu'il avait les cheveux blonds et les yeux bleus des Agéniens, Cornéliane se demanda si elle pouvait vraiment lui faire confiance.

— Êtes-vous venu m'enlever, vous aussi ?

— Non. Tu es en sécurité ici.

— Me connaissez-vous ?

— Je sais qui tu es, mais il vaut mieux que je ne t'en dise rien. Ta mémoire te sera rendue bien assez vite, alors je reviendrai te chercher. Pour l'instant, il est préférable que tu ne te souviennes de rien.

— Mais pourquoi ?

— Parce que tu as de terribles ennemis. Ils ne doivent pas te retrouver avant que tu sois prête à les affronter. Le Prince Fouad te donnera un nouveau nom. Accepte-le en attendant de te rappeler le tien. Apprends tout ce qu'il t'enseignera. Sache que, dans la vie, tout ce que l'on sait finit toujours par nous servir.

— Êtes-vous mon père ?

— Oui, ma petite déesse, mais tu ne pourras reprendre ta place auprès de moi que lorsque nous aurons gagné la guerre.

— Comment vous appelez-vous ?

– Je suis Solis, mais ne le dis à personne. Ta survie en dépend. Je reviendrai te rendre visite aussi souvent que je le pourrai et pour autant que ma présence ne mette pas ta vie en danger. Maintenant, essaie de dormir.

– Merci, Solis.

Le dieu-jaguar embrassa Cornéliane sur le front et s'évapora dans l'obscurité. Ce n'était pas la quête d'Onyx qui inquiétait le plus Solis, mais plutôt celle d'Azcatchi. Même si ce dernier était une divinité rapace, sa réputation était à présent connue de tous les autres panthéons. Tout ce que touchait le crave finissait par mourir...

17

CONSTERNATION

La disparition de Nahuat et les graves blessures infligées à Orlare avaient semé la panique parmi les dieux falconiformes. Puisque le crave assassin était insaisissable, ils avaient cessé de s'élancer librement dans le ciel, préférant désormais la sécurité de leurs nids. Les serviteurs roitelets et sizerins leur procuraient tout ce dont ils avaient besoin en attendant qu'Azcatchi soit capturé, tandis que les hirondelles parcouraient les forêts à la recherche de ce dernier.

Ne le craignant pas, Lycaon participait lui-même aux efforts pour trouver son incontrôlable fils, avec l'intention de lui arracher toutes ses plumes et de le faire rôtir sur la place publique. Chaque fois que le condor rentrait chez lui les mains vides, Séléna, son épouse, éprouvait un grand soulagement, puis elle tentait de persuader Lycaon que le crave n'agissait ainsi que parce que personne ne prenait le temps de l'écouter.

– Cesse de le couver ! s'exclama finalement le chef du panthéon, exaspéré. Il a commis un acte abominable !

– Nous ne savons pas ce qui s'est passé, protesta Séléna. Nahuat l'a peut-être attaqué le premier.

– Orlare nous a raconté une version bien différente des événements. Oublies-tu qu'Azcatchi l'a aussi agressée ?

– Elle l'a sans doute poussé à bout.

– Séléna, c'en est assez ! La seule raison pour laquelle il est devenu si hargneux, c'est ton refus de le traiter de la même façon que les autres.

– Au cas où tu ne l'aurais pas remarqué, Azcatchi est le seul qui ne soit pas un oiseau de proie. Il avait besoin de ma protection. Et puis, si quelqu'un l'a rendu agressif, ce n'est pas moi, mais Aquilée qui ne cesse de le bousculer depuis qu'il est poussin.

– Il est inutile de discuter avec toi. Tu refuses de voir les choses telles qu'elles sont.

Lycaon se retira dans la grande salle du trône. Il venait à peine de s'asseoir que deux de ses fidèles sizerins jaillirent d'un des tunnels qui menaient à l'extérieur de l'énorme nid.

– Vénérable maître ! s'écrièrent-ils en même temps.

– Que se passe-t-il, cette fois ? s'alarma le condor.

– C'est Matsa, votre petit-fils ! Assassiné !

– Où ça ?

– Chez lui !

Lycaon poussa un terrible cri de colère. Il suivit les petits oiseaux jusqu'au logis du dieu-vautour et examina attentivement son corps. Collés l'un contre l'autre et tremblant de peur, les sizerins étaient restés près de la sortie.

— Azcatchi doit être arrêté à tout prix, grommela le condor.

Il se tourna vers les serviteurs.

— Disposez de son corps de la même façon que vous l'avez fait pour Nahuat, ordonna-t-il. Personne ne doit pouvoir le déterrer.

— Azcatchi aurait-il aussi le pouvoir de ressusciter les morts ? osa demander l'un des petits oiseaux.

— Je ne sais plus ce qu'il est capable de faire, mais je ne crois pas que son but soit de faire réapparaître ceux qu'il a lâchement tués. Allez, faites ce que je dis.

Le dieu suprême s'envola en direction du palais. Avant de l'atteindre, il fut rejoint par une volée d'hirondelles.

— Maître, venez ! s'exclamèrent-elles, terrifiées.

— Quoi encore ?

— Ibalba !

Lycaon suivit les agiles serviteurs, craignant le pire. Tout comme Matsa, le dieu serpentaire avait été éventré dans sa propre demeure.

– L'une d'entre vous a-t-elle vu quelque chose ? s'enquit le condor.

– C'est arrivé avant que nous lui apportions sa nourriture. Nous l'avons trouvé ainsi.

« Azcatchi est en train de décimer le panthéon afin de régner seul », comprit Lycaon.

– Enterrez-le avec Matsa.

– Matsa ? répétèrent les hirondelles, effrayées.

– Il a subi le même sort qu'Ibalba, ce matin. Dépêchez-vous.

Espérant ne pas apprendre d'autres décès avant de rentrer chez lui, le condor poursuivit sa route jusqu'au palais, où il lança un appel aux membres de son panthéon, les exhortant à la plus grande prudence, car Azcatchi avait l'intention de tous les tuer.

– Si au moins je savais comment il arrive à déjouer la surveillance des serviteurs, marmonna le condor en s'installant sur son trône pour réfléchir.

– Peut-être utilise-t-il le chantage, suggéra Aquilée en pénétrant dans la vaste salle.

– Il semble capable de tout, on dirait.

– Accordez-moi la permission de vous débarrasser de lui, à ma manière.

— Il a déjà éliminé des rapaces en mesure de se défendre.

— Aucun d'entre eux n'avait mon courage et mon adresse.

— Je ne m'en remettrais jamais s'il t'arrivait malheur, mon enfant.

— Vous n'avez donc pas confiance en moi...

— Je connais ta valeur, mais je sais aussi que ton frère est aveuglé par son besoin de devenir le chef suprême des dieux-rapaces.

— Alors qu'il n'en est même pas un lui-même.

— Je lui ai accordé le pouvoir de se défendre en matérialisant une petite quantité de foudre dans ses ailes, lorsqu'il était petit. Je crains qu'il n'ait trouvé une façon d'amplifier cette énergie.

— Je lui arracherai la tête avant qu'il l'utilise contre moi.

— Sois prudente, ma petite guerrière.

La déesse-aigle poussa un cri aigu et fonça dans l'une des galeries. Planant très haut dans le ciel, elle tenta d'établir mentalement la progression des victimes de son frère. Azcatchi avait commencé par se débarrasser de son frère Nahuat, qu'il détestait profondément depuis sa naissance, car il avait survécu au massacre de tous les autres œufs que Séléna avait pondus après l'éclosion du crave. Azcatchi s'était ensuite attaqué à Orlare lorsque celle-ci avait voulu le raisonner. S'en était-il pris à Matsa, son fils et à Ibalba, son époux, pour punir l'initiative d'Orlare ? Si tel était le cas, il y avait fort à parier que le crave continuerait d'assouvir sa vengeance sur la famille du harfang des neiges.

Aquilée se dirigea donc vers la partie de la forêt où Angaro, la chevêche, Izana, la chouette et Risha, le hibou, trois des enfants d'Orlare, habitaient non loin les uns des autres. Il était aussi possible qu'Azcatchi choisisse d'assaillir ses deux autres enfants, Métarassou, sa fille-faucon, ou Leproca, son fils-autour, qui vivaient à l'autre bout du royaume, mais il fallait bien qu'Aquilée commence ses recherches quelque part.

Sa vue perçante permettait à la déesse-aigle de voler très haut, ce qui la rendait presque invisible aux yeux des oiseaux moins doués pour la chasse, comme les corvidés. Si Azcatchi était en train de se déplacer dans le secteur, elle le repérerait sans qu'il ne s'en aperçoive.

Tout comme elle l'avait prédit, quelques minutes plus tard, elle aperçut une forme noire sautant d'une branche à l'autre en se rapprochant du nid d'Izana. Aquilée referma ses ailes et se laissa tomber du ciel comme une pierre.

Quand elle atteignit l'endroit où elle avait vu sa proie, elle constata que celle-ci avait disparu. Elle ouvrit les ailes pour reprendre son envol, mais reçut un coup percutant sur le poitrail, comme si elle avait foncé tête première dans un mur. Paralysée sous le choc, l'aigle s'écrasa sur la mousse et roula sur lui-même avant de s'arrêter entre les racines d'un grand arbre.

— C'est moi que tu cherches ? fit alors la voix moqueuse du crave.

Furieuse, Aquilée tenta de se relever, mais ses ailes refusèrent de lui obéir.

— Lorsque j'étais petit et que tu t'amusais à me torturer parce que je n'avais pas le bec crochu, père m'a accordé le pouvoir de me protéger autrement qu'avec mes serres.

— En plus d'être le plus fourbe de tous les dieux, tu n'es qu'un sale traître, Azcatchi ! vociféra la déesse en se débattant pour vaincre son engourdissement. Au lieu de provoquer les autres en duel, tu les assassines sans leur donner la moindre chance de se défendre.

— J'ai toujours admiré ta puissance de déduction, Aquilée. Dommage, car tu ne pourras plus jamais en faire bénéficier les membres de plus en plus rares de notre panthéon.

— Lycaon t'empêchera d'arriver à tes fins.

— Je connais ses faiblesses. Il mourra comme tous les autres et je serai le seul maître, ici !

— Le maître de qui, Azcatchi ? Lorsqu'ils apprendront ce que tu as fait, Parandar et Étanna se ligueront contre toi.

— C'est ce que j'espère, en effet, car ils devront disparaître également.

— Ce n'est pas uniquement ton corps qui est dégénéré, mais ton cerveau aussi !

Piqué au vif, le crave poussa un croassement retentissant et laissa jaillir de son aile un éclair qui frappa Aquilée. Il ne lui restait plus qu'à lui arracher le cœur. Mais lorsqu'il s'approcha de l'aigle, celui-ci secoua la tête.

– Je m'attendais à ce que tu sois coriace, siffla Azcatchi, mécontent.

D'une patte, il la retourna sur le dos, puis, ses yeux noirs brillants de cruauté, il leva l'autre pour lui porter le coup fatal. Il avait à peine entamé son mouvement qu'il fut violemment heurté sur le côté. Perdant l'équilibre, il culbuta par-dessus sa victime. Il s'empressa de se remettre sur pied et n'eut que le temps de voir Aquilée s'envoler entre les serres d'un épervier.

– Sparwari ! hurla Azcatchi, fou de rage.

Parce qu'il avait jadis manipulé la même énergie, lorsqu'il était Chevalier d'Émeraude, Sparwari savait qu'il serait tué sur-le-champ s'il ne quittait pas rapidement la région. Pour éviter les tirs du dieu courroucé, il vola en zigzag, comme s'il était ivre. Des décharges éclatèrent sur les arbres autour de lui, mais l'épervier poursuivit courageusement sa route. Il ne pouvait pas cacher Aquilée chez lui, puisque ce serait le premier endroit où Azcatchi la chercherait. Il était tout aussi dangereux de la ramener au palais de son père, car en voyant leur meilleure guerrière dans un état si pitoyable, les dieux-rapaces céderaient tous à la peur.

Il se rendit donc au seul endroit qui permettrait à l'aigle de revenir à lui en toute quiétude. Il piqua vers les petites chutes, qui se jetaient dans l'étang de transition, et se faufila habilement derrière le rideau d'eau cristalline de la deuxième, pénétrant ainsi dans une profonde grotte impossible à discerner de l'extérieur. En battant doucement des ailes, il déposa doucement Aquilée sur le plancher humide, puis l'examina d'abord avec ses yeux de rapace. Ses brûlures étaient si profondes que la déesse risquait de succomber si elles n'étaient pas rapidement traitées.

L'épervier reprit son apparence humaine et alluma ses paumes. En l'acceptant dans son panthéon, Lycaon ne lui avait retiré aucun des pouvoirs qu'il possédait avant sa mort à Irianeth. Il s'accroupit et soigna chacune des blessures d'Aquilée avec une patience qui n'était pas la plus grande qualité des falconiformes. Il poursuivit le traitement pendant de longues heures en se concentrant sur l'intensité de la lumière qui jaillissait de ses mains. Pendant ce temps, Azcatchi s'en était sans doute pris à une autre divinité pour assouvir sa colère, mais Sparwari savait qu'il ne pourrait pas toutes les sauver.

— Essaie de remuer ton aile, suggéra-t-il, une fois que toutes les lésions eurent disparu.

Aquilée fit ce qu'il demandait, mais elle était encore faible.

— Je n'ai pas vu le premier assaut, avoua Sparwari. Il a dû être terrible.

— Il se sert de la magie que Lycaon lui a transmise, murmura l'aigle.

— On m'a enseigné que seul celui qui jette un sort peut le reprendre.

— Tu n'as certainement pas appris ça ici.

Ne pouvant plus rien faire pour elle, Sparwari recula de quelques pas pour montrer son respect. Aquilée reprit son aspect humain. Elle avait vraiment mauvaise mine avec ses longs cheveux bouclés en bataille et ses vêtements déchirés.

— Tu as rencontré Métarassou dans les mêmes circonstances, n'est-ce pas ?

— Elle était coincée dans un buisson de ronces... se souvint l'ancien soldat. À l'époque, j'ignorais qu'il existait des dieux-oiseaux.

— L'aurais-tu soignée si tu avais su qui elle était ?

— Sans doute, mais je ne crois pas que mon épouse m'aurait permis de la garder chez nous. Kira était plutôt possessive.

— Regrettes-tu ton ancienne vie, Sparwari ?

— Parfois, mais si Métarassou ne m'avait pas ramené ici, je serais quelque part sur les grandes plaines de lumière en ce moment. Je lui suis infiniment reconnaissant de sa bonté.

— Tu es vraiment différent de nous... Nous devrions obliger les dieux à vivre avec les humains avant de les laisser prendre leur place à la cour de Lycaon.

Aquilée tenta de se remettre sur pied, mais retomba assise, en proie à un terrible étourdissement.

— Puis-je pousser mon examen plus loin, vénérable Aquilée ?

— Cela me rendra-t-il mon équilibre ?

— Jadis, sur les champs de bataille, lorsque j'ai eu à soigner mes compagnons d'armes, j'ai remarqué que les vertiges étaient souvent la conséquence de violents coups à la tête qui affectaient la santé de l'oreille.

— Lorsque mon frère crave m'a attaqué, j'ai en effet eu l'impression de foncer dans un obstacle invisible.

Sparwari utilisa le bout de ses doigts pour ausculter le crâne de la déesse.

— Je sens des dommages internes, lui apprit l'épervier.

— Réversibles ?

— Aucun mal ne résiste à un bon guérisseur...

Il se rappela que c'était Santo qui le lui avait répété à quelques reprises, alors qu'il doutait de sa capacité de se servir de la puissance de ses mains autrement que pour tuer. Aquilée éprouva un bienfaisant réconfort lorsque l'épervier utilisa une fois de plus sa lumière pour ressouder les petits os cassés, réparer les vaisseaux sanguins endommagés et rétablir le niveau du liquide dans le vestibule des deux oreilles.

— Est-ce mieux ainsi ?

Aquilée réussit à se lever.

— Pourrai-je aussi voler ?

– Je ne possède pas la faculté de faire repousser les plumes brûlées.

– Mais Lycaon, oui... Emmène-moi jusqu'à lui.

– Ce ne serait pas prudent, en ce moment. Je n'ai évidemment pas l'esprit tordu d'Azcatchi, mais si j'étais lui, je surveillerais les alentours du palais.

– Il n'est pas encore assez fort pour se mesurer à notre père.

Aquilée se frictionna nerveusement les bras.

– Je ne me sens pas en sécurité, ici, Sparwari.

– Pourtant, j'y ai passé beaucoup de temps lorsque j'avais besoin de réfléchir, et personne ne m'y a jamais trouvé.

– J'apprécie que tu te soucies de moi, mais il est beaucoup plus important que Lycaon soit mis au courant des derniers agissements d'Azcatchi.

Aquilée caressa la joue du dieu-épervier avec douceur.

– Maintenant, je comprends ce que Métarassou a vu en toi.

Il baissa timidement la tête et céda à la demande de la déesse pour mettre fin à ses compliments. Aquilée reprit son apparence de rapace et tenta d'abord de voler par elle-même, sans succès. Alors, Sparwari ferma doucement les serres sur elle et l'emporta dans la forêt. À l'affût du moindre bruit suspect, l'épervier choisit une route inhabituelle pour atteindre son but. C'est avec le plus grand soulagement qu'il déposa enfin Aquilée aux pieds de son père.

— Que t'est-il arrivé ? se troubla Lycaon.

— Azcatchi s'est servi contre moi de la magie que vous lui avez octroyée.

— Mais elle ne pince que la peau, tout au plus.

— Détrompez-vous.

Elle lui raconta l'attaque en détail.

— Ce sera donc à moi de mettre fin à ses ravages. Mais comment lui as-tu échappé ?

— Grâce à Sparwari.

Aquilée se tourna vers son sauveteur, mais il n'était plus là. L'épervier, qui détestait attirer l'attention, s'était retiré sans faire de bruit. Tout comme la déesse-aigle, il avait réfléchi à la progression des meurtres d'Azcatchi et avait compris que le crave s'en prenait à la famille d'Orlare. Or, son épouse, Métarassou, était la fille de la déesse-harfang. Il fila donc chez lui aussi vite que pouvait le porter le vent. Son nid était enfin en vue lorsqu'il sentit une horrible douleur à la gorge. Le ciel et la terre se confondirent pendant quelques secondes, puis il vit le visage d'Azcatchi qui, assis sur une branche, avait adopté sa forme humaine pour saisir l'épervier au vol.

Sparwari n'entrevit qu'une seule façon d'échapper à la mort par asphyxie. Il reprit lui aussi son apparence d'homme. Son poids lui permit de glisser entre les doigts de son agresseur. Toutefois, les arbres de la forêt céleste étant démesurément hauts, pour éviter de s'écraser brutalement sur le sol, il se transforma en rapace et battit des ailes en direction opposée de son logis. Azcatchi lui donna la chasse et finit par le rattraper. Ayant trop de mal à respirer, l'épervier s'était posé sur une grosse pierre, les ailes pendantes, le bec ouvert. Le crave fonça cruellement sur sa proie, planta ses serres dans son dos et le plaqua au sol. Au moment où il allait le retourner pour l'éventrer, Sparwari s'évapora comme un mirage.

Au même instant, dans la tour d'Armène, Lazuli était assis sur son lit et méditait comme le lui avait enseigné sa mère. Il était censé chasser toutes ses pensées afin de laisser l'univers lui livrer ses messages, mais depuis quelques jours, l'enfant ne cessait de songer à Sage, son véritable père. Il sentait que celui-ci était en danger. Lazuli soupira bruyamment et fit un autre effort afin de ne plus penser aux dieux-rapaces. Un choc sur son matelas lui fit aussitôt ouvrir les yeux. Devant lui, gisait le corps de l'ancien Chevalier d'Émeraude, la gorge et le dos couverts de sang !

– Armène ! hurla l'enfant.

18

UN NOUVEAU ZÉNOROIS

Son combat contre Lycaon devant le Château d'Émeraude n'avait nullement retardé les plans d'Atlance. Jasson l'avait ramené à sa ferme et, tout en le félicitant pour son courage, il avait refermé les coupures et éraflures que le jeune homme avait subies en se faisant malmener par le condor géant. Toutefois, Atlance ne voulait entendre ni compliment, ni reproches. Il désirait seulement quitter ce pays une fois pour toutes et commencer une nouvelle vie ailleurs, loin de son père et de ses attentes impossibles.

Il était donc monté avec Katil sur le siège du chariot recouvert d'une grande toile, avait remercié ses beaux-parents pour leur compréhension et leurs présents, puis s'était mis en route vers le sud-ouest. Heureusement, au fil des ans, le passage des marchands avait tracé des sentiers dans le sol. Aussi, lors des deux invasions par les Tanieths, les Chevaliers avaient construit des ponts par-dessus plusieurs rivières, ce qui permettait à un attelage de se rendre jusqu'à l'océan.

Personne n'attendait les nouveaux mariés à Zénor, alors ils ne pressèrent pas leurs chevaux. Ils avaient suffisamment de nourriture pour tenir au moins deux semaines et de l'argent pour acheter une maison, une fois là-bas.

— Je suis qui je suis, affirma Atlance tandis qu'il se dirigeait vers la frontière entre les Royaumes d'Émeraude et de Perle. D'ailleurs, il est parfaitement inutile que je change quoi que ce soit à mon caractère, puisque mon père ne sera jamais satisfait.

— Moi, je t'aime comme tu es, tenta de le rassurer Katil. Et puis, il est normal que les enfants quittent le nid, une fois adultes, même lorsqu'ils sont princes. Arrête de te tourmenter. Pense plutôt à la merveilleuse vie qui nous attend. Nous allons bientôt être parents.

— J'ai si peur de répéter les erreurs de mon père avec nos enfants.

— Le fait que tu en sois conscient t'aidera à te corriger à temps. Mais à mon avis, ça n'arrivera jamais, puisque tu n'es pas du tout comme lui.

— Je veux tellement que nous menions une vie parfaite.

— Ça n'existe pas, Atlance. Nous ferons notre possible et c'est tout ce qui compte.

Le jeune prince ne commença à se détendre qu'après quelques jours, lorsqu'il fut convaincu que personne ne s'était lancé à leur poursuite. Assis devant le feu, sur la rive ouest de la rivière Mardall, qui séparait les Royaumes de Perle et de Cristal, Atlance se mit enfin à penser à son avenir.

— J'ai reçu une belle éducation, mais je n'ai appris aucun métier, laissa-t-il tomber.

— Il y a sûrement des commerces qui souhaiteraient utiliser les services d'un homme qui sait écrire et compter.

— Je pourrais aussi être scribe.

— Il n'y a que les rois qui en emploient. Si tu ne veux pas qu'on sache qui tu es, il vaudrait mieux éviter le château.

— Cela veut-il dire que tu n'offriras pas non plus tes services de magicienne au souverain de Zénor ?

— Après mûre réflexion, j'aimerais travailler à la maison. Après la naissance du bébé, je serai herboriste. Et lorsque mon entreprise sera devenue trop prenante, j'embaucherai des apprenties.

— Je ne sais même pas ce que je veux devenir, et toi, tu cherches déjà des employés ! la taquina Atlance.

— Je tiens cette prévoyance de ma mère, je crois.

Elle vit alors le visage de son époux s'attrister.

— Toi aussi, tu possèdes les belles qualités de tes parents. Tu as le courage, la franchise et la prévenance de Swan. Tu as également hérité de la fidélité et de la loyauté de ton père. Malgré tous ses défauts, il n'a jamais trompé ta mère.

— S'il l'avait fait, il ne s'en serait certainement pas vanté.

— S'il l'avait fait, ta mère l'aurait tué, plaisanta Katil.

Le jeune couple dut faire un long détour le long de la frontière entre les Royaumes de Cristal et de Zénor, car il était impossible de faire descendre un chariot de la falaise qui séparait la haute ville de la cité sur la grève. Les galets ralentirent considérablement leurs progrès, puisque les roues du chariot s'y enlisaient sans cesse. Atlance dut mettre pied à terre afin de marcher à côté des chevaux et de les encourager.

Puis, un matin, Atlance et Katil aperçurent les premières habitations de la citadelle. Les vaillants Zénorois avaient non seulement rebâti leurs maisons, mais ils avaient également construit de solides routes en pierre. Le prince s'arrêta d'abord à l'auberge. C'était un établissement différent de ceux qu'il avait fréquentés avec ses frères à Émeraude. La salle des repas était spacieuse et bien éclairée par ses nombreuses fenêtres. D'ailleurs, l'air y était respirable, car les cuisines se trouvaient dans la cour.

— À qui dois-je m'adresser si je veux acheter une maison ? demanda-t-il au restaurateur.

— Tout dépend si vous désirez la faire construire ou acquérir une propriété existante.

— Ma femme porte un enfant, alors il serait assez urgent que nous puissions avoir un toit sur la tête.

— Vous voyez cet homme au fond là-bas ?

Du regard, Atlance suivit la direction du doigt que pointait l'aubergiste.

— Il s'appelle Jorian. Il vous dira quoi faire.

— Merci.

— Désirez-vous manger ?

— Ce ne serait pas de refus, mais les femmes sont-elles admises ici ?

— À Zénor, tout est permis, mon brave.

Atlance fit asseoir Katil à une table et marcha jusqu'à l'homme que lui avait indiqué le restaurateur.

— Êtes-vous Jorian ?

— Oui, c'est bien moi. Que puis-je faire pour vous ?

— Je m'appelle Atlance et je viens d'arriver à Zénor. L'aubergiste me dit que vous pourriez m'aider à trouver une maison dans la cité.

— Il ne m'en reste que deux. Je n'en construirai d'autres qu'après la saison froide.

— Alors, j'aimerais bien les visiter.

— Avez-vous faim, Atlance ?

— Justement, je viens de faire asseoir ma femme là-bas.

— Venez manger avec moi !

Atlance alla donc chercher Katil. Jorian leur fit servir de la bière et la spécialité du pays : de petits carrés de pâtes renfermant de la viande et des légumes, cuits à l'eau, copieusement arrosés d'une sauce blanche.

— C'est savoureux, apprécia la future maman. Il m'en faudra la recette.

— Vos voisines vous la donneront avec plaisir, affirma Jorian. D'où venez-vous ?

— Du Royaume d'Émeraude, répondit Atlance.

— Pourquoi quittez-vous des terres aussi fertiles pour aller vivre dans un pays où les ressources sont limitées ?

— L'attrait de la mer, fit Katil en devançant son mari.

— Malheureusement, elle ne subvient pas encore aux besoins de tout le monde.

« C'est peut-être ça mon destin ! » songea aussitôt le Prince d'Émeraude. S'il n'avait appris aucun métier en grandissant au château, il avait toutefois acquis de solides connaissances dans la gestion des richesses d'un État.

— Avez-vous les moyens d'acheter une maison ou comptez-vous demander de l'argent aux prêteurs ?

— Nos parents nous en ont donné, assura Katil. Si nous n'avons pas suffisamment, alors nous irons voir ces gens.

– Les deux maisons que j'ai à vous offrir sont de taille différente. L'une est plutôt étroite et coincée entre deux autres bâtiments, ce qui la rend facile à chauffer durant les mois de pluie. L'autre se trouve tout au bout de la cité, dans le nouveau lotissement. Elle est isolée, mais elle a un immense jardin.

– Quand pourrions-nous visiter ces logis?

– Dès que vous aurez terminé votre repas.

Encouragé par sa bonne fortune, Atlance mangea avec appétit. Le couple suivit ensuite Jorian dans les rues qui s'entrecoupaient comme sur un grand quadrillage bien ordonné. La première maison leur parut tout de suite trop petite. Elle n'offrait qu'une salle commune et une seule chambre. Jorian leur proposa donc de jeter un œil à la deuxième. Ils montèrent tous les trois sur le chariot d'Atlance et se rendirent jusqu'à la partie nord-ouest de la citadelle. Le sourire qui s'afficha sur le visage de la jeune femme fit comprendre à son mari que l'endroit lui plaisait déjà.

Katil descendit de la voiture avant qu'on vienne l'aider et se dirigea tout droit vers l'ouverture pratiquée dans le muret de pierres qui entourait la propriété. Au lieu d'entrer dans la demeure, elle en fit le tour à pied. Atlance s'empressa de la rattraper.

– Regarde! s'exclama-t-elle joyeusement. Il y a assez d'espace pour construire un abri et un enclos pour les chevaux, et même cultiver un potager!

– Autrement dit, peu importe ce qu'on trouvera à l'intérieur, tu es conquise?

– Tout à fait, mais allons voir de quelle façon cette maison est divisée.

Il y avait une porte principale sur la façade et une porte à l'arrière, qui donnait sur la cour. Toute la partie avant de la chaumière formait une grande pièce avec un plafond très haut, tandis que dans la seconde moitié, on avait construit trois petites chambres au-dessus desquelles se situait une grande pièce, dont le seul accès était un escalier en bois appuyé contre le mur de gauche.

– Elle est parfaite... s'extasia Katil.

Tout ce qu'Atlance désirait, c'était de rendre sa femme heureuse, mais il se doutait bien que ce petit palais coûterait une petite fortune.

– Quel prix en demandez-vous ? s'enquit la jeune femme en se tournant vers Jorian.

– Puisque vous arrivez d'Émeraude, j'imagine que vous utilisez l'onyx d'or.

– Et l'hadrian d'argent, qui vaut la moitié d'un onyx d'or, expliqua Katil.

– Donnez-moi un petit moment pour effectuer la conversion.

Katil se mordit les lèvres en adressant un regard insistant à son époux.

– Trente-trois onyx d'or, les informa finalement Jorian.

La future maman refoula un cri de joie, car Swan avait offert à son fils une cinquantaine de pièces pour lui assurer un bon départ dans la vie.

– Nous la prenons, décida Atlance. Avons-nous besoin de signer un acte de vente ?

– Si je savais écrire, je le rédigerais tout de suite. À Zénor, il y a encore trop peu d'instruction.

« Précepteur... encore un autre travail qui pourrait m'intéresser », songea le prince.

– Donnez-moi le temps de trouver du papier, de l'encre et une plume dans mes affaires, et nous réglerons nos comptes en bonne et due forme.

– Si vous y tenez...

Lorsqu'il vit Atlance commencer à détacher les cordes qui retenaient les meubles en place sur la voiture, Jorian décida de lui donner un coup de main. Il déchargea le chariot et refusa de laisser Katil transporter quoi que ce soit. Le mobilier du jeune couple était plutôt rudimentaire : une table, quatre chaises, un buffet, un matelas et un coffre contenant un peu de vaisselle, une braisière et un poêlon.

– C'est bien peu, avoua Katil, mais avec le temps, nous arriverons à acheter tout ce qu'il nous faut.

Atlance écrivit quelques lignes sur deux morceaux de papyrus indiquant que Jorian de Zénor venait de lui céder la propriété de la maison du bord de mer qu'il avait construite de ses mains pour la somme de trente-trois onyx d'or. Il compta ensuite les pièces et les fit glisser dans une petite bourse de cuir, puis revint vers le vendeur.

— Savez-vous écrire votre nom ? lui demanda-t-il.

— Je sais juste tracer le « j ».

— Je crois bien que ça suffira.

Ils apposèrent tous les deux leurs signatures sur les documents, et le nouveau marié lui en remit un exemplaire.

— Êtes-vous un homme de lettres, Atlance ?

— Oui, mais je ne sais pas encore si je gagnerai ainsi ma vie à Zénor.

— Vous devriez nous apprendre à lire.

« Je pourrais aussi fonder la première bibliothèque de la cité », pensa le prince.

— N'y a-t-il pas déjà des précepteurs au château ?

— Ils ne s'occupent que des princes, répliqua Jorian.

— Alors, j'y réfléchirai.

Il déposa le petit sac arrondi dans le creux de la main du Zénorois.

– Ce fut un plaisir de faire affaire avec vous, Atlance.

– Pour moi de même.

Jorian glissa la bourse à l'intérieur de sa ceinture et quitta la propriété en sifflant. Atlance fit passer de justesse le chariot dans l'ouverture du muret et demanda un dernier effort aux chevaux. Une fois dans la cour, il les dételta et se réjouit en apercevant le puits creusé sur le coin droit de la maison. Il attacha le licol des deux bêtes à la charrette en leur laissant suffisamment d'espace pour qu'elles puissent brouter, puis alla chercher le seau de bois que lui avait donné son beau-père. En le fixant à un bout de corde, il puisa de l'eau, la flaira pour s'assurer qu'elle était potable, puis désaltéra ses chevaux.

Il lui faudrait rapidement construire une petite écurie pour protéger les bêtes du soleil et des intempéries, ainsi qu'une clôture pour qu'elles ne mangent pas les légumes que Katil ferait pousser et une auge pour l'eau. «Moi qui ne sait même pas comment tenir un marteau correctement...» se découragea-t-il.

Il installa ensuite le matelas devant l'âtre de la pièce principale et vit que Katil plaçait leur maigre service de vaisselle dans le buffet. Ils ne possédaient presque rien et pourtant, son visage brillait de bonheur.

– Nous n'avons pas apporté de bois pour le feu, se désola Atlance.

Sa femme s'approcha de lui et s'abrita dans ses bras.

311

– Dans ce cas, ce sera à toi de me réchauffer, chuchota-t-elle. Nous avons un peu d'huile pour les lampes. Nous pourrons au moins nous éclairer, ce soir.

– Par quoi aimerais-tu que je commence ?

– Allons sur la plage.

Ils quittèrent la maison, main dans la main. Katil enleva ses sandales et marcha dans l'eau.

– C'est froid ! s'exclama-t-elle.

Elle gambada dans les vagues, jusqu'à ce que son mari parvienne à lui saisir la main.

– Pense un peu à notre enfant ! s'inquiéta-t-il.

– Tu n'as rien à craindre. Il ne naîtra que dans quelques mois.

– Ma mère m'a raconté que des femmes perdaient leurs bébés parce qu'elles avaient trop accompli de corvées.

Elle revint vers lui, passa ses bras autour de son cou et l'embrassa passionnément. Les jeunes amoureux étaient loin de se douter que plusieurs de leurs voisins les épiaient depuis un petit moment. *Atlance, est-ce que ça va, mon chéri ?* fit alors la voix de Swan.

– C'est ma mère, annonça Atlance en serrant Katil contre sa poitrine.

– Je l'entends.

– Pardonne-moi. J'oubliais que tu es magicienne, toi aussi.

Ça ne pourrait aller mieux, répondit le prince. *Nous sommes à peine arrivés à Zénor que nous avons déjà acheté notre maison, à quelques minutes de l'océan, et il nous reste suffisamment d'argent pour acheter ce qui nous manque, comme un châlit. Je vais chercher de l'emploi dès demain, peut-être bien comme précepteur. Apparemment, la plupart des gens ici ne savent pas écrire.*

Swan fut soulagée d'apprendre que son cadet se débrouillait aussi bien et promit de lui rendre visite dès que son père serait de retour pour s'occuper du royaume à sa place. «Donc, jamais...», déplora Atlance. La mère et le fils convinrent de se donner des nouvelles au moins une fois par semaine, puis la Reine d'Émeraude respecta le besoin d'intimité du couple.

En revenant de la plage, Atlance et Katil dressèrent une liste de tout ce qu'ils devraient bientôt acheter et comprirent que les quelques onyx d'or qu'il leur restait ne suffiraient pas à les faire vivre très longtemps. Lorsque l'obscurité commença à s'installer au pied de la falaise de Zénor, le jeune homme alla s'assurer que les chevaux étaient bien attachés, leur donna encore de l'eau, puis alla s'allonger sur le matelas, près de Katil.

– Un jour, nous raconterons cette aventure à nos enfants en riant, plaisanta Katil.

Le roulement régulier du ressac les fit rapidement plonger dans le sommeil.

Ce ne fut pas le soleil qui réveilla Atlance le premier matin de sa nouvelle vie de propriétaire, mais du bruit sur le toit. Sans rompre le sommeil de la future maman, qui avait besoin de plus de repos que lui, il sortit de la maison pour voir ce qui se passait. Il reconnut aussitôt le plumage de l'oiseau de proie qui marchait sur le chaume.

— Fabian?

L'oiseau se laissa tomber en planant et se posa près d'Atlance. En quelques secondes à peine, il se transforma en humain.

— Je suis venu voir comment tu allais et je t'apporte le bonjour du château. Tes amis Chevaliers m'ont remis plusieurs présents pour toi. Je les ai laissés dans la cour. Par contre, moi, je ne sais toujours pas quoi te donner.

— Des présents?

Atlance s'empressa de contourner la maison. Il s'arrêta net en apercevant les montagnes de meubles et de coffres qui s'y trouvaient. Mais ce qui retint davantage son attention, c'était le châlit en métal ouvré appuyé contre le mur.

— Comment tout cela est-il arrivé ici?

— Je suis un dieu maintenant, rappelle-toi.

Des larmes coulant profusément sur ses joues, Atlance étreignit son petit frère avec force.

— Avec maman, tu es tout ce qu'il me reste comme famille... hoqueta-t-il.

— Si ça peut te rassurer, j'ai l'intention de me mettre à la recherche de Maximilien. Il a peut-être des ennuis et, parce qu'il ne possède aucune faculté magique, il ne peut pas nous le dire.

— Et Cornéliane ?

— Ça, c'est plus délicat, puisque c'est Azcatchi qui l'a enlevée. Je préfère laisser cette quête à papa. À mon avis, il est désormais le seul à pouvoir l'aider. Arriveras-tu à transporter toutes ces choses à l'intérieur ?

— Je suis débrouillard et surtout tenace.

— Puisque j'ai utilisé une grande partie de mon énergie pour te procurer tout ceci, je dois aller me ressourcer dans le monde des dieux, au péril de ma vie.

— Je t'en prie, sois prudent.

Fabian se contenta de sourire tristement. Il recula de quelques pas, tandis que son corps se couvrait de plumes, puis prit son envol. Il fonça vers le ciel, à l'endroit où les deux mondes se touchaient. Il allait l'atteindre lorsqu'un autre rapace le rattrapa.

— À deux, nous devrions pouvoir survivre assez longtemps dans la forêt de Lycaon pour refaire nos forces avant de revenir ici, déclara Shvara.

– Tu veux t'établir chez les humains ?

– Les femmes sont vraiment très belles à Enkidiev.

Fabian éclata de rire et fonça dans le portail qui ressemblait à une tranche d'arc-en-ciel sortie de nulle part dans un ciel bleu.

19

PROVOCATION

Après l'assemblée obligatoire de son panthéon, Anyaguara redescendit dans le monde des mortels afin de retrouver la trace de la petite Cornéliane. Qu'elle ait été conçue par Solis avec une humaine lui importait guère. Son avenir était celui d'une déesse-féline et c'était le devoir d'Anyaguara de s'assurer qu'il en soit ainsi.

Forte de son expérience auprès du groupe qui accompagnait le Roi Onyx, la panthère décida de poursuivre ses recherches sans eux. Elle avait passé la plus grande partie de sa vie seule dans les forêts de Jade qui lui rappelait son propre univers. Elle y avait même trouvé l'amour, pendant un court moment. Si les relations entre les divinités et les hommes étaient plus ou moins tolérées, celles entre membres de panthéons différents étaient généralement condamnées par les chefs suprêmes. Danalieth n'était certes qu'à demi divin, mais il l'avait séduite avec ses belles manières et sa poésie. La première invasion des hommes-insectes avait mis un terme à leurs ébats, car cet Immortel en exil ne pouvait pas se permettre d'être découvert par Abnar, celui que les dieux-reptiliens avaient chargé de veiller sur les hommes. Puis, Danalieth s'était épris de la Reine des Fées, brisant le cœur de la panthère qui lui en gardait toujours rancune.

Anyaguara n'avait pas l'habitude de voir ses décisions passées au peigne fin par une poignée d'aventuriers qui ne savaient pas ce qu'ils faisaient. À cause de leur lenteur et de leurs différends, elle avait perdu la piste de la petite déesse-guépard. Elle réapparut donc sur l'île de Pélécar sous sa forme animale et descendit prudemment la falaise, semant la panique parmi les oiseaux marins. Les derniers pas de Cornéliane s'arrêtaient sur une corniche, puis, plus rien. La panthère ne possédait évidemment pas les attributs requis pour continuer sa quête sur le détroit. Les reptiliens savaient nager, les oiseaux auraient pu voler au ras de l'eau, mais les félins étaient condamnés à rester sur la terre ferme, même s'ils étaient les plus rapides des trois races.

Onyx et ses amis s'étaient enfoncés à l'intérieur des terres à Agénor, mais Anyaguara n'était pas certaine que les marins eurent emmené la fillette de ce côté. Beaucoup d'entre eux, sans être complètement criminels, n'hésitaient pas à vendre les enfants aux pays qui voulaient bien les acheter. Avaient-ils offert Cornéliane à des Agéniens ? La panthère se rendit donc dans une petite ville côtière, sous son apparence jadoise, et s'informa des us et coutumes de ce peuple de la mer. S'ils faisaient le commerce des esclaves, les Agéniens, par contre, n'en possédaient que très rarement. Seule la famille royale en faisait une grande consommation.

Anyaguara apprit aussi que chez les Ressakans, le peuple voisin, seuls les grands prêtres acquéraient des esclaves pour les servir. Les Madidjins, eux, en achetaient en abondance. La panthère décida donc de remonter la côte vers le nord. Lorsqu'elle atteignit finalement le port de Datguddiad, sur la rive sud du fleuve Sirioldeb, à Ressakan, elle capta enfin la présence de Cornéliane. Continuant de suivre la trace de la petite, elle aboutit devant une birème qui s'apprêtait à partir et sauta à bord, à la grande surprise de l'équipage.

— Madame, nous ne transportons pas de passagers ! l'avertit le capitaine. Descendez, je vous prie.

— Je cherche une fillette blonde.

— Nous n'avons que des marchandises à bord.

— Je sais qu'elle était ici.

— Il pourrait vous coûter cher de me traiter de menteur, madame.

La déesse se transforma en une énorme panthère noire. Les marins, qui étaient assis les plus près du fauve, abandonnèrent leurs rames pour reculer jusqu'à l'autre extrémité de la birème. Convaincue que ces hommes allaient se montrer plus dociles, Anyaguara reprit sa forme humaine.

— Où est la petite ? insista-t-elle.

— Nous pensons qu'elle a été enlevée... bredouilla le capitaine, impressionné.

— Vous n'en êtes pas certains ?

— En revenant de la *tafarn*, elle n'était plus là.

— Personne n'a rien vu ?

L'homme haussa les épaules.

— Qui êtes-vous ?

— Je suis Anyaguara, fille de la déesse Étanna.

Elle quitta l'embarcation et se rendit directement à l'établissement que fréquentaient tous les marins. Les femmes n'entraient jamais dans les *tafarns*, alors elle fit sensation lorsqu'elle mit les pieds dans celle du port de Datguddiad. Les hommes lui firent signe d'approcher en lui montrant des pièces d'or, mais elle demeura immobile et désintéressée.

— Je cherche une fillette blonde qui a été enlevée, lâcha-t-elle.

— Nous aussi ! s'exclama un client ivre.

Une fois de plus, pour qu'on la prenne au sérieux, la déesse eut recours à sa magie. Sa soudaine métamorphose en félin aussi noir que la nuit eut l'effet qu'elle anticipait. Le silence tomba sur la petite assemblée. Certains des hommes dégainèrent leurs poignards uniquement pour pouvoir se défendre, car aucune d'entre eux n'attaqua le fauve qui grondait de façon menaçante.

— C'est Emrys ! s'écria un matelot en se levant. Je l'ai vu monter sur le bateau de Tadhg et prendre l'enfant.

— Où puis-je trouver cet homme ?

— Il est en route pour Aabit. C'est de l'autre côté de la péninsule de Siroldab.

La panthère redevint humaine.

— Je veux voir cet endroit sur une carte.

Une dizaine de capitaines lui tendirent en tremblant le parchemin enroulé qu'ils conservaient sur eux en tout temps. Anyaguara en saisit un et l'étudia un moment.

— Montrez-moi où nous sommes, ordonna la déesse.

Le jeune homme qui avait dénoncé Emrys s'approcha et appuya le bout de son index juste au-dessus du grand fleuve.

— Où se trouve Aabit ?

Il fit glisser son doigt de l'autre côté de la presqu'île au nord. Le port d'Aabit se trouvait à quatre jours de marche pour un homme, mais une panthère pouvait franchir la même distance en beaucoup moins de temps. Elle sortit donc la *tafarn* et se dirigea résolument vers la forêt dense qui s'étendait au nord. Se changeant en félin, elle bondit entre les arbres. Anyaguara se déplaçait rapidement et sans bruit. Comme tous les dieux, elle n'avait pas besoin de manger, de boire ou de dormir, uniquement de recharger son énergie dans son propre monde de temps à autre. Tandis qu'elle longeait un ravin, elle flaira un danger. Par mesure de prudence, elle ralentit le pas et scruta les alentours.

Sur une haute branche, Azcatchi surveillait attentivement ses progrès. Afin de terrifier davantage les dieux aviaires qui le cherchaient, il avait quitté momentanément les contrées célestes pour reprendre la petite déesse-féline qui lui avait échappée.

Retournant à Pélécar, sa trace l'avait conduit vers le nord, puis la piste s'était embrouillée. Tenace, il avait persévéré, mais la seule énergie qu'il avait trouvée dans la forêt n'était pas celle de Cornéliane.

Lorsque la panthère s'immobilisa pour humer l'air, le dieu-crave plana jusqu'au sol et adopta sa forme humaine, à quelques pas devant elle. Anyaguara en fit autant, tous ses sens en alerte.

— J'aurais dû me douter que les sournois félins tenteraient de m'enlever mon butin, croassa-t-il.

— L'enfant n'appartient pas à ton panthéon, Azcatchi, mais au mien.

— Lorsqu'elle m'aura épousé, elle n'en fera plus partie.

— Pourquoi l'avoir choisie ? Les déesses-rapaces ne veulent pas de toi ?

Des filaments lumineux se mirent à courir sur les plumes noires qui couvraient les bras du crave, affichant son irritation.

— Les unions entre nos races ne sont pas seulement défendues, elles sont également inconcevables, puisque nous ne pouvons pas survivre dans nos mondes respectifs.

— Contrairement à ce qu'on a tenté de nous faire croire, nous avons la possibilité d'abolir cette restriction.

— C'est donc ta façon de te révolter contre ton père.

— Son règne achève. Bientôt le mien commencera.

« Il a l'intention de supplanter Lycaon et de s'allier aux félins pour éliminer les Ghariyals... » comprit enfin Anyaguara. En tant que représentante d'Étanna dans le monde des mortels, la panthère ne pouvait pas rester sans réagir.

— Les dieux-fondateurs ne font rien sans avoir une bonne raison, indiqua-t-elle.

— Ce sont des rêveurs qui ne songent jamais aux conséquences de leurs actes. Ils ont conçu les jumeaux-dragons pour créer des mondes sans les avertir que s'ils avaient eux-mêmes des enfants, ces derniers finiraient par détruire leur œuvre.

— Quelle est la véritable cause de ta colère, Azcatchi ? Ce ne peut pas être ces agissements qui remontent à des milliers d'années.

— Je veux ce qui me revient de droit.

— Où est-il mentionné dans nos lois que nous pouvions décider un beau matin d'évincer nos parents ?

Pour toute réponse, Azcatchi fit jaillir du bout de ses doigts un éclair aveuglant qui frappa la panthère à l'épaule. Anyaguara poussa un grondement de douleur et reprit immédiatement son apparence de panthère. De nature pugnace, elle n'allait certainement pas se laisser éliminer sans combattre. Au lieu de fuir, elle bondit sur le dieu-rapace. Moins rapide, Azcatchi n'eut pas le temps d'en faire autant. Le poids du félin le fit basculer sur le dos. S'il avait trouvé aisé de tuer ses semblables, le crave constata une fois de plus que les dieux-félins étaient des adversaires de taille.

Tout comme Solis, Anyaguara chercha à planter ses crocs dans la gorge du crave. Utilisant sa magie, ce dernier chargea son corps de foudre. Le choc projeta la panthère entre les arbres. Elle roula sur la mousse et tenta de se relever. Voyant qu'elle chancelait sur ses pattes, Azcatchi sut qu'il allait l'emporter. D'un violent coup de pied, il fit rouler son ennemie plus loin, puis se changea en énorme oiseau noir aux pattes et au bec écarlates. Le félin tenta de ramper dans les fougères, mais le crave l'immobilisa en plantant ses serres de chaque côté de sa gorge.

«Maintenant, tous les dieux vont me prendre au sérieux», se réjouit secrètement Azcatchi. Il souleva l'autre patte avec l'intention d'éviscérer son adversaire assommé et de l'expédier ensuite dans son monde de chats. Mais au moment où il allait enfoncer ses serres dans la poitrine d'Anyaguara, un autre félin bondit entre les arbres. Azcatchi n'eut pas le temps de réagir. Il fut projeté plusieurs mètres plus loin par la force de l'impact. Fou de rage, le crave se releva pour faire face à ce nouvel ennemi et se retrouva nez à nez avec un formidable tigre, deux fois plus gros que la panthère.

— Renonce ou tu mourras, l'avertit le fauve.

Le crave pointa les ailes en direction du tigre et laissa jaillir toute sa force destructrice. À son grand étonnement, ses éclairs ricochèrent sur son pelage sans lui faire le moindre mal. Il le bombarda une seconde fois, sans plus de succès.

Azcatchi avait d'abord cru qu'il s'agissait de Napishti, le petit-fils d'Étanna, mais il constata finalement que son énergie n'était pas celle d'un félidé. Il ne savait pas qui était ce nouvel adversaire, mais son instinct lui recommanda de reculer.

— Tu finiras par me le payer ! tonna-t-il en s'envolant.

Le tigre attendit que le crave ait quitté la forêt et s'empressa de se rendre auprès de la panthère qui souffrait terriblement.

— Qui es-tu ? demanda-t-elle en haletant.

— Tenez bon, je vais vous aider.

Le fauve se transforma en un jeune homme aux longs cheveux noirs et aux yeux mordorés. Il appliqua les paumes sur l'épaule de la panthère et se mit à psalmodier une prière dans la langue des Anciens. Anyaguara avait déjà entendu ce dialecte...

— Danalieth ? murmura-t-elle, étonnée.

En transe, son sauveteur poursuivit son travail de guérison sans fléchir, jusqu'à ce que la lésion ait disparu. Enfin délivrée de la douleur, la panthère adopta elle aussi son apparence humaine et ramena ses genoux contre sa poitrine en étudiant le visage du jeune inconnu.

— Qui es-tu ? Où as-tu appris cette magie ?

— Elle m'a été enseignée par mon père.

Malgré son visage sculptural qui lui donnait un air hautain, sa voix était douce comme de la soie.

— C'est une incantation utilisée par les Ghariyals et leurs descendants et, pourtant, tu te métamorphoses en tigre, comme Napishti... Es-tu son fils ?

— Non. Je suis celui d'un Immortel au service de Parandar.

— Danalieth.

— Lui-même.

— Qui est ta mère ?

— Elle se faisait appeler la sorcière de Jade, mais en réalité c'est une déesse d'un panthéon différent.

Anyaguara reçut un grand choc au milieu de la poitrine. Si elle avait été humaine, elle aurait sans doute succombé à un arrêt cardiaque, mais puisqu'elle était une créature divine, elle ne fit que perdre l'usage de la parole pendant de longues minutes.

— Mais elle n'a jamais eu de fils... finit-elle par articuler.

— Grâce aux Fées, mon père a appris à porter lui-même ses enfants.

— Encore aurait-il fallu qu'il ait un contact avec cette sorcière après avoir mis au monde les deux filles de la Reine Calva, protesta Anyaguara.

– Il m'a raconté qu'il l'avait revue lors de la dernière invasion tanieth et qu'un seul regard de sa part avait suffi à me concevoir.

– C'est tout à fait insensé.

– Il serait imprudent de ma part de vous mentir.

La panthère sonda le cœur du jeune homme dont le visage ressemblait à celui de l'Immortel qu'elle avait tant aimé. Il disait la vérité.

– Tu sais qui je suis, n'est-ce pas ?

– Vous êtes Anyaguara, la sorcière de Jade.

– Si tu es mon fils, pourquoi avoir attendu si longtemps avant de me l'annoncer ?

– Ce n'était jamais le bon moment, selon mon père, puis lorsqu'il a dû repartir auprès des dieux, j'ai pu enfin prendre mes propres décisions.

– Où as-tu grandi ?

– Dans la Forêt interdite.

– Comment as-tu fait pour te rendre à Enlilkisar ?

– J'ai trouvé un passage à travers les montagnes. Il ne peut pas être emprunté par les humains, mais un demi-dieu peut très bien s'en tirer. Il aboutit non loin d'un village de guerrières où vous vous êtes arrêtée. De là, je n'ai eu qu'à suivre vos pas.

– Quel nom ton père t'a-t-il donné ?

– Mahito.

– Trésor inespéré, traduisit Anyaguara avec un sourire attendri.

– Qui était cet homme-oiseau ?

– C'est l'un des fils du dieu-condor Lycaon. Ton père t'a-t-il instruit sur la hiérarchie divine ?

Le jeune homme hocha la tête pour indiquer que oui.

– T'a-t-il dit que les trois panthéons se disputent l'affection des habitants d'Enlilkisar depuis des centaines d'années ?

– Il m'a surtout parlé d'Enkidiev.

– Plus agressifs, les dieux-rapaces ont conquis davantage de territoires que les félins et les reptiliens, surtout grâce à Azcatchi qui laisse toujours une impression indélébile sur son passage.

– Mon père m'a dit qu'il existait un traité de tolérance entre les dieux, alors pourquoi cet oiseau a-t-il tenté de vous tuer ?

– Je ne peux prétendre savoir ce qui se passe dans son monde, mais je crois qu'il veut supplanter son père pour ensuite nous faire la guerre.

– Nous pouvons mettre fin tout de suite à ses projets de conquête.

– C'est beaucoup plus compliqué que ça, Mahito. Chaque panthéon est dirigé par une triade, c'est-à-dire trois dieux qui doivent prendre les décisions ensemble. Si Azcatchi parvenait à tuer Lycaon, l'équilibre de l'univers s'en trouverait bouleversé et tout risquerait de disparaître.

– Donc, il ne pourrait jamais régner seul, quoi qu'il fasse.

– C'est exact, mais ni toi ni moi ne possédons l'autorité d'intervenir chez les falconiformes. Seule Étanna peut faire quelque chose et il est de mon devoir de la prévenir. Ton père t'a-t-il déjà fait visiter les mondes célestes?

– Jamais. Il dit que je n'ai pas besoin de recharger mon énergie comme vous, puisque je suis parfaitement adapté à la vie dans le monde des mortels. J'arrive même à me nourrir comme eux.

– Si tu retiens ton souffle suffisamment longtemps, je réussirai à te ramener à Enkidiev en passant par l'Éther.

– Mais je désire rester avec vous et vous accompagner dans votre quête!

– Je ne serais pas une bonne mère si je t'exposais volontairement à ce danger.

– Je sais me défendre!

– Mahito, je dois mettre un terme à mes recherches pour retrouver la Princesse Cornéliane jusqu'à ce que ma mère ait pris une décision au sujet d'Azcatchi. Puisque les dieux ne sont pas aussi pressés que les hommes, je ne veux pas que tu erres inutilement sur ce continent beaucoup plus sauvage que celui où tu as vu le jour. Je t'en prie, fais ce que je te dis, afin que mon esprit soit en paix.

Profondément déçu, le jeune homme baissa la tête.

– Je te promets toutefois de retourner te chercher si Étanna décide de lancer les félidés dans la mêlée.

– C'est vrai ? s'exclama le tigre en reprenant espoir.

– Je t'en donne ma parole.

Mahito lui tendit les mains avec confiance. Anyaguara les prit dans les siennes et ils s'évaporèrent d'un seul coup.

20

VENEFICA

Après la curieuse guérison qu'il avait opérée sur Shvara, Wellan avait dû se reposer pour refaire ses forces. Il ne comprenait pas ce qui s'était passé, mais les paroles du busard continuaient de résonner dans sa tête : « Seul un dieu peut en guérir un autre » et « Je sens un dieu-félin en toi ». Comment Wellan aurait-il pu faire partie d'un autre panthéon que celui de sa mère ? Myrialuna était d'ascendance félidée, pas Kira.

Lorsqu'il s'en sentit capable, il s'isola dans la bibliothèque afin d'entreprendre ce qui pourrait bien devenir l'œuvre de sa vie, quoiqu'il n'avait que quinze ans. Il se procura plusieurs feuilles de papyrus, un encrier bien plein et quelques plumes, puis fit apparaître devant lui, sous forme d'hologramme, l'une des faces de l'obélisque qu'il avait découvert dans le Désert.

Il recopia d'abord le texte écrit dans la langue moderne, puis celui en Enkiev. Il allait s'attaquer au Venefica lorsqu'il ressentit la soudaine terreur de Lazuli. L'image en trois dimensions disparut en même temps que Wellan. Utilisant son vortex personnel, Wellan se matérialisa au rez-de-chaussée de la tour d'Armène, mais son frère cadet ne s'y trouvait pas.

— Lazuli ! appela-t-il.

Il sentit sa présence à l'étage des chambres, grimpa l'escalier à toute vitesse et s'arrêta net devant le curieux spectacle qui l'attendait. Armène et ses trois protégés oiseaux observaient avec stupéfaction un homme couvert de sang qui gisait sur le lit.

– Que lui est-il arrivé ? demanda Wellan.

– Je n'en sais rien ! s'exclama Lazuli. Il est apparu comme ça !

Se laissant guider par son ancien entraînement sur le champ de bataille, Wellan alluma ses paumes et chercha la blessure d'où s'échappait tout ce sang.

– Il est blessé à la gorge, découvrit-il.

Il s'empressa de refermer les plaies. Pour lui venir en aide, Armène alla chercher des compresses et un grand bol d'eau. Une fois le traitement magique terminé, l'adolescent retira ses mains et nettoya le cou et la poitrine de l'étranger. C'est alors qu'il reconnut ses traits.

– Sage ?

Il darda aussitôt son regard dans celui de son petit frère.

– Tu sais bien que ce n'est pas moi qui lui ai fait ça ! se défendit Lazuli.

– Pourquoi est-il ici ?

– J'étais en train de méditer quand il est apparu !

– Est-ce que tu pensais à lui ?

– Pourquoi faut-il toujours que tout soit de ma faute ?

– Arrêtez de vous quereller les garçons, les avertit Armène. Les phénomènes qui se produisent dans ce château n'ont pas nécessairement d'explications.

– Cette tour est protégée par la magie d'un Immortel, lui rappela Wellan sur un ton sentencieux. Théoriquement, Sage n'aurait pas dû apparaître ici.

– Ce n'est peut-être pas lui, suggéra Aurélys.

L'épervier se mit à tousser violemment, puis se redressa brusquement. Il regarda autour de lui, les yeux exorbités. En constatant qu'il ne se trouvait plus dans le monde des dieux, il se calma aussitôt.

– Qui t'a fait ça ? demanda Wellan qui avait été très proche de cet homme autrefois.

– Azcatchi...

– Décidément, on n'entend plus que son nom par ici, grommela Cyndelle.

– Il veut tuer tous les dieux...

Sparwari aperçut son fils agenouillé près de lui, sur le matelas. Il le saisit par les bras et le ramena contre sa poitrine, heureux de le voir en vie.

— Vous serez en danger tant que le crave n'aura pas été neutralisé, les informa l'ancien mari de Kira. Je dois repartir et prévenir Lycaon des agissements de son fils.

Sparwari tenta de se transformer en rapace, en vain.

— Essayons dehors, proposa Wellan.

Le dieu-épervier suivit l'adolescent dans la cour. À son grand soulagement, il se métamorphosa sans la moindre difficulté et fila vers le ciel.

— Je voulais qu'il reste pour me parler ! gémit Lazuli qui avait suivi son frère dehors.

— Retourne immédiatement dans la tour, ordonna Wellan.

— J'en ai assez d'être enfermé !

— Tu as pourtant entendu ce que Sage a dit : vous êtes en danger.

— Mais on nous dit ça tous les jours !

— Lazuli, ne me pousse pas à bout.

— C'est facile de faire des menaces quand on est libre comme l'air !

Wellan ne fit qu'un pas en direction de Lazuli. Ce dernier tourna les talons et disparut à l'intérieur du bâtiment. L'adolescent attendit un moment, pour voir si son étourdi de frère allait tenter d'échapper une fois de plus à la surveillance d'Armène. Constatant qu'il avait pris son avertissement au sérieux, Wellan retourna à la bibliothèque. Au lieu de faire apparaître l'hologramme de la pierre de Taher, il se mit à réfléchir à ce qui venait de se passer.

— J'ai encore guéri un dieu... s'étonna-t-il. Mais comment est-ce possible ? Je n'ai pourtant qu'une fraction du sang de Kira dans les veines. Theandras y serait-elle pour quelque chose ?

Personne ne pouvant répondre à ces questions, le jeune érudit décida de se remettre à l'étude des symboles sur la stèle. Toute la journée, il copia religieusement chaque lettre, si c'en était, car certaines langues utilisaient des idéogrammes pour véhiculer leurs messages. Lorsqu'il commença à ne plus rien distinguer sur sa feuille, il constata avec étonnement que le soleil se couchait. Il alluma aussitôt les cierges autour de lui et vit son père arriver, un plateau sur les bras.

— Ta mère, étant persuadée que tu ne voudras pas quitter la bibliothèque, m'a demandé de t'y apporter ton repas.

— Mon estomac me torture en effet depuis quelques minutes.

Lassa se tira une chaise près de la table et observa l'hologramme pendant que son fils mordait dans le pain chaud.

— Comment fais-tu pour maintenir cette reproduction lumineuse tout en faisant autre chose ? s'informa le père.

Wellan se contenta de hausser les épaules. Depuis qu'il avait acquis ce nouveau corps, il détenait de façon toute naturelle des pouvoirs dont il n'avait pu que rêver durant sa première vie.

— As-tu commencé à déchiffrer ces symboles ?

— C'est ma prochaine étape. Élund nous a jadis enseigné la méthode à suivre pour décoder les langues inconnues. Heureusement, je me souviens encore de ses leçons. Puisque je possède deux traductions du message, je devrais être en mesure de décrypter le Venefica assez facilement.

— Je suis bien content que les dieux nous fassent parfois cadeau de brillants érudits comme toi.

« Encore les dieux », se désespéra intérieurement Wellan, qui les avait enfin enfouis au fond de sa mémoire.

— Mange tout, l'avertit Lassa. Je reviendrai chercher le plateau plus tard.

« Il ne m'a pas parlé de l'incident de Lazuli », s'étonna l'adolescent. « Peut-être n'est-il pas encore au courant... » Wellan secoua la tête pour se libérer de toutes distractions. Il plaça les trois textes côte à côte sur la table et mangea en les examinant. Il se mit aussitôt à relever les similitudes entre eux et abandonna la nourriture pour les transcrire en deux colonnes. Dans l'une, il inscrivait la lettre dans la langue moderne et dans l'autre l'équivalent en Venefica.

Lorsque Lassa revint, quelques heures plus tard, Wellan avait terminé le décodage. Il n'avait plus qu'à mettre son alphabet à l'épreuve dans un livre ancien. Toutefois, ses paupières étaient de plus en plus lourdes, alors son père le ramena à leurs appartements en même temps que les restes de son repas.

– Essaie de dormir un peu, recommanda Lassa à son aîné.

Malgré toutes ses bonnes intentions, Wellan ne put résister à l'envie d'ouvrir un des ouvrages qu'il gardait sous son lit. Grâce aux correspondances qu'il avait établies, il parvint à traduire assez facilement le premier paragraphe. Il s'agissait d'une petite introduction de l'auteur, annonçant qu'il avait reçu en main propre d'Abussos les informations que contenait le livre et qu'il n'avait aucun doute quant à leur véracité. «Celui qui l'a écrit était-il Sholien?» se demanda Wellan, car ceux-ci pouvaient jadis parler directement aux dieux. Ce fut suffisant pour persuader le jeune érudit de poursuivre le déchiffrement du deuxième paragraphe. Lorsqu'il eut fini de transcrire toutes les lettres une à une, il relut ce qu'il venait d'écrire à voix basse, afin de ne pas réveiller les dormeurs du logis.

– Abussos et Lessien Idril sont les essences fondamentales de l'univers. En se rencontrant, ils ont créé l'univers à partir du néant. Mais ce n'était pas leur rôle de rassembler les nouvelles particules qui flottaient autour d'eux pour en faire des mondes habitables. Ils conçurent donc à cet effet un premier enfant qui, de ses mains, façonna un soleil, puis les planètes qui se mirent à tourner tout autour. Ce ne fut toutefois pas lui qui y ensemença la vie, car il lui manquait un pendant opposé. Lorsqu'ils virent que leur fils unique ne fabriquait que des mondes stériles, les dieux-fondateurs engendrèrent les jumeaux, Aufaniae et Aiapaec. Puisqu'ils étaient la parfaite contrepartie l'un de l'autre, ils créèrent à leur tour des milliers de planètes où la vie pouvait se développer.

« Ils ont eu un autre enfant avant ces deux-là ? » s'étonna Wellan. Sa curiosité étant piquée, il n'allait plus être capable de s'arrêter avant de tomber de fatigue. Il déchiffra rapidement les troisième et quatrième paragraphes, allant de surprise en surprise.

– Aufaniae et Aiapaec étaient si préoccupés à transformer la poussière d'étoile en mondes habitables qu'ils ne pensèrent pas à imaginer les formes de vie qui pourraient les habiter. Ce furent leurs enfants qui amorcèrent cette initiative. Tandis que leur aîné, Parandar, faisait apparaître les premiers humains, son frère Akuretari, qui n'avait pas son talent, ne parvint qu'à produire des créatures difformes. Parandar et sa sœur Theandras furent contraints de punir la démarche irréfléchie d'Akuretari en l'exilant dans un gouffre sans fond, mais ses créations avaient déjà commencé à se multiplier, parfois même sur la planète où Parandar avait déjà été de passage. Ce qui peina surtout les dieux-fondateurs, c'est qu'en agissant ainsi, Akuretari avait provoqué la division des dragons dorés en deux races qui ne pourraient plus jamais se réconcilier. Ceux qui devinrent aussi noirs que la nuit s'avérèrent hargneux et meurtriers, tandis que ceux dont les écailles avaient blanchi et s'étaient ramollies jusqu'à se transformer en pelage résistant aux intempéries, affichèrent plutôt un tempérament docile.

« C'est la véritable histoire du monde ! » se réjouit Wellan. Dès qu'il aurait terminé la traduction de cet ouvrage, il la ferait copier en plusieurs exemplaires afin que tous les royaumes d'Enkidiev puissent la connaître ! Malgré sa grande fatigue, il décida tout de même de transcrire un dernier chapitre avant de s'accorder quelques heures de repos bien mérité.

– Lorsque Lazuli, le fils aîné des dieux-fondateurs, se rendit compte que la vie foisonnait à Enkidiev, il demanda à ses parents de lui permettre de s'y incarner pour mieux comprendre l'évolution de l'homme. D'abord réticents, Abussos et Lessien Idril utilisèrent la foudre pour faire entrer son âme dans le corps d'un enfant qui venait tout juste de naître dans une tribu de guérisseurs.

« Ce Lazuli est-il mon père ? » se questionna Wellan, troublé. Il se hâta de transcrire le reste du texte.

– Lazuli n'était pas comme les autres Enkievs. Contrairement à Aufaniae et Aiapaec, qui étaient le complément l'un de l'autre, il manquait à Lazuli sa contrepartie. Il la chercha donc jusqu'à ce qu'il atteigne l'âge adulte des humains et la trouva curieusement dans une femme à la peau violette.

« Les choses se seraient-elles passées de cette façon si nous avions su tout ceci dès le début ? » songea l'adolescent. Incapable de s'arrêter, il poursuivit son travail jusqu'au lever du soleil et traîna finalement les pieds jusqu'à la salle à manger. Lassa étant parti avec Kaliska pour aller chercher Marek afin de les conduire tous les deux à leurs cours, Kira avalait tranquillement ses brioches matinales tandis que les jumeaux dormaient dans leurs berceaux, de chaque côté d'elle.

— Tu as une mine affreuse, mon chéri, s'affligea la Sholienne.

— Lorsque tu as été emprisonnée dans le passé, le Lazuli que tu as rencontré t'a-t-il paru un peu bizarre ? s'enquit Wellan.

— Ça dépend de ce que tu entends par « bizarre ».

— De plus grands pouvoirs que les nôtres, par exemple.

— Il possédait en effet un grand potentiel magique, mais il avait toujours peur de s'en servir. Pourquoi me demandes-tu ça maintenant ?

— J'ai fait d'étonnantes découvertes hier soir.

— En d'autres mots, tu n'as pas dormi du tout.

— C'était trop important.

— Qu'as-tu fait, au juste ?

— J'ai réussi à déchiffrer l'alphabet Venefica et j'ai commencé à traduire un des livres que j'ai retirés de la bibliothèque. On y parle de toi et de Lazuli.

— Un chroniqueur aurait donc eu vent de ma présence à Enkidiev il y a des milliers d'années ?

— À mon avis, il s'agit plutôt d'un des anciens mages de Shola qui l'a écrit à l'époque où les dieux parlaient aux hommes sans intermédiaire. Dans cet ouvrage, il raconte la création de notre monde.

— Et j'en fais partie ?

Wellan hocha positivement la tête.

— En un mot, continua-t-il, Aufaniae et Aiapaec ne sont pas les premiers enfants des dieux-fondateurs. Ils ont d'abord eu un fils qui s'appelait Lazuli.

— Ce ne peut pas être le même. Celui que j'ai connu était en chair et en os.

— Apparemment, ce Lazuli a longtemps cherché son pendant féminin et l'a finalement trouvé en la personne d'une femme violette qui s'appelait Kira. Lorsqu'elle est morte, il a été plongé dans une tristesse intense dont il ne s'est jamais remis.

— Mais il ne se comportait pas comme un dieu... réussit à articuler Kira, estomaquée.

— Néanmoins, je crois que c'était bel et bien le fils d'Abussos.

— Ce qui fait de toi son petit-fils...

— C'est cette révélation qui m'a empêché de trouver le sommeil la nuit dernière.

— Tu étais donc de sang royal durant ta première incarnation et, maintenant, tu as du sang divin.

— Par toi et par mon père. Ça ne peut signifier qu'une chose : une grande destinée m'attend.

— Un peu de modestie, Wellan. Je suis la fille d'une déesse et je lave des couches comme toutes les autres mamans.

— Mais tu aurais pu aussi choisir une vie fort différente.

— Je ne suis pas certaine de bien comprendre ce que tu essaies de me dire, jeune homme.

— Quand j'étais enfant, tout ce que je désirais, c'était une vie normale. Mais maintenant...

— Maintenant que tu es un dieu, tu veux absolument aller risquer ta vie quelque part, c'est bien ça?

— Je préférerais vivre aussi longtemps que possible, mais en réalisant une grande œuvre, comme traduire tous les livres en Venefica qui me tomberont sous la main.

— C'est déjà plus raisonnable. As-tu appris autre chose en traduisant ce livre?

— Oh que oui, mais je ne suis pas sûre que tu sois prête à l'entendre.

— C'est à moi de le décider, pas à toi.

— Ne veux-tu pas prendre le temps d'assimiler ces premières informations?

— Avec deux bébés naissants, on profite de leur sommeil pour s'adonner à des activités intellectuelles. Allez, dis-moi tout ce que tu sais.

– Bon, d'accord. Après Lazuli, Aufaniae et Aiapaec, les dieux-fondateurs ont décidé d'engendrer quatre autres enfants sans n'en parler à personne. Ils voulaient ainsi obtenir un point de vue neutre de ce qui se passait vraiment dans notre monde, car ils n'avaient pas confiance en leurs petits-enfants qui, déjà petits, se chamaillaient tout le temps.

– Qui sont ces quatre dieux ?

– Ça va te causer tout un choc, Kira.

– Je souhaiterais vraiment que tu cesses de m'épargner, jeune homme.

– Sache d'abord qu'Abussos et Lessien Idril n'ont pas donné naissance eux-mêmes à leurs derniers héritiers. Ensemble, ils ont fabriqué l'âme de ces enfants au cœur de la foudre qu'ils ont lancée dans un monde habité au moment où naissait un bébé.

– Jusque-là, tout va bien. Continue.

– Un premier éclair est tombé au sud du Royaume d'Émeraude. Les parents de ce bébé l'ont appelé Onyx.

Kira laissa tomber sa cuillère sur la table, stupéfaite.

– Théoriquement, il est ton beau-frère, poursuivit Wellan.

– Onyx ? répéta la Sholienne, incrédule.

– Il n'est pas le descendant du Lazuli que tu as rencontré dans le passé : il est son frère.

– Mais il n'a absolument rien en commun avec lui !

– Ce n'est pas parce qu'on a les mêmes parents qu'on doit forcément être semblables.

– Je réfléchirai à ça plus tard. Dis-m'en plus, Wellan.

– Tout ce qui existe dans l'univers est soumis à la loi de la dualité. Or, après avoir conçu Onyx, les dieux-fondateurs ont dû créer son pendant. Cet éclair-là est tombé à Zénor.

– Pas Lassa... s'étrangla Kira.

– Pourquoi crois-tu qu'il avait en lui toute la lumière de l'univers ?

– Alors qu'Onyx...

– Je ne suis pas prêt à dire qu'il renferme autant d'obscurité, car j'ai eu le temps de bien le connaître. Je pense qu'il est plutôt démesurément ambitieux, alors que Lassa est immensément généreux.

– Je me demande si je veux vraiment connaître l'identité des deux derniers enfants...

– L'un d'entre eux fait partie de notre famille.

Kira se cacha le visage dans les mains.

– Les dieux-fondateurs ont visé le Royaume de Fal, mais une violente tempête l'a dévié de l'autre côté des volcans, dans le corps d'un bébé fille qui est rapidement devenue une anomalie parmi son peuple. Personne n'est venue la chercher pour la ramener dans la bonne famille. Elle n'a donc développé que quelques-uns de ses dons, au grand désarroi du reste de sa tribu.

— Ton livre mentionne-t-il son nom ?

— Ses parents l'ont appelée Napalhuaca.

La Sholienne avait rencontré cette princesse guerrière lors de son dernier voyage au nouveau monde !

— Drôle de coïncidence, n'est-ce pas ? ajouta Wellan.

— Tous ces gens ont gravité autour de moi, constata Kira. Qui est le pendant de cette femme ?

— Une déesse douce comme de la soie, qui déteste la guerre et les armes et qui ne pense qu'à guérir tout le monde.

— Et qui fait partie de notre famille... Kaliska ?

— En plein dans le mille.

Kira demeura silencieuse un long moment. Heureusement, les jumeaux dormaient toujours profondément.

— Comment puis-je être la contrepartie de Lazuli si je ne suis pas la fille des dieux-fondateurs ? demanda-t-elle en fronçant les sourcils.

– Tu étais son parfait contraire, même si tu as été conçue par Fan de Shola.

– Personne n'était au courant de tout ça ?

– Seulement les anciens Sholiens.

– Mais nous étions incapables de lire leurs chroniques, parce qu'elles étaient écrites dans une langue que nous avions tous oubliée...

Kira soupira avec résignation.

– Je pense que tu as raison, Wellan. Tes traductions passeront sûrement à l'histoire et elles m'empêcheront de dormir, moi aussi.

– Si on applique ce que j'ai appris la nuit dernière à notre famille, je suis le petit-fils d'Abussos, mais j'ignore à quel panthéon j'appartiens ou si je me transformerai un jour en animal. Nous savons déjà que Lazuli est le fils d'un dieu-oiseau. Kaliska est, quant à elle, la fille d'Abussos, donc, ma tante. Et Marek est le fils du dieu-félin Solis.

– Mais Maélys et Kylian sont les enfants de Lassa, s'empressa d'ajouter Kira.

– Donc, les petits-enfants d'Abussos, eux aussi, puisque Lassa est son fils.

– Ma tête va éclater...

– Moi, ce sont mes yeux... Je vais aller dormir quelques heures.

Wellan retourna dans le couloir, laissant sa mère dans un grand accablement moral. Lorsque Lassa revint dans leurs appartements, Kira s'abrita entre ses bras.

– Tu ne devineras jamais ce que je vais t'apprendre, murmura-t-elle.

21

LE RETOUR

Appuyé à la fenêtre de la maison qu'il avait déplacée de Byblos jusqu'à la plage d'Agénor qui faisait face à l'île de Pélécar, Onyx regardait tomber la pluie depuis quelques heures. Il avait offert un premier repas à ses amis, mais n'avait pas pris une seule bouchée lui-même. Au bout d'un moment, Hadrian vint s'installer près de lui.

– Comment comptes-tu retrouver sa trace, maintenant ? demanda-t-il.

– Je n'en sais rien. Habituellement, je suis capable de repérer tous ceux que je cherche, mais cette fois, des forces surnaturelles me font tourner en rond.

– Azcatchi.

– C'est ce que je pense.

– Nous pourrions passer tous les territoires d'Enlilkisar au peigne fin, ce qui prendrait des années, ou nous pouvons demander aux dieux de nous venir en aide.

Un grognement de déplaisir fut l'unique réponse d'Onyx.

– Je sais que tu ne les aimes pas, mais ils ont une vue d'ensemble que nous ne possédons pas, malgré tous les pouvoirs que nous avons conservés. Je crois sincèrement que celle qui peut nous aider désormais est Kira.

– Allez-vous-en. Je vais continuer seul.

– Onyx...

– C'est ma fille et ma quête.

L'indomptable Roi d'Émeraude quitta la maison et se mit à marcher vers le nord sur la plage, sous une pluie torrentielle.

– Il a raison, l'appuya Napalhuaca. C'est son devoir de père.

– On n'abandonne pas ses amis ainsi, protesta Hadrian.

– Même lorsqu'on sait que leurs efforts sont vains ? demanda Jenifael.

– Surtout quand ils s'entêtent et qu'ils ont tort.

– Rentrez chez vous, leur recommanda la Mixilzin. J'irai avec lui, car je connais mieux les dangers de ce monde que lui.

– Pour être bien franche, j'ai autre chose à faire, ajouta Jenifael. Onyx obtient constamment ce qu'il veut et il le fait toujours sans l'appui de personne depuis plus de cinq cents ans. Respectons donc sa volonté.

– S'il est vraiment un roi dans votre pays, vous ne devriez même pas discuter ses ordres, leur rappela Aydine.

Hadrian avait plus de mal qu'elles à lâcher prise, car Onyx ne l'avait jamais laissé tomber jadis. Toutefois, cette mission risquait de durer de longs mois et de mal se terminer. Il ne voulait surtout pas que son vieil ami fasse des bêtises. *Onyx ?* l'appela-t-il. *Je vous ai dit de partir,* rétorqua le renégat.

– S'il a décidé de continuer seul, il ne fera preuve d'aucune gentillesse envers nous, fit remarquer Jenifael, et moi, la brusquerie, ça ne me rend pas très coopérative.

– C'est bon, j'ai compris, obtempéra Hadrian.

Il remit à Napalhuaca la carte d'Enlilkisar qu'il avait précieusement gardée sur lui. La Mixilzin le remercia et sortit sous la pluie pendant que l'ancien souverain prenait la main de sa future épouse. Instinctivement, celle-ci mit la sienne sur l'épaule d'Aydine, l'entraînant elle aussi dans le vortex.

Napalhuaca rattrapa Onyx qui marchait d'un bon pas malgré les rafales de pluie. Profondément perdu dans ses pensées, il ne remarqua pas tout de suite sa présence. Elle le suivit en respectant son besoin de méditer jusqu'à ce qu'il s'arrête sous le couvert des larges feuilles d'un arbre.

– Pourquoi n'es-tu pas rentrée chez toi ? maugréa Onyx en se tournant vers elle.

– C'est très loin.

— Je vais aller te reconduire.

— Non.

— Si tu restes avec moi dans l'espoir de me séduire, tu perds ton temps.

— Tout ce que je désire, c'est réunir un père et sa fille.

— Tu ne la connais même pas.

— Mais je sais qu'elle est importante pour toi. Ta tête a été mise à prix par les Agéniens. Tu auras besoin que quelqu'un protège tes arrières.

Elle lui remit la carte que lui avait donnée Hadrian.

— Chasser sans partenaire est souvent profitable, mais la solitude finit toujours par nous peser, ajouta Napalhuaca.

— Je n'ai jamais souffert de ça.

— Et puis, il faudra bien que quelqu'un te soigne si tu te changes encore en loup.

— Je suis capable de le faire moi-même.

— Pourquoi refuses-tu constamment l'aide des autres ?

— Je ne veux rien leur devoir.

— Seuls les gens qui ont beaucoup souffert agissent comme tu le fais.

— La dernière chose que je veux, c'est d'un compagnon de route qui me fasse sans cesse la morale.

— J'essaie seulement de comprendre ton cœur.

— C'est de ma fille qu'il s'agit ici et non de moi.

Onyx enfouit la carte à l'intérieur de sa nouvelle cuirasse ipocane et poursuivit sa route. Napalhuaca le suivit en silence, sans jamais se plaindre une seule fois. Ils parcoururent plusieurs lieues avant que l'orage finisse par passer et s'arrêtèrent finalement dans une clairière. Trempé jusqu'aux os, le Roi d'Émeraude se mit à grelotter.

— Nous devons construire un abri pour la nuit, suggéra Napalhuaca.

— J'ai une bien meilleure idée.

Onyx parcourut mentalement la région. Aussitôt, une cabane aussi haute qu'un homme apparut dans la clairière. Elle était faite de tiges de bois reliées par des lianes et recouverte d'écorce. Napalhuaca y entra et constata qu'elle était suffisamment spacieuse pour accueillir quatre personnes.

— Comment fais-tu pour fabriquer des maisons si rapidement ? s'étonna la Mixilzin.

— Je ne les construis pas. Je les emprunte à ceux qui les ont bâties.

— Mais comment ?

Onyx s'installa sur une peau tendue entre les poteaux et alluma un feu magique au milieu du gîte.

– Je laisse mon esprit quitter mon corps et observer ce qui se trouve au-delà de l'endroit où je suis. Une fois que j'ai trouvé ce que je voulais, je lui commande de suivre mon esprit jusqu'à moi.

– C'est difficile à imaginer.

– La méditation profonde nous permet d'accomplir bien des miracles.

– Montre-moi.

Le renégat lui expliqua sa technique de respiration profonde et lui suggéra d'aller d'abord voir ce qui se trouvait à l'extérieur de la cabane avec ses yeux intérieurs, puis d'aller vérifier physiquement si ces images étaient exactes.

– La première condition pour réussir, c'est d'avoir une confiance absolue en ses facultés, ajouta-t-il.

Napalhuaca passa donc la soirée à s'exercer. Onyx la regarda se concentrer, puis bondir dehors plusieurs fois avant que son visage s'illumine de joie.

– J'y suis arrivée ! déclara-t-elle.

– Bravo. Maintenant, on dort, répliqua-t-il platement.

Il se recroquevilla dans son petit hamac et ferma les yeux. Napalhuaca tenta encore une fois de sortir de son enveloppe corporelle pour aller explorer la région et se rendit jusqu'au grand fleuve Sirioldeb qui s'enfonçait dans les terres des Ressakans. Revenant trop brusquement de son escapade, elle tomba à la renverse, le souffle coupé. Onyx n'ouvrit qu'un œil, évalua la situation et se rendormit. «Lui, il peut pousser son exploration aussi loin que chez les Mixilzins sans même que cela paraisse sur son visage», songea Napalhuaca, fascinée.

Au matin, elle fut réveillée par l'odeur alléchante de la nourriture chaude. Onyx leur avait déjà procuré de la viande et du pain qu'il avait une fois de plus pris chez les Agéniens.

— J'ai fait un rêve étrange, déclara la guerrière entre deux bouchées.

— Qui concernait ma fille?

— Oui. Je l'ai vue dans une grande salle où il n'y avait que des femmes. Elle ne semblait pas souffrante, mais elle était triste.

— Où se situe cet endroit?

— Je ne maîtrise pas suffisamment mon esprit pour lui ordonner de chercher plus loin.

— Dans ce cas, je me fierai à mon instinct.

Onyx fit disparaître ce qui restait de la nourriture et quitta la cabane. Napalhuaca le suivit en se demandant s'il était aussi abrupt avec tout le monde. Ils marchèrent pendant des heures et ne s'arrêtèrent que pour se désaltérer dans une petite source.

— Je suis incapable de repérer l'énergie de Cornéliane, mais j'en ressens une très bizarre autour de nous depuis quelque temps, laissa tomber Onyx.

Tayaress faisait pourtant attention de ne pas révéler sa présence. Il lui était toutefois bien difficile de berner un sorcier aussi puissant que le fils d'Abussos.

— Amie ou ennemie ? demanda Napalhuaca.

— Ce n'est pas menaçant. J'ai plutôt l'impression qu'on épie tous mes mouvements.

— Des Agéniens ?

— Non. Je dirais plutôt un magicien ou un sorcier. Peut-être même un Immortel. Continuons.

Le duo se fraya un chemin entre les arbres jusqu'à ce qu'il arrive devant un très large cours d'eau où naviguaient de nombreuses birèmes.

— Nous ne sommes pas encore à Ressakan, se découragea le renégat. C'est la rivière que nous avons empruntée pour nous rendre à Byblos.

Il piqua vers l'est, en direction de l'océan et flaira une piste.

— Elle est passée par ici, se réjouit-il.

— Comment allons-nous traverser de l'autre côté ?

— Si je ne portais pas cette armure, je le ferais à la nage.

Onyx se retourna brusquement et vit disparaître une ombre dans la forêt. Il lança ses sens invisibles à la recherche de celui ou celle qui le traquait et éprouva une curieuse sensation au milieu de son corps, comme s'il connaissait cette personne. Au lieu de se concentrer sur la trace de sa fille, il fonça entre les arbres pour en avoir le cœur net. Napalhuaca comprit aussitôt ce qu'il faisait. Elle le suivit donc en courant, mais pas dans ses pas. Ils auraient une meilleure chance de capturer le magicien ou le sorcier si elle laissait une certaine distance entre Onyx et elle.

Lorsqu'il vit la silhouette fuyante grimper à un gros arbre, le renégat se demanda s'il n'avait pas tout simplement affaire à un prédateur. N'ayant aucune intention de le suivre là-haut, il laissa plutôt partir un rayon de lumière entre les branches pour mieux discerner les traits de son poursuivant. Il ne vit que les pans de son costume voler au vent tandis qu'il sautait d'arbre en arbre.

— Qui êtes-vous ? hurla Onyx, furieux.

— C'est un Immortel, répondit une voix d'homme, derrière lui.

Le renégat fit volte-face en allumant ses paumes. Au même moment, Napalhuaca surgit de la végétation, un couteau à la main.

— Je ne vous veux aucun mal, affirma l'étranger.

– Dites-moi qui vous êtes et pourquoi vous me traquez, ordonna Onyx.

– Sachez tout d'abord que ce n'est pas moi qui vous talonne, mais un serviteur d'Abussos qui a reçu l'ordre de surveiller tous vos gestes.

– Pourquoi?

– Pour vous empêcher de faire des bêtises, évidemment.

Du haut de son perchoir, Tayaress se demanda s'il devait intervenir pour faire taire cet imbécile de félidé.

– Je suis Solis, poursuivit l'homme blond.

– Celui que les Itzamans adorent?

– C'est un vieux malentendu qui n'a jamais été réglé à cause d'Azcatchi. C'est justement de lui que je suis venu vous parler.

– Êtes-vous son messager?

– Surtout pas. Nos panthéons sont en guerre, et l'enlèvement de la Princesse d'Émeraude est en partie responsable de cet état de fait. Je suis un dieu-félin, tout comme Cornéliane. En fait, je suis son véritable père.

Onyx sentit le sang bouillir dans ses veines. Solis avait emprunté son apparence pour séduire Swan, mais cette enfant, c'était lui qui l'avait élevée.

— Vous n'avez aucun droit sur elle, l'avertit le souverain de plus en plus fâché.

— Je ne suis pas ici pour vous disputer la petite, affirma Solis. Je désire plutôt vous demander de cesser vos recherches.

— Voyez-vous ça...

— J'ai réussi à la mettre hors de portée du dieu-crave et, par conséquent, de celle de tous ceux qui tenteront de la retrouver. Nous ne pourrions pas empêcher Azcatchi de s'emparer d'elle autrement. Elle seule pourra le repousser, mais elle n'a pas encore suffisamment de puissance. Je l'ai confiée à quelqu'un qui la rendra plus forte.

— Je suis parfaitement capable de le faire moi-même.

— Pour élever un enfant convenablement, on ne doit pas céder à tous ses caprices. Il y a un juste milieu à respecter que vous avez été jusqu'à présent incapable d'atteindre.

— C'est facile à dire quand on fait des enfants et qu'on laisse les autres les élever.

— Je ne prétends pas être plus adroit que vous en la matière. Si j'ai dû me contenter de les regarder grandir de loin, je n'en éprouve pas moins une grande affection pour eux et je ne veux pas les voir périr entre les mains d'un fou furieux comme Azcatchi. Je vous en conjure, cessez vos recherches, sinon il la reprendra.

— J'ai besoin de la revoir.

— Je vous promets de la ramener chez vous dès qu'elle sera en mesure de se défendre.

— Que vaut votre parole ?

— Pas grand-chose à vos yeux, j'en conviens, mais vous êtes un homme intelligent. Si vous aimez vraiment Cornéliane, vous renoncerez à votre quête.

Solis s'évapora dans un nuage de petites étincelles dorées. Onyx leva les yeux vers la cime des arbres en regrettant de ne plus posséder la griffe de toute-puissance.

— Peut-on lui faire confiance ? demanda Napalhuaca.

— Je n'en sais rien, mais je n'ai pas vraiment le choix.

— Il est peut-être plus important de protéger ceux qui restent que celle qui nous échappe.

— Je n'ai pas besoin qu'on me fasse la morale.

Onyx marcha entre les énormes troncs en gardant les yeux rivés vers les hautes branches.

— Avant de partir, j'aimerais bien savoir qui me traque, par contre.

Il s'immobilisa et plaça ses mains sur ses hanches.

— Aurez-vous, comme Solis, le courage de me révéler qui vous êtes ? s'exclama-t-il.

— Mon nom ne vous dira rien, lui parvint une voix masculine.

— Pourquoi me suivez-vous ?

— J'obéis à des ordres.

— De qui proviennent-ils ?

— Il ne m'est pas permis de vous le révéler, mais ils m'ont demandé de vous surveiller afin que vous ne déclenchiez pas une guerre indue entre les panthéons. Si vous rentrer à Émeraude, je cesserai de vous garder à vue.

— Dites à vos maîtres que je déteste ce type de surveillance.

Le renégat retourna vers Napalhuaca et mit sa main sur la sienne. Ils disparurent et se matérialisèrent instantanément au milieu de la place centrale de son village Mixilzin.

— Maman ! s'écria Ayarcoutec.

Elle se précipita dans les bras de la guerrière, qui parsema son visage de baisers.

— Ne la perds pas de vue, conseilla Onyx.

— Attends, ne pars pas ! réclama Napalhuaca.

Dans un geste d'impatience, le Roi d'Émeraude se croisa les bras.

– Reviendras-tu nous rendre visite ?

– Je l'ignore.

– J'aimerais te revoir dans des circonstances plus amicales qu'à ta dernière visite.

– Je ne peux rien te promettre.

– Je t'attendrai.

Ne sachant plus quoi lui dire, Onyx choisit cet instant précis pour s'en aller. Il réapparut au milieu de la grande cour de son château en faisant sursauter les paysans qui apportaient des aliments aux cuisines. Sans se préoccuper d'eux, le souverain se dirigea vers son palais. Il ne fit que deux pas et s'immobilisa en levant le regard sur la pierre opalescente enchâssée dans la balustrade de son balcon personnel.

– Mais qu'est-ce que c'est que ça ?

– Le roi est de retour ! hurla alors une des sentinelles postées sur la passerelle au-dessus du pont-levis.

Onyx grimpa en vitesse les volées de marches des trois escaliers. Il entra chez lui et se dirigea tout droit au balcon. Curieusement attiré par la pierre précieuse, il se pencha pour l'examiner de plus près.

– Bonjour à toi aussi, fit Swan en arrivant derrière lui.

– Qui a ordonné ce travail ?

— Personne. Les Sholiens nous en ont fait cadeau pour éloigner les dieux-oiseaux du château.

Il pivota pour lui faire face.

— Lycaon nous a rendu visite en ton absence, ajouta-t-elle.

Sans lui donner le temps de poursuivre son interrogatoire, Swan se faufila entre ses bras et l'embrassa avec passion. Onyx se laissa d'abord gagner par le baiser, puis la repoussa doucement.

— Les Sholiens ? s'étonna-t-il.

— Nous savons maintenant où Hawke était passé. C'est lui qui a placé la pierre à cet endroit. Il a ranimé le culte d'Abussos à Enkidiev et également fait construire un sanctuaire pour les abriter.

— Depuis combien de temps suis-je parti ?

— J'ai arrêté de compter les jours. As-tu trouvé Cornéliane ?

— Oui et non.

Il la contourna et entra dans la chambre pour se défaire de la cuirasse ipocane. Swan le suivit en ramassant les morceaux pour les déposer dans le panier où les serviteurs les prendraient pour les nettoyer.

— Pourrais-tu être plus clair ? exigea-t-elle.

— J'ai trouvé sa trace, puis je l'ai perdue et, ensuite, un dieu-félin m'a dit de rentrer chez moi parce que je ne la retrouverais pas. Comme si je ne savais pas comment protéger ma fille.

— Dois-je te rappeler que nous étions ici tous les deux lorsqu'il l'a enlevée ?

Le regard d'Onyx se durcit d'un seul coup. Il émit un grognement de mécontentement et poursuivit sa route jusqu'à leurs installations de bain personnelles. Heureusement, les serviteurs n'avaient pas encore eu le temps d'évacuer l'eau chaude du matin.

— Veux-tu que je te lave les cheveux ? offrit Swan.

— Non.

Elle s'assit donc en tailleur tandis qu'il se faisait une beauté.

— Je vais aller chez Hadrian, déclara Onyx. J'ai quelques questions à lui poser.

— Tu n'auras pas besoin d'aller très loin, puisqu'il est dans la bibliothèque. Que veux-tu porter ?

— Rien de compliqué.

Elle voulut l'aider à se sécher lorsqu'il remonta les marches qui sortaient du bassin, mais il lui arracha la serviette pour le faire lui-même.

— Je t'ai vu d'humeur massacrante, mais jamais comme ça.

– Tu sais pourtant à quel point je déteste l'échec.

– Au moins, nous savons que Cornéliane est vivante. C'est déjà ça.

Il enfila une tunique de soie et un pantalon de cuir noirs, puis fouilla dans le coffre rempli de bottes pour retrouver celles qu'il aimait le plus.

– Aurai-je le plaisir de ta compagnie au repas du soir? demanda Swan tandis que son mari marchait vers la porte.

– Probablement.

Onyx descendit d'un étage et pénétra dans la bibliothèque. Il ne fut pas surpris de voir Hadrian assis près du jeune Wellan, car ils affectionnaient tous les deux les livres anciens.

– Déjà de retour? s'étonna son ami en le voyant approcher.

– Les choses se sont compliquées. C'est Solis qui détient la petite.

– Solis? répétèrent en chœur Hadrian et Wellan.

– Il ne me croit pas capable d'empêcher Azcatchi de reprendre Cornéliane si je la ramène ici.

– À mon avis, il a tort, répliqua son vieil ami. Assieds-toi, Onyx.

– Je n'ai pas envie de me faire énumérer tous mes manquements, maugréa le Roi d'Émeraude.

— Il s'agit plutôt de découvertes qu'a faites ce brillant jeune homme.

— Ça me fait toujours sourire lorsqu'on réfère à moi comme étant jeune, avoua Wellan.

L'ancien Chevalier raconta alors à Onyx ce qu'il avait trouvé dans le vieux livre en le traduisant.

— Moi, un dieu? railla-t-il. Ce Sholien a écrit n'importe quoi !

— Je comprends ta réaction, affirma Hadrian, et tu n'es pas obligé d'y croire, mais fais tout de même l'effort d'examiner attentivement ton passé.

— Si tu me le demandes, c'est que tu l'as déjà fait à ma place.

— Seulement pour les quelques années que nous avons passées ensemble, durant la première invasion. Tu possédais une magie qui faisait défaut aux créatures les plus magiques de ce monde, et nous n'avons jamais compris pourquoi.

— Personnellement, intervint Wellan, dans cette deuxième incarnation, je crois que le livre dit vrai, car j'arrive à manipuler de façon toute naturelle des pouvoirs qui ne sont pas enseignés dans les livres.

— Parce que, tout à coup, tu es le fils d'Abussos ?

— Son petit-fils.

– Peu importe.

– Nous savons qu'il y a des dieux qui circulent dans notre monde à notre insu, persista Hadrian. Solis et Anyaguara en sont deux exemples. Aquilée aussi s'y est aventurée.

– Mais ils sont parfaitement au courant qu'ils ne sont pas humains, protesta Onyx. Quant à Lassa, Kaliska et Napalhuaca, il me semble qu'on l'aurait découvert bien avant maintenant. Ne répandez pas ces sottises dans mon royaume.

– Abussos et Lessien Idril placent l'âme de leurs enfants au cœur de la foudre qu'ils expédient ensuite dans un monde habitable pour qu'elle trouve une femme en train d'accoucher. Lassa est né au beau milieu d'une pluie d'étoiles filantes.

– Et Kaliska, pendant une magnifique aurore boréale, ajouta Wellan.

Onyx ignorait évidemment les conditions qui prévalaient lorsque Napalhuaca avait vu le jour.

Voyant dans les yeux des deux anciens commandants des Chevaliers d'Émeraude qu'ils n'allaient pas démordre de leur théorie, le Roi d'Émeraude tourna les talons et quitta la bibliothèque.

– Ne le répétez surtout pas à Swan ! les avertit-il.

Il s'isola dans l'armurerie, où étaient exposées les vieilles cuirasses en lambeaux des premiers Chevaliers et demeura un long moment à les admirer.

— Un peu de vin calmerait tes tourments, fit alors la voix de Swan derrière lui.

— J'ai fait la promesse de ne pas en boire avant d'avoir retrouvé ma fille.

— C'est donc pour ça que tu es si maussade.

Il ne répliqua pas.

— Qu'est-ce que tu fais ici ?

— J'essaie de me rappeler d'événements qui se sont produits il y a des centaines d'années.

— Tu n'es même pas capable de te souvenir de ce que tu as fait il y a un mois, le taquina Swan.

Voyant qu'il ne réagissait pas, la reine s'approcha et s'appuya contre son dos.

— Puis-je te rafraîchir la mémoire ?

— Tu n'étais pas là, grommela Onyx.

— Autrefois, nous avions l'habitude de bavarder, toi et moi. Peut-être m'en as-tu déjà parlé.

— Est-ce une critique ?

— Non, c'est un reproche. Plus les années passent et plus nous nous éloignons l'un de l'autre.

– Je n'ai pas choisi tout ce qui nous arrive. Même si je déteste l'admettre, je suis parfois impuissant devant mes épreuves et celles de ma famille.

– Il n'est pas trop tard pour reprendre nos vieilles habitudes. Donne-moi un indice pour que je puisse te venir en aide.

– Je me demande s'il y a eu des incidents reliés à la foudre dans ma vie.

Swan se creusa la tête.

– Tu m'as déjà dit que tu étais né durant le pire orage qu'a jamais connu Émeraude, laissa-t-elle tomber.

Onyx se retourna très lentement vers elle en écarquillant les yeux. C'était effectivement ce que lui avaient raconté ses parents.

– Est-ce que ça va ? s'inquiéta la reine.

– Je suis seulement étonné que tu aies trouvé du premier coup ce que je cherchais... Finalement, j'accepte cette coupe de vin.

Heureuse d'avoir tiré son mari de sa morosité, Swan lui prit le bras et l'emmena en direction de son hall.

22

LES VISIONS

Lorsque Jenifael et Hadrian étaient rentrés à Émeraude en compagnie d'une jeune femme Madidjin, Mali s'était immédiatement prise d'amitié pour cette dernière, car elle se voyait en elle. Tout comme Aydine, la prêtresse Enkiev avait été déracinée de son pays par les agissements d'un étranger, Liam en l'occurrence. Mali ne regrettait certainement pas d'avoir embrassé cette nouvelle existence, mais son adaptation n'avait pas été facile, surtout au milieu d'une guerre.

Toutefois, après la victoire des Chevaliers d'Émeraude, Mali avait persuadé Liam de l'emmener dans tous les royaumes d'Enkidiev pour qu'elle se fasse une image globale de cette nouvelle civilisation. Il était évidemment impensable de faire bénéficier Aydine de la même expérience, puisque Mali était enceinte de plusieurs mois et préférait ne pas voyager avant la naissance du bébé. Elle épingla donc une grande carte d'Enkidiev sur le mur de la chambre d'Aydine et, tous les soirs, elle lui racontait l'histoire d'un de ses royaumes.

Ayant appris, après avoir longuement échangé avec la Madidjin que celle-ci savait danser, Mali lui demanda de devenir son assistante pendant qu'elle enseignait ses choré-graphies aux enfants d'Émeraude. Elle pourrait ainsi exécuter les mouvements plus complexes à sa place. Cette nouvelle collaboration permit alors à la prêtresse de ne pas soumettre son corps à des contorsions qui auraient pu mettre un terme à sa grossesse de façon prématurée.

Tous les jours, Mali emmenait Aydine manger dans le hall des Chevaliers pour qu'elle fasse la connaissance des soldats magiques qui vivaient au château et de ceux qui venaient régulièrement s'y retremper. La Madidjin s'attrista d'apprendre qu'ils étaient déjà tous en couples. Un soir, où plusieurs des anciens combattants se trouvaient assis autour des longues tables, Nogait fut le premier à aborder le sujet de son célibat.

— Je suis étonnée qu'une belle dame comme vous n'ait pas de mari, déclara-t-il en déposant sa coupe de vin.

— On ne dit pas une chose pareille à une femme, le gronda Amayelle, son épouse.

— C'est une simple constatation !

— Avez-vous l'intention de retourner chez vous pour fonder une famille, Aydine ? s'enquit Santo.

— Pas nécessairement. Si je rencontre mon prince charmant ici, je pourrais fort bien changer mes plans.

— Vous tombez mal, puisque ceux qui habitaient ce château l'ont fui, lui apprit Nogait.

— Fui ?

— Le roi, leur père, voulait leur imposer des mariages avec des princesses, mais ils ont préféré suivre les élans de leur cœur.

— En d'autres mots, même une servante pourrait devenir reine ?

— C'est déjà arrivé dans certains royaumes, affirma Kevin, dont ceux de Perle et de Diamant.

— Il y a très peu de candidats, en ce moment, ajouta Maïwen, mais j'ai entendu dire que les Princes de Fal cherchaient des épouses.

— Où se trouve Fal ?

— À plusieurs lieues au sud. Son climat est beaucoup moins froid que celui d'Émeraude. Il y fait chaud même pendant la saison des pluies.

— De quelle façon une personne démunie comme moi, pourrait-elle s'y rendre ?

— À pied, répondit Nogait.

— Il n'y a aucune caravane qui l'approvisionne ?

— Qu'est-ce que c'est ? demanda Kevin.

— Vous ne le savez pas ? s'étonna Aydine.

– C'est ce qui arrive lorsque deux cultures différentes se rencontrent, les taquina Nogait.

– Une caravane est un groupe de dix à vingt marchands qui circulent de village en village à dos de chameaux, pour y vendre leurs effets.

– Ici, nous avons inventé la roue.

– Nogait, arrête de dire des fadaises, lui reprocha Amayelle.

– C'est pourtant la vérité, l'appuya Kevin, puisque nos commerçants se servent de charrettes pour aller vendre leurs produits, sauf qu'ils préfèrent voyager seuls.

– Je ne pourrai donc jamais quitter Émeraude, se découragea la Madidjin.

– Pas pendant la saison des pluies, c'est certain, affirma Daiklan.

Les Chevaliers quittèrent un à un le hall pour rentrer chez eux et, bientôt, il ne resta plus que Liam, Mali et la jeune servante aux longs cheveux dorés.

– Ne vous en faites pas, Aydine, la rassura la prêtresse. Dès que le bébé sera né, Liam et moi vous emmènerons à Fal.

– Ah bon, se contenta de répondre Liam.

Le couple reconduisit la Madidjin à sa chambre et poursuivit son chemin jusqu'à la sienne.

– Pourquoi serions-nous obligés de descendre aussi loin au sud avec un bébé naissant ? demanda Liam en entrant dans leurs appartements. Nous ne connaissons même pas cette femme !

– Parce que dans la vie, il est important de faire aux autres ce que nous aimerions qu'ils nous fassent, expliqua Mali en s'assoyant sur le lit.

– Moi, si je voulais aller à Fal, je le ferais par mes propres moyens.

– Aydine est originaire d'un autre continent, mon amour. Elle ne connaît rien à notre monde et à nos coutumes. Elle ne saurait même pas de quel côté partir après avoir franchi le pont-levis.

– C'est pour ça qu'on a des cartes dans la bibliothèque.

– Liam, si tu ne veux pas nous accompagner, libre à toi, mais moi, j'irai avec elle.

– Comment ?

– Je déciderai du moyen de transport en temps et lieu.

Le jeune forgeron se coucha en grommelant son désaccord. Selon lui, il était bien plus important de rendre ce genre de service à quelqu'un qu'on fréquentait depuis longtemps plutôt qu'à une parfaite inconnue. Avant de fermer les yeux, Mali répliqua qu'il n'était jamais nécessaire de savoir à qui on offrait son appui, que c'était le geste de bonté qui comptait.

– Et puis, qui nous dit qu'il ne s'agit pas parfois d'un dieu sous une forme humaine ? conclut-elle.

Elle s'endormit, convaincue qu'elle prenait la bonne décision. Au milieu de la nuit, lorsqu'elle se mit à s'agiter dans son sommeil, Liam se redressa et se demanda s'il devait la réveiller. Ses parents lui avaient souvent répété qu'il était dangereux de bousculer un somnambule. Il se recoucha donc en se collant contre son épouse pour limiter ses mouvements et l'empêcher de se blesser. Elle poussa alors un grand cri en ouvrant les yeux.

– Liam ! hurla-t-elle.

– Je suis ici, calme-toi.

Il la serra contre lui, mais elle tremblait tellement qu'elle faisait remuer le lit.

– C'était juste un cauchemar, Mali.

– J'ai vu des choses terribles... terribles...

– Dans un rêve. Regarde autour de toi.

Il alluma magiquement toutes les bougies.

– Nous sommes chez nous et rien ne nous menace, poursuivit-il.

– C'était une vision, Liam, pas un rêve...

Elle éclata en sanglots et il l'étreignit davantage. Ses parents lui avaient aussi raconté que les femmes enceintes agissaient parfois de façon bizarre.

— Tu ne vas pas te transformer en augure comme Mann, au moins, dit-il pour la faire rire.

— Quand j'étais prêtresse à Adoradéa, on ne se moquait pas de mes visions, s'affligea-t-elle.

— Raconte-moi ce que tu as vu, dans ce cas, ensuite nous verrons s'il y a vraiment matière à s'énerver.

— J'ai vu une vaste cour ronde dont les murs étaient en cristal. Des hommes et des femmes sont tombés du ciel. Ils pleuraient et ils ne savaient pas où ils se trouvaient. Alors...

Mali recommença à pleurer.

— Jusqu'à présent, il n'existe aucun endroit semblable dans notre monde, l'encouragea Liam. Continue.

— De gros félins, qui ressemblaient aux grands chats de Rubis, mais avec des taches et des rayures, sont sortis des murs et se sont mis à dévorer tout le monde ! Il y avait du sang partout ! J'en ai même reçu sur le visage !

— Moi, je pense que ce sont toutes ces histoires de dieux à plumes, à griffes et à écailles qui t'ont effrayée.

Il se laissa mollement retomber sur le dos en la gardant contre lui.

– Les visions ne sont que des possibilités, Mali. De toute façon, ce que tu viens de me raconter ne pourrait jamais se produire ici. Et si c'est dans les mondes célestes, peut-être bien que les dieux le méritent.

Il parvint à la rassurer suffisamment pour qu'elle se rendorme, mais, un peu avant le lever du soleil, elle se remit à crier. Liam sursauta en se demandant si on les attaquait, puis se rendit compte que sa femme était encore en proie à un autre cauchemar.

– De quoi s'agit-il, cette fois ? soupira-t-il en la ramenant contre lui.

– Un mariage... j'ai vu un mariage...

– Depuis quand est-ce horrible ? Sauf évidemment celui de Santo, quand Sage a été enlevé par le dragon...

– Un autre félin est sorti du mur et il a arraché la tête de la mariée !

– Mais c'est quoi cette hantise des chats, tout à coup ?

– Ce n'est pas l'animal qui est important, c'est le sort réservé au pauvre couple...

– Mali, normalement, c'est toi la plus raisonnable de nous deux, alors, il va vraiment falloir que tu te secoues et que tu admettes que ce ne sont que des cauchemars.

Elle se mit à sangloter et tout ce qu'il put faire, fut de la consoler jusqu'à l'heure où ils se levaient habituellement.

Ce matin-là, en donnant son cours de danse en compagnie d'Aydine, Mali apprit d'Anoki que l'ancien Roi Hadrian avait l'intention d'épouser la belle Jenifael. Elle se leva d'un bond et courut jusqu'au pot de fer près du foyer, où elle vomit tout son déjeuner. Les enfants s'étaient immobilisés, étonnés.

— Ne vous inquiétez surtout pas, les rassura Aydine. C'est malheureusement un des inconvénients de la grossesse. Mais quand on pense que ce petit bébé va devenir aussi beau et talentueux que vous, cela ne vaut-il pas un petit désagrément ?

— Non... résonna la voix de Mali dans le grand pot.

Aydine lui frictionna le dos et lui recommanda d'aller s'étendre un peu, car son visage était aussi blanc que de la craie. Mali ne se fit pas prier. Elle retourna à sa chambre et se coucha avec la ferme intention de ne pas s'endormir, craignant de faire un autre rêve obsédant. Liam était parti à la forge, alors personne ne pourrait la réconforter.

Heureusement, les cauchemars ne se manifestèrent plus. Pour plaisanter, son mari rapporta même à la maison un chaton gris couvert de petites rayures noires.

— Tu es méchant, Liam d'Émeraude ! se fâcha la future maman.

— Je n'en ai pas trouvé avec des pois.

– Retourne-le où tu l'as pris. Je n'en veux pas.

Pour la guérir une fois pour toutes de sa peur des félins, Liam décida de le garder et d'en prendre soin lui-même. Il lui donna aussi le nom d'Azcatchi.

Mali bouda son mari jusqu'au mariage tant espéré.

23

LE PRIX DE L'AMOUR

À la suite d'un bon repas arrosé d'un peu de vin en compagnie de Swan, Anoki et Hadrian et d'une longue nuit d'amour, Onyx était de bien meilleure humeur à son réveil. S'il n'avait pas réussi à ramener sa fille à la maison, il savait au moins qu'elle était en lieu sûr. C'était probablement en raison de l'intervention de Solis qu'il n'avait pas été capable de communiquer avec elle par la pensée tandis qu'il était dans le nouveau monde. Maintenant qu'il était revenu de l'autre côté des volcans, il était inutile d'essayer de parler à Cornéliane.

Après s'être purifié dans son bassin personnel, Onyx se retira dans son petit salon privé pour méditer. Une fois qu'il eut considérablement ralenti sa respiration et chassé toutes ses pensées obsédantes, il laissa l'énergie de l'univers pénétrer dans chacune de ses cellules. De plus en plus en paix avec lui-même, il demanda à ses parents de s'adresser à lui. Ce fut tout d'abord le silence, puis il entendit très clairement ces mots : « Il est encore trop tôt, Nashoba. » Onyx ouvrit les yeux, consterné. Si son père ou sa mère avaient été humains, ils n'auraient jamais entendu sa requête sur les grandes plaines de lumière. Qui lui avait répondu ? Il lui était impossible de discerner si c'était un homme ou une femme.

Désemparé, le Roi d'Émeraude quitta ses appartements. Il avait passé la majeure partie de sa vie à l'extérieur de son château à faire la guerre ou à poursuivre une quête quelconque. Les dernières années, il était resté au lit, affligé d'un terrible mal. « Que fait-on au palais quand on est en pleine forme et qu'on essaie de ne pas boire ? » se demanda-t-il. Il alla jeter un œil dans son hall et vit que Mali et Aydine y donnaient des cours de danse aux plus jeunes enfants. « Mais qu'est-ce qu'elle fait ici, celle-là ? » s'étonna Onyx. Hadrian savait pourtant ce qu'il pensait de cette soi-disant servante, alors pourquoi l'avait-il ramenée à Émeraude ? « Je réglerai ça plus tard », se dit le roi en continuant jusqu'au hall des Chevaliers, où il trouva Bridgess à enseigner aux plus vieux à lire et à écrire.

Ce fut par contre dans la salle d'audience qu'il eut le plus grand choc. Il s'arrêta sur le seuil de la porte, surpris d'y voir autant de monde, et aperçut Swan sur son trône, à dispenser des conseils aux paysans qui lui exposaient leurs problèmes. Sans faire connaître sa présence, Onyx l'écouta pendant quelques minutes. Sa sagesse lui fit constater qu'il avait été un bien piètre roi depuis son couronnement et qu'en fait, il ne savait que faire la guerre. « Elle n'a pas besoin de moi », songea-t-il en s'éloignant.

Onyx aurait aimé recommencer à lire, mais il ne voulait pas se faire harceler par Wellan ou, pire encore, par Hadrian, en entrant dans la bibliothèque. Il dirigea donc ses pas vers l'écurie. Puisqu'il pouvait toujours se déplacer par vortex, le souverain ne montait presque plus à cheval. Il crut que cette activité lui serait salutaire. Il entra dans le bâtiment en attachant ses longs cheveux noirs sur sa nuque. Quelle ne fut pas sa surprise de trouver Hadrian au milieu de l'allée, en train de brosser sa jument Staya.

— Je pensais à toi ! s'égaya son vieil ami.

— Et moi, j'essayais de t'éviter, avoua crûment Onyx.

— Pour quelle raison ?

— Pour ne plus entendre parler des dieux.

— Si je te promets de ne plus les mentionner, accepteras-tu de faire une promenade avec moi ?

— Je me disais justement qu'un peu d'équitation me changerait les idées.

Les palefreniers durent indiquer à leur souverain où se trouvait son nouveau cheval, car celui qu'il montait durant la guerre avait été relégué aux pâturages. Onyx examina l'animal tandis que le jeune garçon le faisait sortir de sa stalle. C'était un hongre complètement noir qui semblait plus docile que son ancienne monture. Une fois qu'il fut sellé, le roi le mena dehors. Chaque fois qu'il sortait dans la grande cour du château en tenant les rênes d'un destrier, Onyx revenait cinq cents ans en arrière, au temps où il était le lieutenant du capitaine Albin, juste avant qu'il ne devienne le lieutenant du commandant Hadrian d'Argent.

— Encore perdu dans tes souvenirs de guerre ? fit l'ancien chef des Chevaliers d'Émeraude en arrêtant sa jument blanche près de lui.

– Même enfermé dans mon épée à Espérita, je ne suis jamais arrivé à m'en départir.

– T'ont-ils laissé une bonne ou une mauvaise impression ?

– J'aimais me battre, mais je détestais quitter continuellement ma famille. Ça m'a déchiré le cœur de m'exiler après notre victoire.

– Ne revenons pas là-dessus, si tu veux bien. Profitons de cette belle journée, car la saison des pluies approche.

Ils grimpèrent en selle et firent marcher leurs chevaux jusqu'au pont-levis. Ils galopèrent sur la route de terre, puis piquèrent du côté de la rivière. Lorsqu'ils s'arrêtèrent pour faire boire les bêtes, Hadrian annonça à son ami qu'il avait finalement demandé à Jenifael de devenir sa femme.

– Où célébrerez-vous cette union ? s'enquit Onyx.

– J'aurais aimé une petite cérémonie intime sur la plage d'Argent, mais elle veut se marier à Émeraude devant tous ses amis.

– Et où habiterez-vous, ensuite ?

– Je crois que nous allons devoir acheter une deuxième maison près du château et nous partager entre elle et ma tour sur le bord de la rivière Mardall.

– Autrement dit, vous n'êtes toujours pas capables de vous entendre sur quoi que ce soit.

– Sur absolument rien, même la nourriture. J'ai été un habile négociateur toute ma vie, mais je n'arrive tout simplement pas à faire de compromis avec elle. La seule chose sur laquelle nous sommes arrivés à nous entendre, c'est que tu seras le roi qui nous fera prononcer nos vœux.

– C'est tout un honneur, merci. Quand le mariage aura-t-il lieu ?

– Je voulais attendre après la saison des pluies, mais elle veut que ça se fasse avant la fin du mois de Liam.

– C'est dans dix jours.

– Justement.

– Si c'est ce que vous désirez, il faudrait me le dire le plus rapidement possible pour que je puisse organiser une belle fête, se réjouit Onyx, qui avait envie de se changer les idées.

– Je prendrai bientôt une décision avec elle.

Ils poussèrent leur exploration jusque dans les villages qui bordaient la rivière Wawki et ne revinrent que pour le repas du soir. Au lieu de participer à celui de la famille royale, Hadrian invita Jenifael à manger avec lui en tête à tête. Elle enfila une robe drapée de crêpe satin rose vif à fines bretelles qui lui arrivait juste en dessous des genoux. Contrairement à son habitude, elle n'avait pas attaché ses longs cheveux blond-roux qui descendaient en boucles dans son dos.

– Tu es toute en beauté, ce soir, la complimenta Hadrian.

— Mais je le suis toujours.

Il prit sa main et la transporta instantanément dans une petite auberge de son ancien royaume, où il avait réservé un coin tranquille.

— Où sommes-nous ? s'enquit la déesse.

— Est-ce vraiment important ?

— Cela me donnerait une idée de ce que nous allons manger.

— Oublions ce détail, Jenifael. J'aimerais surtout que nous parlions de nos plans de mariage.

Le propriétaire de l'endroit commença par leur apporter le vin préféré de l'ancien souverain.

— Nous aurions pu le faire à Émeraude, puisque j'ai déjà tout décidé.

— Le mariage c'est l'union de deux personnes qui mettent tout ce qu'ils ont en commun et qui font des choix ensemble.

— Chez moi, c'était ma mère qui déterminait ce qui devait être fait et mon père était toujours d'accord avec elle.

— J'ai vécu une situation fort différente durant ma première incarnation. Rappelle-toi que j'ai été marié pendant tout mon règne. Toutes les décisions qui concernaient mon couple étaient prises d'un commun accord avec Éléna.

— Je ne suis pas Éléna.

Hadrian prit une profonde inspiration avant de continuer.

— J'en conviens, Jeni, mais cela ne change rien au fait que dans une alliance, les deux parties ont leur mot à dire.

— Je préférerais que nous divisions le pouvoir entre les différents secteurs de notre vie.

— Explique-toi.

— Tout ce qui touche les activités internes du ménage seront de mon ressort, alors que les activités externes seront du tien.

— Pourrais-tu définir ces occupations ?

— Je me chargerai de faire la nourriture, du choix de nos vêtements et de l'éducation des enfants. Toi, tu pourvoiras à nos besoins.

— Mais j'aime cuisiner.

— Je ne m'oppose pas à ce que tu nous fasses des petits plats de temps en temps, mais tu ne devras pas en faire une habitude.

— Le mariage comporte une part de liberté et de créativité, Jeni.

— Mais tu seras libre de faire tout ce que tu veux, mon chéri. C'est seulement du fondement de notre alliance dont il est question, rien de plus. Le reste se réglera au quotidien.

L'aubergiste leur servit des fruits de mer. Jenifael commença par plisser le nez, puis accepta d'y goûter.

— Ce n'est pas si mal, acquiesça-t-elle.

— La vie est une série de nouvelles expériences passionnantes.

— Moi, j'ai aussi besoin de sécurité matérielle.

Hadrian la laissa manger en se demandant s'il commettait une erreur.

— Marions-nous dans quatre jours, décida Jenifael en plantant son regard dans le sien.

— C'est comme tu veux, s'entendit-il répondre.

Hadrian transmit donc cette information à Onyx qui se dit ravi d'organiser la fête pour lui. Il invita les Chevaliers qui habitaient au château ainsi que dans les fermes avoisinantes, mais n'osa pas faire de même pour l'Ordre entier, puisque son ami ne désirait pas une cérémonie grandiose. Swan lui donna évidemment un coup de main en s'occupant elle-même du festin.

Le matin du mariage, Hadrian revêtit l'armure bleu et argent de ses ancêtres. Il arriva dans la cour avant sa future épouse et fut très surpris de constater que les anciens soldats ne revêtaient plus l'armure verte traditionnelle, mais plutôt un nouvel uniforme en cuir noir, consistant en une veste longue sans manches, lacée sur les côtés et refermée sur le devant par cinq agrafes argentées, portée par-dessus une jupette taillée dans le même cuir souple, un pantalon et des bottes.

— Très moulant, n'est-ce pas ? plaisanta Nogait en voyant le visage consterné du marié.

— Qui a décidé de changer notre costume ? voulut savoir Hadrian.

— Je rejetterais volontiers la faute sur notre souverain, mais malheureusement, je n'en ai aucune idée. Le mieux serait sans doute de t'adresser à une des femmes. Elles savent tout.

Ce que fit aussitôt Hadrian en marchant tout droit vers Ellie, pour finalement s'apercevoir qu'elle portait la même veste que les garçons, mais du même bleu que son propre habit de mariage !

— Mais qui a institué ce mouvement de révolte ? s'étonna-t-il.

— C'est Jenifael, je crois, répondit Ellie. N'est-ce pas que ces uniformes sont beaux ! Et plus flexibles, aussi. Il est beaucoup plus facile de monter à cheval ainsi. De plus, ils représentent une nouvelle ère de paix, après deux guerres insensées contre les hommes-insectes !

Onyx sortit enfin du palais, au bras de Swan qui, elle, portait une robe longue vert émeraude ourlée de rubans d'or. Quant au roi, il portait sa sombre cuirasse ornée de petits dragons argentés aux épaulettes formées de nombreux croissants inversés qui formaient des pointes comme sur le dos de certains lézards, par-dessus une tunique et un pantalon de soie noire, ainsi que ses bottes préférées.

— Étais-tu au courant de ce changement d'uniformes ? lui demanda Hadrian.

— Je pense que j'étais encore cloué au lit quand j'en ai entendu parler, mais c'est la première fois que je les vois. Aujourd'hui, ils me semblent bien appropriés, puisque c'étaient les couleurs de ton règne, non ?

— La cuirasse des Chevaliers d'Émeraude renferme un grand symbolisme.

— Mais nous ne sommes plus en guerre et nous ne le serons probablement plus jamais. Est-ce la nervosité qui te fait parler ainsi, mon frère ?

— Peut-être bien...

Comprenant que les deux hommes désiraient discuter en privé, Swan poursuivit son chemin jusqu'à ses sœurs d'armes.

— Éprouves-tu des doutes ? s'enquit Onyx.

— Malheureusement, oui, déplora Hadrian.

— Aucun mariage n'est facile les premières années... ni même après vingt ans, en fin de compte. Si tu attends de trouver la partenaire de tes rêves, tu risques de vivre très longtemps dans la solitude.

– Très sincèrement, je me demande si ce ne serait pas préférable.

Lorsque tous les invités furent enfin arrivés, Onyx fit entendre ce qui ressemblait à un retentissant coup de gong. Le silence se fit dans la cour et, comprenant que c'était son signal d'entrée, Jenifael sortit du hall des Chevaliers aux bras de Bridgess et de Santo. Elle portait une longue robe de dentelle du même bleu que l'uniforme de son fiancé, piquée de petits diamants étincelants qui formaient des losanges sur le corsage. Ses cheveux or brûlé étaient retenus par un magnifique diadème de saphirs et de diamants.

– De toute beauté... murmura Onyx.

– Je suis d'accord, l'appuya Swan.

Dissimulé derrière Lassa et Kira, Wellan ne voulait pour rien au monde être mêlé à cette cérémonie, mais secrètement, il se réjouissait que celle qui avait été sa fille durant sa première incarnation ait choisi pour mari un homme aussi méritant. Toutefois, les Chevaliers qui les avaient bien connus tous les deux sur le champ de bataille ne partageaient pas son opinion.

– Le mariage de la carpe et du lapin, murmura Jasson à ses voisins.

Incapable de s'en empêcher, Bergeau s'esclaffa. Un seul regard réprobateur de la part de Jenifael suffit à le faire taire. Santo et Bridgess abandonnèrent leur fille devant son futur mari et reculèrent parmi les invités.

– Je ne sais pas si Sa Majesté se souvient de son texte lorsqu'elle n'est pas ivre ? chuchota Nogait.

Amayelle lui enfonça son coude dans les côtes pour le rappeler à l'ordre.

– Mes chers frères et sœurs d'armes ! commença Onyx d'une voix forte.

Wellan fut le premier à sentir une présence anormale dans la cour. Cessant de prêter attention aux paroles de son souverain, il ferma les yeux et scruta la forteresse.

– Nous sommes réunis aujourd'hui pour célébrer l'union de deux magnifiques soldats avec qui j'ai eu l'honneur de servir !

Onyx se tourna d'abord vers la resplendissante jeune femme.

– Jenifael, fille de Wellan et de Bridgess d'Émeraude, veux-tu prendre pour époux Hadrian, ici présent, afin de l'aimer, de le chérir et de le seconder, en temps de maladie comme en temps de santé. Et, en renonçant à tout autre homme, veux-tu t'attacher à lui jusqu'à ta mort ?

– Je le veux, affirma-t-elle.

– Hadrian, fils de Kogal d'Argent et d'Ailis d'Opale, veux-tu prendre pour épouse Jenifael, ici présente, afin de l'aimer, de la chérir et de la seconder, en temps de maladie comme en temps de santé. Et, en renonçant à tout autre femme, veux-tu t'attacher à elle jusqu'à ta mort ?

— Je le veux, répondit l'ancien roi d'une voix plus hésitante.

— Vous avez encore oublié de demander si quelqu'un s'opposait ! s'écria Marek, insulté.

Se tenant par la main, Lassa et Kira se cachèrent les yeux avec leurs mains libres, pour montrer leur honte. Onyx allait faire savoir à l'enfant qu'il était un peu tard pour ça lorsqu'un énorme tigre surgit de nulle part.

— Écartez-vous ! hurla Liam.

Au lieu de s'évanouir à la pensée que sa vision prenait forme, Mali pensa plutôt à mettre les enfants en sûreté.

— Il va tous nous manger ! hurla Aydine.

— Faites-la taire ! ordonna Onyx avant d'être tenté de faire un geste regrettable.

Pour l'empêcher d'affoler tout le monde, Mali prit Aydine par la main et détala en direction de la tour d'Armène, poussant les petits devant elle à grand renfort d'encouragements. C'était le meilleur endroit pour les protéger, que ce félin soit réel ou la représentation d'une divinité.

Tous les anciens soldats allumèrent leurs paumes, mais n'eurent pas le temps de s'attaquer à la bête sauvage. En quelques foulées, elle bondit sur Jenifael qui poussa un cri de terreur, puis disparut avec elle.

— Que vient-il de se passer ? s'alarma Bergeau en courant vers Hadrian.

— Onyx ? l'appela le marié, interloqué.

Justement, le roi venait de poser un genou sur le sable afin de palper l'air à l'endroit où s'était tenue Jenifael une seconde plus tôt. Bridgess et Santo se penchèrent près de lui.

— Ce n'est pourtant pas un sorcier, indiqua le guérisseur.

— Je connais cette énergie, grommela Onyx en se relevant. Qui a attiré un dieu chez moi ?

— Un dieu ? répéta Bridgess, étonnée.

« Theandras, aidez-nous », l'implora Wellan en silence.

De tous les humains qui vivaient sur cette planète, il était le seul à avoir l'oreille de la déesse de Rubis. Même si Onyx, Lassa, Kaliska et lui étaient d'origine divine, ils n'avaient aucun accès aux mondes célestes.

Un cercle de feu s'alluma aussitôt à quelques pas du Roi d'Émeraude. Santo, Bergeau, Jasson, Kevin, Nogait, Lassa, Bailey, Volpel, Daiklan, Liam, Bridgess, Maïwen, Ellie et Kira firent reculer davantage les invités pour éviter qu'ils soient blessés dans ce qu'ils croyaient être un duel entre créatures de camps opposés. Le bûcher se transforma alors en une belle femme aux longs cheveux noirs, portant une robe rouge sur laquelle continuaient de courir de petites flammes.

– Où est ma fille ? demanda Theandras, courroucée.

– Elle... balbutia Hadrian, désorienté.

Wellan se plaça immédiatement devant le pauvre homme.

– Un énorme tigre s'est élancé sur Jenifael, et elle a disparu avec lui, expliqua-t-il.

– Un tigre ? Dans ce cas, ce ne peut être qu'un des enfants d'Étanna.

Theandras se radoucit et l'incandescence de sa tenue diminua en même temps.

– Merci de m'avoir avertie, Wellan. Je vais m'adresser directement au panthéon félin. Je vous promets que Jenifael vous sera rendue sous peu.

Elle caressa alors la joue de l'adolescent avec une douceur maternelle qui n'échappa pas aux spectateurs.

– J'espère que tu profites largement de cette vie.

– Je vous en serai toujours éternellement reconnaissant, déesse.

– Nous nous reverrons bientôt, mon fidèle soldat.

Theandras disparut dans une myriade d'étincelles rouges.

— Faut-il porter le nom de Wellan pour se mériter les faveurs de cette femme, ou y a-t-il quelque chose que nous ignorons ? demanda Jasson, perplexe.

— Vous n'avez plus rien à craindre, elle s'occupe de tout, répondit l'adolescent en faisant mine de ne pas l'avoir entendu.

Les Chevaliers se rapprochèrent de Wellan en formant un cercle autour de lui.

— Tes soupçons sont fondés, Jasson, confirma Bridgess.

— Tu es de retour, mon frère ? se réjouit Jasson.

— Qui est de retour ? voulut savoir Liam.

— Notre grand chef, bien sûr.

— Sérieux ? s'étonna Kevin.

— À lui de nous le confirmer, le mit au défi Bergeau.

Wellan commença par hésiter. Il promena son regard sur les Chevaliers, comme il le faisait autrefois.

— Je suis vraiment désolé, s'excusa-t-il. J'aurais préféré que personne ne le sache.

— Mais pourquoi ? s'enquit Ellie.

— Pour que je puisse mener une vie différente. Je ne voulais pas que vous recommenciez à toujours compter sur moi.

— Depuis quand es-tu dans le corps du fils de Lassa ? fit Daiklan.

— Depuis ma naissance. Pour me récompenser d'avoir débarrassé son panthéon de la menace d'Akuretari, Theandras a voulu m'accorder une seconde chance, mais vous aviez déjà brûlé mon corps. Alors, elle a choisi de placer mon âme dans celui d'un nouveau-né.

— Tu aurais dû nous le dire dès que tu as commencé à parler ! reprocha Liam.

— Je ne voulais pas gâcher le nouveau bonheur de Bridgess...

Son ancienne épouse le fixait d'ailleurs avec rancune depuis quelques minutes.

— En tout cas, moi, je suis content d'apprendre que tu es de retour, laissa tomber Volpel. Il y a tant de choses que je n'ai pas eu le temps de te dire.

Il s'élança et serra Wellan dans ses bras avec affection, aussitôt imité par ses compagnons d'armes.

Hadrian demeura en retrait, tout comme Onyx, d'ailleurs. Même si l'ancien Roi d'Argent avait des doutes au sujet de son mariage, il avait prononcé ses vœux. Ce n'était plus sa fiancée qui était manquante, mais sa femme...

– L'heure n'est guère aux réjouissances, les arrêta Wellan. Nous devons mettre toutes nos ressources en commun afin de retrouver Jenifael.

Onyx emmenait déjà son vieil ami dans le palais. La réincarnation du grand commandant incita donc ses soldats à les suivre afin d'aller échafauder un plan avec eux. Ils lui emboîtèrent tous le pas, sauf Liam.

Dans la tour d'Armène, lorsqu'elle constata que le danger était passé, Mali, de plus en plus livide, laissa les enfants rejoindre leurs parents et se dirigea tout droit vers l'aile des Chevaliers. Liam courut derrière elle. La jeune prêtresse n'avait pas franchi le seuil de ses appartements qu'elle rendit dans un seau tout ce qu'elle avait mangé depuis le début de la journée. Découragé, Liam s'assit à côté d'elle en lui tendant une serviette pour s'essuyer le visage.

– Ça, ce n'était pas une vision ! s'emporta-t-elle.

– Si tu continues comme ça, tu vas perdre le bébé.

– Nous aurions pu éviter cette tragédie si j'avais raconté ce que j'avais vu au roi.

– Tu ne vas pas maintenant te mettre à croire que la disparition de Jenifael est ta faute.

– Elle serait encore ici si je lui en avais parlé...

Mali se remit à pleurer. *Lassa, as-tu encore la recette du thé qui fait dormir ?* l'appela Liam en utilisant le mode télépathique individuel pour que personne ne l'entende. *Oui, je m'en souviens, même si je ne le sers plus à personne. À qui veux-tu en faire boire ?* répondit son ami d'enfance. *À Mali, si ce n'est pas nocif pour le bébé, évidemment,* avoua Liam. *Je vérifie ça avec Kira et j'arrive.*

✳ ✳ ✳

Emportée dans un tourbillon glacé, Jenifael avait tenté de se débattre, mais le parcours ne dura que quelques instants. Elle fut durement plaquée au sol et relâchée dans l'obscurité complète. Afin de fuir, elle fit appel à ses pouvoirs divins, mais aucune flamme ne sortit de son corps. Après plusieurs essais, elle dut en venir à l'évidence qu'elle se trouvait dans un endroit où ses facultés magiques étaient bloquées.

– Qui êtes-vous ? se fâcha-t-elle. Que me voulez-vous ?

– Juste un peu de temps auprès de toi, répondit une jeune voix masculine.

– Pas dans le noir et certainement pas sans me faire connaître votre identité.

Elle entendit un frottement, puis de la lumière apparut sous la forme d'un petit feu entre elle et son ravisseur. Ce dernier se servit d'une des baguettes qu'il avait enflammées pour allumer des lampes à l'huile de chaque côté. C'est alors que Jenifael put distinguer ses traits. Il s'agissait d'un homme un peu plus jeune qu'elle, aux longs cheveux noirs. S'il n'avait pas eu les yeux légèrement bridés, elle l'aurait confondu avec Atlance.

— Je m'appelle Mahito.

— Ça ne me dit rien du tout, répliqua la déesse sur un ton dur.

— Je suis l'enfant d'une déesse, tout comme toi.

— Ah oui ? Laquelle ?

— Anyaguara.

— Une déesse-féline, donc. Nous appartenons à deux panthéons différents, alors fin de la discussion. Ramène-moi à Émeraude, brigand.

— Pas tant que tu n'auras pas accepté de m'écouter.

Jenifael se croisa les bras avec un air de défi.

— Je ne suis pas pressé, ajouta Mahito.

— Où sommes-nous ?

— Dans un lieu où la magie n'a aucune emprise.

— Un tel endroit n'existe pas.

— Si tu ne me crois pas, alors utilise tes pouvoirs.

Jenifael tenta une fois de plus de s'enflammer, sans succès. Elle voulut ensuite allumer ses paumes, mais elles demeurèrent inertes. Elle regarda autour d'elle et constata qu'elle était au fond d'une caverne dont les parois étaient recouvertes de cristal. « Mon père méditait dans une grotte semblable à celle-ci... » se rappela-t-elle.

— Suis-je emprisonnée dans ton esprit ? s'alarma la jeune femme.

— Non, affirma Mahito avec un sourire amusé.

— Tu trouves ça drôle d'enlever quelqu'un le jour de son mariage ?

— J'espère juste être arrivé à temps pour l'empêcher.

— Désolée. Je suis mariée.

— Ça n'a aucune importance, puisque tu ne sortiras plus jamais d'ici.

— Quoi ?

— Je te prouverai que je suis ton âme sœur, même si ça doit me prendre cent ans.

— Il n'en est absolument pas question ! s'exclama-t-elle. J'ai déjà une vie parfaite et je tiens à la continuer !

— Elle ne pouvait pas être parfaite sans moi.

« J'ai été enlevée par un dieu atteint d'une maladie mentale ! » s'effraya-t-elle. Elle tenta sur-le-champ de communiquer avec sa mère et avec Hadrian par le biais de son esprit, mais n'arriva qu'à se donner un intense mal de tête.

– La télépathie ne fonctionne pas non plus ici, l'avertit Mahito.

– Dans ce cas, dis-moi exactement le montant de la rançon que tu désires et je m'assurerai qu'il te sera versé.

– L'amour peut-il vraiment se calculer en pièces d'or ?

– Écoute-moi, Mahi...

– Mahito.

– Oui, c'est ça, Mahito. Je ne te connais pas et tu ne me connais pas. Je viens de me marier et j'ai envie de dormir dans les bras de mon époux, cette nuit.

– Je te ferai changer d'avis.

– Jamais !

Le regard chargé d'adoration du demi-dieu fit reculer Jenifael jusqu'à ce que son dos soit appuyé contre les pointes de quartz transparent.

– Je reviendrai bientôt, annonça Mahito. Ne t'inquiète surtout pas. Je prendrai bien soin de toi.

Il disparut par une étroite ouverture derrière lui. Jenifael se précipita à sa suite, mais un gros bloc de cristal obstrua aussitôt le passage. Elle le poussa avec ses mains, puis avec ses pieds, mais n'arriva pas à le faire bouger.

– À l'aide ! hurla-t-elle, paniquée.

Sa propre voix résonna dans ses oreilles et la frappa d'un terrible vertige. Elle se laissa retomber sur le dos. Au-dessus d'elle, à la surface des milliers de facettes du cristal, elle aperçut le reflet de son visage atterré.

– Hadrian... hoqueta-t-elle.

Elle se mit à pleurer à chaudes larmes, ce qu'elle n'avait jamais fait de toute sa vie. Puis, lorsqu'elle se fut enfin calmée, elle recommença à réfléchir. Mahito était sans l'ombre d'un doute un admirateur secret qui n'avait attendu que le moment de l'enlever. Puisqu'il possédait des pouvoirs divins, il la traquait sans doute depuis plusieurs années sans qu'elle ne s'en aperçoive. Dans ses délires, il s'était peu à peu convaincu qu'il n'existait aucune autre femme qui réponde à toutes ses attentes. «Je n'ai qu'à jouer son jeu...» conclut finalement Jenifael.

– S'il me trouve belle malgré mes yeux chargés de colère, je le ferai craquer avec mon regard le plus doux, murmura-t-elle.

Avant le retour de son ravisseur, elle rechercha la position la plus attirante à adopter dans sa cellule et s'exerça à trouver un ton de voix serein qu'elle conserverait même s'il la faisait une fois de plus fâcher. Plus vite elle lui ferait croire qu'elle était éperdument amoureuse de lui, plus tôt elle sortirait de sa prison. Alors là, il paierait très cher son audace.

Elle allait fermer l'œil lorsqu'elle entendit le crissement du bloc de cristal sur le sol du chemin vers sa liberté. Mahito poussa un cabaret chargé de nourriture devant lui ainsi qu'un superbe pot de chambre en cuivre. Jenifael sentit son cœur se resserrer dans sa poitrine, mais fit bien attention de ne pas montrer sa terreur.

— Pour ne pas te priver de ton repas de noces, je suis allé en chercher une partie au château.

La déesse s'efforça de sourire, même si elle bouillait de rage à l'intérieur.

— Quelle gentille attention, le remercia-t-elle d'une voix cajoleuse.

Mahito se mit à manger avec appétit. Même si elle n'avait pas faim, Jenifael l'imita.

— As-tu vu mon mari ?

— Il était assis près de l'âtre, avec le roi. Il est très triste, mais il s'en remettra. Vous n'étiez pas faits pour être ensemble, de toute façon.

— Si personne ne peut utiliser ses pouvoirs dans cette grotte, comment fais-tu pour déplacer le bloc qui obstrue la sortie ?

— Je n'ai pas besoin de magie, puisque je possède une très grande force physique.

Dès qu'il fut repu, il retourna dans le tunnel et revint avec d'épaisses couettes.

— Je dormirai de l'autre côté des lampes jusqu'à ce que tu veuilles de moi, indiqua-t-il.

Jenifael se retint juste à temps de répondre que cela n'arriverait jamais. Puisqu'elle ne pouvait pas l'attaquer avec sa magie et qu'elle ne portait aucune arme sur elle, la déesse s'allongea sur son lit de fortune, espérant de tout son cœur que son mari se mettrait bientôt à sa recherche.

24

BAHIA

Comme le lui avait recommandé Solis, Cornéliane continua de se montrer docile. Étant trop jeune pour faire partie du harem du Prince Fouad, elle fut confiée aux servantes qui lui assignèrent des corvées légères afin de ne pas abîmer ses mains ou ses pieds. Puisqu'elle ne comprenait rien à ce que ses maîtres Madidjins lui disaient, la petite se fiait surtout à son intuition pour leur obéir. Voyant qu'elle faisait de gros efforts pour se conformer, les femmes se prirent d'amitié pour elle. Toutes leurs tentatives pour connaître son nom s'étant soldées par des échecs, elles décidèrent de l'appeler Bahia.

Vêtue d'un bustier de couleurs pastel décoré de perles, de petites chaînes et de paillettes brillantes, d'un pantalon de soie trois fois plus large qu'elle et des sandales dorées, Bahia cheminait dans le palais pour aller porter dans le harem et dans les quartiers des servantes les vêtements frais lavés qu'on décrochait des cordes tendues dans le grand jardin intérieur, une fois qu'ils étaient secs. Afin de se rendre de la cour jusqu'au bâtiment réservé aux femmes, elle devait emprunter un long corridor où les fenêtres avaient été percées dans la partie supérieure des murs, tout près du plafond. Tous les jours, elle entendait de curieux bruits de l'autre côté, comme si des objets métalliques s'entrechoquaient.

Elle n'était pas assez grande, même en se mettant sur la pointe des pieds, pour atteindre ces fenêtres, mais elle mourait d'envie de voir ce qui se passait à l'extérieur. Alors, un matin, au lieu de prendre uniquement la pile de lingerie qu'on lui tendait, elle apporta également la grosse corbeille d'osier dans laquelle on mettait les vêtements sales pour les apporter aux lavandières. Elle la retourna à l'envers, grimpa dessus et s'agrippa au rebord de la fenêtre pour regarder dehors. C'est alors qu'elle vit les garçons qui s'entraînaient avec toutes sortes d'armes différentes. Un autre souvenir lui revint instantanément en mémoire : un homme maniant un long bâton qui se terminait par des lames étincelantes aux deux extrémités... Encore une fois, elle ne put pas voir son visage.

– Qu'est-ce que tu fais là ?

Bahia sursauta. Même si elle ne comprenait pas la langue des Madidjins, elle captait facilement le plaisir ou le déplaisir dans leur voix. Elle s'attendait à trouver l'une des servantes devant elle, mais se figea en constatant que c'était le prince lui-même.

– Est-ce que tu essaies de t'enfuir ?

Repentante, la fillette sauta sur le sol et se plaça devant son maître en baissant la tête.

– À mon avis, elle est seulement curieuse, intervint la belle femme qui se tenait derrière Fouad.

– Alors, ce qui se passe dans la cour d'exercices t'intéresse...

Il prit la main de Bahia et l'entraîna avec lui. «Je vais sûrement être fouettée pour ma désobéissance», se désola l'enfant. Au lieu de l'emmener dans la grande salle où il procédait aux châtiments, Fouad sortit du palais et la planta devant les jeunes soldats à l'entraînement.

— Voici la crème de la crème, Bahia.

La petite leva un regard interrogateur sur lui.

— Il me faut vraiment un interprète, se découragea le prince.

— Quelle est sa langue maternelle ? demanda un homme en s'approchant.

Il avait les cheveux argentés et les yeux sombres, mais il ne semblait pas menaçant.

— Le marchand qui me l'a vendue m'a dit qu'elle comprenait le Ressakan.

— Que je parle plus ou moins couramment, Altesse. Est-ce pour cette raison que vous l'avez emmenée ici ?

— En fait, non. Je l'ai surprise à vous observer par les fenêtres.

— Si les armes l'intéressent, je pourrais lui montrer à se battre tout en lui enseignant notre langue.

— Les femmes ne participent jamais aux combats, Idriss.

— Mais rien ne les empêche d'apprendre à se défendre.

— Il ne faudrait pas qu'elle soit blessée ou, pire encore, mutilée.

— Sous ma protection, elle sera traitée avec le plus grand respect.

Fouad prit le temps de réfléchir avant d'accepter la proposition de son meilleur maître d'armes. Puisqu'il voulait que la petite fasse un jour partie de son harem, désirait-il vraiment qu'elle l'expédie au plancher lorsque viendrait le temps de le servir ?

— Aussi bien te la confier que de la voir se casser le cou à grimper sur les murs pour regarder ce que vous faites, décida-t-il finalement.

— Vous ne serez pas déçu, raïs.

Idriss attendit que Fouad retourne à l'intérieur avant de s'adresser à l'enfant, afin qu'elle ne soit pas intimidée par la présence du prince.

— Depuis quand les petites filles aiment-elles les armes ? lui dit le soldat en Ressakan.

L'expression de soulagement sur le visage de Bahia lui indiqua qu'elle l'avait compris, mais elle demeura muette. Idriss l'emmena donc à l'écart, sous son dais, loin des regards de ses élèves.

– Accepteras-tu de me parler en privé ?

– J'ai peur... murmura-t-elle.

– Ce qui est tout à fait naturel quand on se fait arracher à sa famille.

– Je ne me souviens pas...

Idriss lui fit signe de s'asseoir sur un banc d'osier. Tandis qu'elle s'exécutait, il marcha derrière elle et vit la cicatrice encore fraîche de sa blessure à la tête. Elle avait dû recevoir un formidable coup qui lui avait fait perdre la mémoire. Le vétéran avait vu des guerriers subir le même sort. Toutefois, la plupart avait recouvré tous leurs souvenirs au bout de quelques mois. Les autres avaient été forcés d'adopter une nouvelle identité.

– Il est possible que tu ne te rappelles jamais ta vie avant ton arrivée à Aabit, mais cela ne doit surtout pas te causer de l'angoisse.

Bahia ne lui avoua pas que son véritable père veillait secrètement sur elle. C'était son seul espoir de retrouver les siens, un jour.

– Si tu veux un bon conseil, accepte ton sort et essaie de n'en voir que les aspects positifs. Tu aurais très bien pu te retrouver dans une mine du nord, à transporter de l'eau pour les esclaves pendant le restant de tes jours. Ici, tu seras bien traitée. Le Prince Fouad est un homme généreux et compréhensif. La preuve, c'est qu'il a remarqué ton attirance pour le combat et qu'il est disposé à assouvir ta curiosité. Dorénavant, tu vivras

411

avec ma famille. Je t'apprendrai à manier les armes légères jusqu'à ce que Son Altesse te réclame.

– Je vous en remercie.

Il lui demanda de lui tendre les mains et les examina attentivement.

– Comment t'appelles-tu ?

– Bahia, je crois...

Sans savoir d'où elle venait, il pouvait déjà deviner que ce n'était pas une paysanne. Sa peau était douce et parfaite comme celle des petites princesses et, pourtant, ses bras étaient musclés. Son attrait pour les arts martiaux provenait-il de cette vie dont elle n'avait plus aucun souvenir ?

– Allez, viens me montrer de quoi tu es capable.

Idriss la ramena parmi ses élèves et lui demanda de choisir une arme au hasard. Bahia promena son regard sur les supports de bois et aperçut un long bâton. Il ne se terminait pas par des lames, mais il ressemblait beaucoup à ce qu'elle avait vu dans son dernier souvenir. Elle alla le chercher et le présenta à Idriss.

– Très bien. Sais-tu comment t'en servir ?

Instinctivement, la petite se mit à le faire tourner de chaque côté d'elle en un mouvement giratoire, de plus en plus rapidement.

– Où as-tu appris à faire ça ? s'émerveilla le soldat.

– Je ne sais pas...

Les garçons ne comprenaient rien à leur échange, car ils ne parlaient pas le Ressakan.

– Maître, qui est-elle ? demanda l'un d'eux.

– C'est la nouvelle acquisition du prince, et il désire qu'elle apprenne à se battre.

– Mais c'est une fille.

– Elle a des bras et des jambes comme toi, Rami.

– Vous nous avez appris, et nos pères avant vous, que la guerre était réservée aux hommes.

– Qui parle de l'envoyer au combat ?

– Donc, c'est uniquement pour développer ses qualités physiques ?

– C'est exact, jeune homme. Maintenant, reprenez là où vous en étiez, sinon vous poursuivrez l'entraînement jusqu'au lever de la lune !

Idriss s'empara d'un autre long bâton et attaqua Bahia sans avertissement. Elle réagit aussitôt en bloquant ses coups rapides à la manière d'un vétéran. *Il ne suffit pas de riposter dans la vie,* fit une voix dans la tête de la petite, utilisant une

413

langue qui n'était ni celle d'Idriss, ni celle des Madidjins. *Il faut aussi savoir attaquer et imposer le respect à notre adversaire.* Bahia crut qu'il s'agissait de Solis et répondit sur-le-champ à son commandement. En avançant, elle répliqua durement à la charge d'Idriss en le faisant reculer.

— Quelle adresse ! s'exclama le maître d'armes.

— Dans mon souvenir, il y avait des lames à chaque bout du bâton, laissa-t-elle tomber.

— Vraiment ?

— Il est possible que l'homme qui le maniait m'ait montré à m'en servir.

— Était-il très habile ?

— Je ne sais pas.

— Il faudra me le dire lorsque ces souvenirs deviendront plus clairs.

— Oui, bien sûr.

Il lui consacra quelques heures, lui enseignant des attaques et des ripostes différentes. Non seulement l'enfant bloquait tous ses coups, mais elle n'hésitait pas une seconde à passer à l'offensive dès qu'il lui offrait une ouverture. Elle alla ensuite se reposer, à l'ombre du dais, et but de l'eau en observant le travail du maître auprès des garçons qui apprenaient à manier le sabre, le poignard et le javelot.

Dès que le soleil déclina et que le vent chaud du désert fit place à une brise fraîche, Idriss demanda à Bahia de le suivre. Puisqu'il n'était ni un esclave, ni un serviteur, il n'habitait pas chez le prince. En marchant près de lui, la fillette découvrit qu'il y avait toute une ville autour du palais. Les maisons, collées les unes contre les autres, étaient faites de terre battue et les rues grouillaient de monde. Les femmes transportaient des seaux d'eau en équilibre sur leurs têtes tandis que des bambins trottinaient derrière elles en riant. Des hommes poussaient des brouettes chargées de fruits ou de légumes ou menaient de petits troupeaux à travers la ville. Bahia huma l'air. Il se dégageait de cet endroit des odeurs alléchantes.

— Pendant ton entraînement, je m'adresserai à toi en ressakan jusqu'à ce que tu maîtrises bien notre langue, mais à la maison, je ne l'utiliserai pas pour que Madiha parvienne à t'enseigner le Madidjin.

— Dans la vie, on n'en sait jamais trop, répliqua-t-elle.

— Tu es philosophe, en plus ?

Bahia ne savait pas où elle avait déjà entendu cette phrase qu'elle n'avait fait que répéter sans réfléchir, mais elle se doutait qu'elle provenait de son passé. Son protecteur la poussa dans une maison. « Comment fait-il pour la différencier de toutes les autres ? » se demanda l'enfant. Une femme aux longs cheveux miel vint à leur rencontre et écarquilla les yeux en apercevant l'enfant blonde.

— Tu l'as achetée ? s'enquit-elle, mécontente.

— Non, mon aimée.

Même s'il était au service du prince, Idriss ne recevait pas une importante solde et Madiha savait fort bien qu'ils n'avaient pas les moyens de se payer des esclaves.

— Fouad veut que nous nous occupions d'elle.

— Pourquoi ? N'a-t-il pas suffisamment de servantes pour s'en charger ?

— C'est une situation inusitée. Il veut que la petite découvre notre langue, tout en apprenant à manier les armes.

— Est-il tombé sur la tête ?

— On ne parle pas ainsi de son prince, femme.

Bahia ne comprenait pas un mot de ce qu'ils disaient, mais elle ressentait le mécontentement de Madiha.

— Elle devrait plutôt apprendre à cuisiner, à tisser, à coudre et à faire de la musique, pas à se battre.

— Tu pourras lui montrer toutes ces choses en lui enseignant le Madidjin.

— On ne peut pas non plus la promener dans la ville vêtue ainsi.

— Je viens pourtant de le faire.

– Cela va contre les convenances, Idriss. Ne sais-tu rien en dehors des règles du combat ?

Madiha examina l'enfant de la tête aux pieds.

– Elle est maigrichonne, mais je suis certaine que les vêtements de Tamara lui feront. Quand elle s'est mariée, elle a oublié d'apporter la moitié de ses affaires.

La maîtresse de maison tourna les talons et grimpa à l'étage.

– Elle est heureuse que tu sois des nôtres, affirma Idriss en se tournant vers la fillette.

– Ce n'est pas parce que je suis jeune que je suis forcément stupide. Je vois bien qu'elle est fâchée.

– Nous l'avons prise de court, mais tu t'apercevras bien rapidement que c'est la personne la plus merveilleuse de tout Aabit.

– Aabit ?

– C'est la ville principale du *réalté* du Prince Fouad.

– Amène-moi la petite ! leur parvint la voix de Madiha.

Idriss poussa Bahia dans l'étroit escalier, puis dans le corridor qui menait jusqu'à l'arrière de la maison, sur une grande terrasse couverte. La femme lui fit signe d'enlever ses vêtements et d'entrer dans la cuvette d'eau qu'elle venait de remplir pour elle.

– Avant le repas, il faut toujours se laver, lui dit-elle en pesant sur chaque mot, surtout quand on sent la guerre.

Elle déposa une petite éponge dans la main de l'enfant.

– Laver.

Madiha fit le mouvement de se frotter.

– Laver, répéta la princesse en Madidjin.

– Je suis Madiha, ajouta la femme en pointant son index sur elle-même.

Elle l'appuya ensuite sur la poitrine de la petite.

– Bahia, répondit la petite.

– Merveilleux !

Lorsque sa pensionnaire fut enfin présentable, Madiha lui fit enfiler une robe toute simple qui avait appartenu à sa fille.

– Tes cheveux sont plus pâles que les nôtres, fit la femme en les lui brossant, et plus raides aussi. On dirait de la paille. Dans ceux des Madidjins, il y a des vagues, comme sur l'océan.

La fillette ne comprenait rien de ce qu'elle disait, mais elle se sentait rassurée qu'on s'occupe d'elle. Elle mangea ensuite avec le couple, assise par terre sur un grand tapis, et trouva beaucoup de plaisir à plonger les doigts dans la nourriture.

Après le thé, elle participa à la prière, adoptant la position en tailleur des adultes, mais sans saisir ce qui se passait.

La nuit enveloppa bientôt la ville et Madiha emmena Bahia à sa chambre, à l'étage. Elle était meublée d'un lit, d'une petite commode, d'un coffre et d'une lampe à l'huile. L'enfant était si fatiguée qu'elle s'allongea aussitôt sur le matelas. Elle ferma les yeux et se laissa emporter par le sommeil.

Il faisait encore très noir lorsqu'elle fut réveillée par une main qui venait de se poser sur sa bouche. Elle sursauta, mais ne se débattit pas, car elle venait de reconnaître les yeux de Solis.

– Je ne voulais pas que tu ameutes le quartier, lui dit-il en retirant sa main.

– Vous êtes revenu...

– Je tiens toujours mes promesses, ma petite déesse.

– Il ne faut pas qu'Idriss vous trouve ici.

– Ne t'inquiète pas. Sa femme et lui dorment très paisiblement. Viens.

– Où ça ?

– Je veux commencer à te montrer ce que tu pourras faire dans quelques années.

– M'emmenez-vous loin d'Aabit ?

– Dans le désert à l'ouest de la ville et seulement pendant une heure ou deux. Je ne peux malheureusement pas encore te ramener chez moi.

Il prit sa main et Bahia se retrouva instantanément assise sur le sable encore chaud.

– Il me semble avoir déjà fait ça... murmura l'enfant.

– C'est de la magie.

Il fit apparaître autour d'eux un cercle de feu.

– Pour te réchauffer et éloigner les bêtes sauvages, expliqua-t-il.

– Et je pourrai le faire moi aussi ?

– C'est certain, mais pas tout de suite. Ce soir, je vais te révéler ta véritable identité, mais tu devras la garder secrète, sinon ta vie serait en danger.

– Je ferai ce que vous me demandez.

– Sache d'abord que plusieurs dieux veillent sur les hommes. Ils font partie de trois panthéons distincts : celui des reptiliens, celui des rapaces et celui des félins auquel toi et moi appartenons.

– Vous êtes un chat ? fit-elle avec un sourire amusé.

– Un jaguar.

– Qu'est-ce que c'est ?

Solis se transforma aussitôt en un grand fauve jaune parsemé de taches noires ocellées. Bahia poussa un cri de frayeur, mais ne put prendre la fuite, car elle était encerclée par de hautes flammes. Son père reprit aussitôt sa forme humaine.

– Mais… s'étrangla l'enfant.

– Tous les dieux-félins possèdent leur propre manifestation physique.

– Même moi ?

– Toi, tes frères, ta sœur et tes nièces.

– Ils ne sont pas tous des jaguars ?

– Non. Il est très rare que deux dieux héritent de la même apparence animale, mais il y a des exceptions. Je suis un jaguar comme ma mère, et les filles de ta sœur sont des eyras tout comme elle.

– Et moi, que suis-je ?

– Un guépard.

– Décrivez-le-moi.

– Ton pelage sera jaune comme le mien, mais tes taches seront rondes et pleines. Tu seras plus haute sur pattes que moi. Ta tête sera plus petite. Tu auras une courte crinière et tes griffes ne seront pas rétractiles comme les miennes. Tu seras par contre le plus rapide de tous les félins.

La princesse le regarda droit dans les yeux avec une évidente incrédulité.

– Ce soir, je vais t'aider à te métamorphoser pour la première fois, mais nous allons rester à l'intérieur de cette enceinte de feu, car je n'ai nullement envie de poursuivre un guépard effrayé dans le désert, aussi jeune soit-il.

Il attacha autour de son cou une chaînette à laquelle pendait un médaillon dont la surface miroitait comme la lune. Puis, il mit la main sur celle de Bahia et imprima dans son esprit l'image de l'animal qui la représentait.

– C'est moi ?

– Baisse les yeux.

Elle vit que ses doigts étaient recouverts de poils.

– La transformation est-elle douloureuse ?

– Si tu apprends à te métamorphoser correctement, ce ne sera jamais souffrant. Tes vêtements s'intégreront à ton pelage et, lorsque tu reprendras ton apparence humaine, tu ne te retrouveras pas toute nue.

– C'est incroyable...

Solis lâcha sa patte et matérialisa une psyché devant Bahia. Elle s'admira un long moment, étonnée et ravie à la fois.

Le père jaguar élargit alors l'enclos enflammé dans lequel il comptait la garder pour qu'elle puisse d'abord marcher, puis courir et sentir ses nouveaux muscles. Les deux félins se poursuivirent pendant de longues minutes dans tous les sens. Avec regret, Solis dut mettre fin au jeu. Il était important qu'il ramène l'enfant dans son lit avant le lever du jour.

Bahia vit ses bras reprendre leur apparence humaine et dirigea vers son père un regard suppliant, car elle adorait cette nouvelle sensation de liberté.

— Le jour viendra où tu pourras conserver cette apparence, si tu le désires, mais pas maintenant. Si ton corps est déjà puissant, ton esprit doit apprendre à le devenir aussi. Je reviendrai te chercher le plus souvent possible au milieu de la nuit pour que tu n'oublies jamais qui je suis. Il est temps de rentrer maintenant, ma petite déesse.

La petite se retrouva assise sur son lit. Elle était seule dans l'obscurité. « Était-ce un rêve ? » se demanda-t-elle. Elle se recroquevilla et tenta de rappeler à son esprit ce qu'elle venait de vivre. Elle allait désormais être hantée par le besoin de s'affranchir.

25

SOLITUDE

Onyx était assis sur son trône, une jambe croisée par-dessus l'autre. Il avait posé son coude droit sur l'accotoir en velours et son menton sur le dos de sa main. Seuls ses yeux étaient en mouvement tandis qu'ils suivaient Hadrian qui faisait les cent pas devant lui. Pour la première fois de sa vie, l'ancien commandant des Chevaliers d'Émeraude se sentait totalement démuni. Si le dieu-tigre avait emmené Jenifael dans leur monde inaccessible, jamais il ne pourrait la sauver.

— Si tu es vraiment le fils d'Abussos... fit Hadrian en s'immobilisant brusquement.

— Ne recommence pas avec ça, grommela Onyx.

— Pourquoi ne lis-tu pas ce traité toi-même, car tu lis déjà le Venefica, n'est-ce pas ?

Le Roi d'Émeraude se contenta de soupirer avec agacement.

— Et où l'as-tu appris, pour commencer ?

— Probablement ici même lorsque mon père m'a envoyé étudier avec Nomar.

— Mais tu n'en es pas sûr.

Onyx garda le silence.

— Peut-être que tous les dieux savent instinctivement déchiffrer cette langue ancienne.

— Je comprends que tu essaies de te calmer en échafaudant toutes sortes de théories farfelues, mais ça ne te rendra pas Jenifael. Si je suis vraiment un dieu, alors personne ne m'a encore montré à traverser d'un monde à l'autre afin de partir à la recherche d'une déesse manquante. Tu sais bien que je le ferais si je le pouvais.

Hadrian recommença à marcher.

— Tout ce que tu vas réussir à faire si tu continues comme ça, c'est d'user davantage le carrelage, l'avertit Onyx. Viens t'asseoir et essaie de redevenir l'homme que j'ai connu jadis.

— Tu as raison.

L'ancien roi se tira une chaise pour s'installer devant son ami.

— J'ai juré de ne plus boire avant d'avoir retrouvé ma fille, mais je pense que ce soir, ça nous ferait du bien à tous les deux.

Une amphore de vin du sud apparut sur les genoux d'Hadrian tandis que deux magnifiques coupes en or, serties d'émeraude, se matérialisaient dans les mains d'Onyx. Ils se versèrent à boire.

– Au retour de nos êtres chers ! s'exclama le renégat.

Ils dégustèrent la boisson exquise en silence pendant un moment.

– Je n'aime pas que les dieux transportent leurs querelles jusque dans notre univers, grommela Hadrian.

– Ça ne plaît à personne, mais nous ne possédons plus d'armes pour les repousser. Si seulement Danalieth ne m'avait pas enlevé ma griffe...

– Parandar ne lui a-t-il pas récemment ordonné de veiller sur nous ? Pourquoi ne pas lui demander de nous fournir ce qu'il nous faut pour nous défendre ?

– Celui qui a l'oreille du ciel, ce n'est malheureusement pas moi.

– Wellan...

C'est alors que Mali entra dans la vaste salle qui n'était occupée que par les deux hommes, assis devant le feu. Vêtue d'une longue tunique lilas, elle se dirigea tout droit vers eux. Liam la suivait, visiblement mal à l'aise.

– Sires, j'ai une confession à vous faire, déclara-t-elle en joignant nerveusement ses mains sur son ventre rond.

En voyant ses yeux rougis et son visage de la couleur du plâtre, Hadrian alla tout de suite lui chercher une chaise.

Liam resta debout derrière sa femme, serrant les lèvres pour s'efforcer de ne pas parler.

— J'ai recommencé à avoir des visions, confessa Mali.

— Et alors ? la pressa Onyx, intéressé.

— Dans mes rêves, j'ai vu des fauves dévorer des humains, dont une belle mariée.

— Avant le rapt de Jenifael ? s'enquit Hadrian.

Mali hocha la tête positivement et éclata en sanglots.

— Pourquoi ne pas en avoir parlé avant la cérémonie ? se désespéra l'ancien souverain.

— Liam croyait que ce n'était que des cauchemars sans importance.

— Bon, ça y est, maugréa le jeune mari. C'est encore de ma faute.

— Y avait-il dans ces visions des détails qui pourraient nous aider à retrouver Jenifael ? demanda Hadrian.

— Une grande cour dont les murs étaient recouverts de cristal, comme une arène.

— Il n'y a rien de tel à Enkidiev...

— C'est ce que je lui ai dit, affirma Liam.

– C'est tout ? se découragea Hadrian.

Mali hocha misérablement la tête pour indiquer que oui.

– Il va nous falloir plus d'informations, laissa tomber Onyx.

– De grâce, ne lui demandez pas de poursuivre ces rêves, les supplia Liam. Il doit sûrement exister une autre façon de les obtenir.

– Je vais questionner Aydine, décida Hadrian. Peut-être sait-elle ce que sont ces arènes, car elle vient d'un monde très différent du nôtre. Sinon, je ferai une recherche à la bibliothèque.

– Si jamais je vois autre chose, cette fois, je vous en ferai part dès mon réveil, promit Mali.

– Après deux ou trois indigestions, siffla Liam entre ses dents.

Exaspéré, il prit le bras de sa femme et l'incita à se lever.

– Si vous voulez bien nous excuser, Mali a vraiment besoin de repos, fit-il.

Hadrian quitta le hall avec eux, car Aydine dormait dans une chambre non loin des appartements du jeune couple. Se retrouvant seul, Onyx termina le vin et se dirigea vers le vestibule en écoutant ses talons qui résonnaient sur les carreaux. Il grimpa l'escalier sans se presser et entra chez lui.

Swan sortait de la chambre d'Anoki, où elle avait pris le temps de lui conter une histoire.

— Tu as bu ?

— Juste un peu, pour réconforter Hadrian.

Il s'assit sur le lit et enleva ses bottes.

— Au lieu de partir à la recherche de la fille de Bridgess, pourquoi ne te concentres-tu pas sur la disparition de tes propres enfants ?

Si elle lui avait planté un poignard dans le cœur, elle ne lui aurait pas fait plus mal.

— Que crois-tu que j'ai fait à Enlilkisar ?

— Poursuivre des fantômes ?

Il se retourna vivement vers elle, le visage rouge feu.

— Tu es revenu les mains vides, ajouta-t-elle.

— Cornéliane nous a été ravie par un dieu !

Refusant de se laisser gagner par sa colère, Swan prit place à sa table de toilette et brossa ses cheveux.

— Fabian est de retour, lui apprit-elle. Il a rendu visite à Atlance, puis il est parti à la recherche de Maximilien. Peut-être aurait-il plus de succès que toi si je lui demandais de retrouver Cornéliane.

— Qu'est-ce que tu essaies aussi cruellement de me dire ?

— Que j'ai envie de récupérer la famille que tu as fait fuir par tes exigences impossibles.

— Quoi ? hurla-t-il.

Dans les appartements voisins, les bébés de Kira se mirent à pleurer.

— Je les ai tous mis en garde contre ce qui allait leur arriver ! Comment oses-tu me faire ce reproche ?

— Atlance serait encore ici si tu avais accepté son choix d'épouse.

— Et qu'est-ce que j'ai fait pour que Maximilien se mette à enquêter sur sa véritable famille ?

— Tu ne lui as pas suffisamment fait sentir ton amour.

— Tu me dis une chose pareille alors que c'est moi qui l'ai élevé avec ses frères pendant que tu suivais les Chevaliers d'Émeraude à la guerre ?

Des coups sourds retentirent à la porte.

— Je ne veux pas me mêler de ce qui ne me regarde pas, mais si vous ne baissez pas bientôt la voix, je vais vous apporter mes jumeaux pour que vous les berciez toute la nuit, les menaça Kira.

— Et c'est de ma faute aussi, si Fabian s'est jeté dans les bras d'Aquilée comme un imbécile ? poursuivit Onyx, en colère.

— Il ne savait plus comment te prouver sa valeur.

— Tu vas également me dire que si j'avais été plus puissant, Nemeroff serait encore en vie ?

— S'il était ici, il arriverait sans doute mieux que moi à te mettre du plomb dans la tête.

— M'entendez-vous ? appela Kira.

Onyx saisit ses bottes et se dématérialisa. Swan alla immédiatement ouvrir à sa voisine d'étage.

— Je suis vraiment désolée, s'excusa-t-elle, mais il fallait qu'il sache que tout ce qui nous arrive, c'est lui qui l'a cherché.

— Où est-il ?

— Il a disparu, et j'espère sincèrement pour lui qu'il est allé réfléchir à mes paroles. Le seul enfant qu'il me reste, c'est un magnifique petit garçon qu'il m'a ramené de Tepecoalt. Ceux que j'ai mis au monde ont déserté parce qu'Onyx est incapable de se montrer flexible. Je veux juste lui faire comprendre que j'ai besoin qu'ils reviennent tous à la maison.

Kira attira Swan dans ses bras et la serra avec affection.

– En tout cas, moi, je le comprends. Je ne pourrais même pas imaginer être séparée des miens, même si je sais que le but de l'éducation, c'est de faire de nos petits des adultes responsables qui seront en mesure de vivre un jour leur vie sans nous.

– Sauf que les tiens reviendront toujours vers toi...

Onyx se matérialisa d'abord à Espérita, ville désormais abandonnée par ceux qui y avaient vécu si longtemps en exil. Il marcha entre les fermes abandonnées, recouvertes de glace et de neige. Le Roi d'Émeraude était si irrité qu'il ne sentait même pas le froid qui s'insinuait sous ses vêtements.

Il se rendit jusqu'à la rampe que Kira avait jadis créée pour faciliter la fuite des Espéritiens sur la falaise du Royaume des Esprits. Les bras croisés, il se perdit dans ses souvenirs. Le visage déterminé de son aîné refit surface dans sa mémoire. Nemeroff avait été son meilleur espoir parmi ses fils, celui qui aurait dû lui succéder, mais il avait connu une fin atroce entre les mains de ses ennemis. Une larme coula sur la joue d'Onyx.

Le renégat avait gravi tous les échelons pour réaliser son rêve. De simple paysan, il s'était élevé lui-même au rang de souverain de son pays de naissance. Mais aucun honneur aussi grand soit-il ne pouvait le consoler de la perte de Nemeroff. Il avait longtemps réussi à engourdir sa peine avec l'alcool, mais maintenant qu'il était sobre, la douleur était encore plus aiguë qu'avant.

Au sud d'Enkidiev, qu'il pouvait apercevoir au loin, des éclairs déchirèrent l'obscurité. La saison froide venait de commencer et la pluie allait bientôt s'abattre sur tous les royaumes. À Espérita, elle se changerait en cristaux de neige. Onyx se frictionna les bras, conscient pour la première fois du danger qu'il courait en restant dans ce climat inhospitalier. Il ferma les yeux et se transporta à Irianeth.

Depuis que l'Empereur Noir et toutes ses créatures avaient été anéantis, il ne risquait plus rien. Il apparut sur le quai de pierre où les vagues venaient se briser. Le temps était beaucoup plus doux sur ce continent et surtout, il ne pleuvait pas encore. Il laissa le vent tiède jouer dans ses cheveux en tentant désespérément de se rassurer. Il n'avait pas fait tout ce chemin pour aboutir à un tel échec.

Lorsque la fatigue finit par le gagner, Onyx marcha jusqu'à la plage de cailloux et remonta jusqu'à l'amas de pierres et de cristaux qui restait de la forteresse d'Amecareth. La destruction de celle-ci représentait une grande victoire pour les humains et le début d'un temps de paix bien mérité.

« Pourquoi les choses ne se sont-elles pas ensuite passées comme je le désirais ? » s'interrogea-t-il. Sentant trembler ses jambes d'épuisement, le renégat fit apparaître un peu plus loin la maison de pierre dont il s'était emparée une première fois à Agénor. Il alluma un feu magique au milieu de son unique pièce et se coucha sur le sol.

« Que dois-je faire maintenant pour rétablir les choses ? » tenta-t-il de s'encourager. Son avenir n'était pas très reluisant : sa femme s'éloignait de plus en plus de lui et tous ses enfants étaient partis. «Recommencer ailleurs ? Retourner dans le passé et terminer sa vie auprès de sa première famille ?» se demanda-t-il. Comme tous les autres hommes, il n'aspirait qu'au bonheur, mais celui-ci semblait constamment lui échapper.

Juste avant qu'il ferme les yeux, la théorie des dieux ébauchée par Wellan lui revint en tête. «La seule façon de savoir si j'en suis un serait de me donner la mort, puisque les dieux sont immortels. Mais si, comme j'ai raison de le croire, je ne suis qu'un homme plus rusé que les autres, je me retrouverai devant les portes des grandes plaines de lumière où on refusera de me laisser entrer.» Il s'endormit sur cette pensée dérangeante.

Au matin, il se rendit compte que le repos n'avait pas chassé sa mélancolie. Il sortit de la chaumière et constata, avec le plus grand étonnement, que tout le littoral était recouvert de fleurs multicolores ! La Fée Éliane avait oublié d'informer les habitants d'Enkidiev qu'elle avait apporté certaines modifications au paysage désertique d'Irianeth lors de son passage. Onyx trouva aussi de jeunes arbres qui poussaient non loin de la côte ainsi que de nombreux ruisseaux. Les oiseaux étaient revenus dans ce coin stérile du monde qui promettait de redevenir incessamment une terre d'accueil.

Il s'arrêta finalement au sommet d'une petite falaise qui surplombait l'océan et s'assit pour réfléchir. Il n'avait pas faim et se contenta de faire apparaître un seau d'eau fraîche près de lui dans lequel il plongea les mains. Il en but quelques gorgées et s'aspergea le visage en observant le lever du soleil à l'horizon. «Pourquoi ma vie ne peut-elle pas être aussi douce qu'en ce moment?» se découragea-t-il. Ne voyant pas comment il pourrait renverser sa situation et aspirer enfin au bonheur, il sombra davantage dans l'amertume.

— Abussos ! hurla-t-il de tous ses poumons.

Sa voix se répercuta sur les montagnes environnantes qui, elles, étaient toujours couvertes de roc.

— Je ne sais pas à quoi vous jouez, là-haut, mais les hommes sont dégoûtés de vos petits jeux de pouvoir ! Ils en ont assez de faire les frais de vos incessantes querelles ! Ils veulent vivre en paix ! Restez dans votre monde et laissez-nous tranquilles !

Près du Roi d'Émeraude, un homme blond portant une longue tunique blanche apparut, assis lui aussi sur le bord de la falaise. Onyx chargea ses mains, mais reconnut ses traits, juste à temps.

— Hawke ?

— Nous sommes loin de l'époque où j'étais le magicien d'Émeraude et que tu étais Farrell, mon apprenti.

— Ma femme m'a dit que c'était toi qui avais enfoncé une grosse pierre dans mon balcon.

— Attention, ce n'est pas un vulgaire caillou. Abussos lui-même a offert plusieurs de ces talismans aux Sholiens, jadis. Ils ont plusieurs fonctions. Celle que j'ai laissée au palais sert à avertir les dieux que tu es sous la protection des dieux-fondateurs.

— Moi ?

– Dois-je conclure de ton étonnement que tu ne connais pas encore ta véritable identité ?

– Wellan et Hadrian m'ont exposé leur théorie farfelue de la création du monde. Pour tout te dire, je n'y crois pas.

– Pour quelle raison ?

– Parce que, depuis la nuit des temps, les dieux prennent un malin plaisir à nous induire en erreur. Corindon lui-même m'a affirmé que j'étais un dieu-félin. Puis là, c'est Wellan qui se met à traduire des livres anciens en Venefica et qui me dit que je suis le fils d'Abussos ! Nous avons de vraies vies à mener ici-bas, Hawke. Nous n'avons rien à faire des manigances de panthéons qui ne savent plus comment occuper leur éternité.

– Et si je te confirmais que Wellan t'a dit la vérité, est-ce que tu changerais d'avis ?

– Personne ne possède une connaissance aussi poussée de ce qui s'est passé lors de la création du monde.

– Akuretari n'avait-il pas commencé à t'en parler ?

Le souvenir de ce dieu, qui s'était alors fait passer pour l'Immortel Nomar, ranima de vifs sentiments dans le cœur d'Onyx.

– Il m'a surtout montré à utiliser ma puissance guerrière, grommela le renégat.

– Ses méthodes étaient douteuses, mais il a tout de même réussi à réveiller le dieu qui sommeillait en toi.

– Si j'en étais vraiment un, je ne serais pas dans un tel pétrin, en ce moment.

– Je t'en prie, écoute-moi sans m'interrompre. Lorsque j'ai quitté Émeraude, c'était pour me consacrer au retour des Sholiens à Enkidiev. Ensemble, nous avons construit un sanctuaire pour qu'Abussos puisse revenir nous instruire lui-même, comme jadis.

Pour réprimer un commentaire désobligeant, Onyx se mit à boire de l'eau à même le seau.

– Il nous a parlé de son amour pour tous les enfants qu'il a engendrés avec Lessien Idril après Aufaniae et Aiapaec. Il nous a dit que c'est toi qui l'inquiétais le plus, car tu refuses ton destin de pacificateur.

– Pacificateur! explosa Onyx. Tu vois bien qu'il s'est trompé! Je suis un homme de guerre!

– C'est exactement ce qui l'ennuie le plus.

– Si Wellan dit vrai, qu'Abussos s'adresse à Lassa, car de nous deux, c'est lui le véritable amant de la paix.

– En fait, tout ce qui existe dans l'univers a deux facettes: une positive et une négative.

– Pas besoin de me dire laquelle je suis...

– Laisse-moi te prouver que tu as tort. Dans le tout qu'ils forment ensemble, Lessien Idril est l'énergie négative et passive tandis qu'Abussos est l'énergie positive et active. La déesse réfléchit alors que son époux agit. Elle tend les bras avec amour alors qu'il exige avec autorité.

– Es-tu bien certain de ce que tu avances, Hawke ?

– J'étudie les textes primordiaux avec les Sholiens depuis des années maintenant.

– C'est vraiment l'énergie positive qui pousse à l'action ? s'étonna-t-il.

– Eh oui. Les humains, tout comme les Elfes et les Fées, possèdent en eux ces deux forces qu'ils doivent à tout prix maintenir en équilibre. C'est l'énergie positive qui permet aux Chevaliers d'attaquer leurs ennemis avec des rayons ardents, et c'est l'énergie négative qui leur sert à guérir les blessures. Elles émanent pourtant des mêmes mains.

– Revenons un peu en arrière, exigea Onyx. Admettons que Lassa et moi sommes vraiment les enfants des dieux-fondateurs, est-ce pour cette raison qu'il déteste se battre et que je ne vis que pour ça ?

– Ton raisonnement est juste. D'ailleurs, si tu n'étais pas né, Lassa n'aurait pas pu exister. Vous êtes les deux pôles complémentaires d'un même éclair.

– Mais il y a une différence de plus de cinq cents ans entre nous !

— Ce qui signifie tout simplement que la foudre a frappé une première fois dans ta famille, puis a poursuivi sa route à travers l'Éther sur une orbite en forme d'ellipse avant d'atteindre celle de Lassa.

— Tout simplement, hein ?

— Pour moi, c'est clair comme de l'eau de roche, mais il ne faut pas oublier que j'analyse ces informations historiques tous les jours.

Onyx versa le reste de l'eau sur sa tête et frissonna.

— Je suis pourtant bien réveillé...

— Et je suis bel et bien là, ajouta Hawke.

— Pourquoi mes vrais parents ne se sont-ils jamais manifestés dans ma très longue vie ?

— Parce que ce n'était pas encore le bon moment.

— Ont-ils l'intention de le faire ?

— Si les chefs des panthéons n'arrivent pas à s'entendre très bientôt, ils pourraient vous demander d'intervenir.

— Mais je me moque de leurs querelles ridicules. J'ai assez de ma propre vie à remettre en ordre.

— Tu oublies que si ces dieux se déclarent la guerre, notre monde cessera d'exister.

Onyx décocha un regard dubitatif à l'ancien Chevalier, mais ne répliqua pas.

— Tu as raison de ne pas croire tout ce que tu entends, poursuivit Hawke, mais avant de rejeter mes propos du revers de la main, prends le temps de méditer sur ton passé. Tu verras assez rapidement que les pouvoirs que tu maîtrises sont divins. D'ailleurs, est-ce que je me trompe en disant que tu lis déjà le Venefica sans effort ?

Le renégat ne répondit pas.

— Le seul conseil que je peux te donner, c'est de poursuivre ta vie de ton mieux en attendant qu'Abussos ait recours à toi.

— De mon mieux ? Dans ce cas, c'est bien mal parti.

— Je dois retourner au sanctuaire, maintenant.

— Dis-moi où il se situe, au cas où j'aurais besoin de te reparler.

— Il a été creusé dans la falaise de Shola et il est très difficile d'accès... pour les hommes ordinaires.

Le sourire amusé de Hawke rassura aussitôt le Roi d'Émeraude, qui comprenait qu'il s'agissait d'une entrée magique.

— J'ai une dernière question, fit-il.

— Je t'écoute, Onyx.

– Qui est l'Immortel qui me suit pas à pas ?

– C'est le fidèle serviteur d'Abussos. Il a reçu l'ordre de te surveiller pour que tu ne fasses pas de bêtises jusqu'à ce que le différend qui oppose les dieux soit réglé.

– Je vois...

– Que ton cœur te fasse prendre des décisions éclairées, mon ami.

Hawke disparut, laissant Onyx aux prises avec toutes ses questions existentielles.

26

LE SANCTUAIRE

Hawke se matérialisa dans la salle de recueillement du sanctuaire, assis sur le sol, devant l'autel sur lequel reposait le livre des mages. Puisque les moines sholiens étaient encore au réfectoire à cette heure, il n'y avait personne sur les sièges bas. L'Elfe leva les yeux sur la statue géante du dieu-hippocampe tout au fond de la grotte. Quelle ne fut pas sa surprise de voir apparaître un homme de grande stature entre la table en pierre et l'idole. Il portait une tunique courte et un pantalon de suède noirs ornés de franges et de petites perles rouges, grises et blanches. Ses longs cheveux noirs retombaient dans son dos, aussi brillants que de la soie.

— Tu as réussi à calmer une partie de ses angoisses, fit Abussos en s'avançant.

Hawke se prosterna sur-le-champ.

— Relève-toi.

L'Elfe lui obéit, mais n'osa pas le regarder dans les yeux.

— Ta loyauté me réchauffe le cœur, Hawke.

– J'ai compris, à la lecture du livre sacré, que rien n'existerait sans Lessien Idril et vous, alors j'ai décidé de servir dorénavant les dieux-fondateurs.

– Nous sommes satisfaits de tes efforts pour conserver l'équilibre du monde.

– Si j'ai apaisé une parcelle des craintes de votre fils, vénérable Abussos, je ne suis par contre pas aussi certain de l'avoir convaincu de ses origines divines. Il continue de prétendre qu'il n'est qu'un humain comme tous les autres.

– Il n'est pas nécessaire qu'il y croie pour l'instant, mais uniquement qu'il en soit informé.

– S'il y a autre chose que je peux faire pour vous assister dans vos efforts pour rétablir la paix dans l'univers, n'hésitez pas à faire appel à moi.

– Continue à rassembler les Sholiens qui errent dans le monde, mon fidèle Hawke. Je reviendrai vers toi lorsque le temps sera venu.

Une éclatante spirale lumineuse se forma aux pieds du dieu-hippocampe et remonta jusqu'à sa tête. Lorsqu'elle disparut à travers le plafond de la caverne, elle avait emporté Abussos avec elle.

– Il est bien plus majestueux que sa statue... murmura une voix.

Hawke fit volte-face et aperçut Briag, le visage à demi dissimulé derrière le pourtour de l'entrée de la salle.

— Depuis quand es-tu là ? demanda l'Elfe.

— J'ai tout juste eu le temps de voir son visage.

Les moines commencèrent à arriver dans la salle de recueillement pour les prières du matin. Hawke saisit discrètement la manche de Briag et l'emmena dans une des pièces réservées à la méditation solitaire.

— Est-ce qu'il t'a confié une autre mission ? murmura le Sholien.

— Oui, mais je ne suis pas certain de m'en être acquitté à la perfection.

— Toi ? Mais tout ce que tu fais est toujours parfait !

— Arrête de te moquer de moi.

— S'agissait-il encore une fois de l'indomptable Roi d'Émeraude ?

— Oui. Il semble beaucoup préoccuper Abussos.

— Tu ne vas pas truffer le palais d'Émeraude de toutes nos pierres, au moins.

— Il ne m'a rien demandé de tel, Briag. Il voulait seulement que je tranquillise Onyx qui se fait plutôt malmener par les événements, en ce moment.

— Et tu n'y es pas arrivé ?

– Seulement en partie. Il n'est pas facile de raisonner avec un homme qui a vécu aussi longtemps, car il a des idées arrêtées sur une foule de choses, dont le rôle des dieux dans l'univers. Il a appris à ne compter que sur lui-même et à se méfier des autres.

– Est-ce un défaut ?

– Seulement quand ça devient de l'obsession.

Le son cristallin de clochettes de cuivre se fit alors entendre.

– Un visiteur ? s'étonna Briag.

Les deux hommes bondirent dans le couloir et marchèrent rapidement jusqu'à l'entrée où se tenait l'un des doyens de la communauté. Il était pourtant seul...

– De quoi s'agit-il, Lahkpa ? demanda Hawke.

– Il y a, au pied de la falaise, un homme qui tourne en rond. Ses vibrations ressemblent beaucoup aux nôtres. Tu devrais lui parler.

– Je veux y aller avec toi ! supplia Briag.

L'Elfe questionna Lahkpa du regard.

– C'est une très bonne chose qu'il apprenne comment s'y prendre, répondit l'aîné en retournant à l'intérieur du sanctuaire.

Briag trépignait sur place.

— Seulement si tu domptes ton impatience, l'avertit Hawke.

Le jeune Sholien s'immobilisa sur-le-champ.

— Sais-tu comment quitter le champ de protection ?

— Théoriquement... avoua Briag. Jusqu'à présent, personne ne m'a fourni l'occasion de faire une tentative.

— Il pleut à verse, dehors.

— Ça m'est égal. Je m'accrocherai à ta tunique, s'il le faut !

Hawke serra sa main dans la sienne.

— Ferme les yeux et demande silencieusement à l'esprit collectif des moines la permission de franchir la barrière qu'ils ont élevée autour de ce sanctuaire et de nous déposer au pied de la falaise.

Briag le fit sans hésitation. En un instant, les deux hommes se retrouvèrent dans l'herbe mouillée, à la frontière du Royaume des Elfes. Malgré la pluie qui s'abattait durement sur son visage, Hawke aperçut l'étranger qui marchait en marmonnant pour lui-même.

— Je connais cette énergie...

Son ami Sholien sur les talons, l'Elfe alla à la rencontre du pèlerin aux cheveux blonds bouclés collés sur son crâne par le déluge. Il portait une simple tunique de drap complètement trempée.

– Mann ? Est-ce bien toi ?

L'ancien Chevalier s'immobilisa et chassa l'eau de ses yeux pour regarder celui qui l'interpellait.

– Nous sommes tous en danger, déclara l'augure. Je suis venu vous mettre en garde.

– À qui désires-tu t'adresser, exactement ? demanda prudemment Hawke.

– À tous ceux qui veulent bien m'entendre.

L'Elfe saisit sa main, ainsi que celle de Briag, puis les transporta magiquement à l'intérieur du sanctuaire.

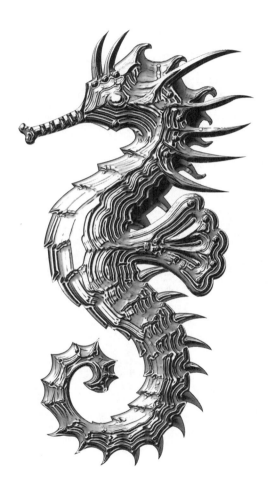

À PARAÎTRE
PRINTEMPS 2012

ANNE
ROBILLARD

LES HÉRITIERS
d'Enkidiev
TOME 5

Abussos

www.anne-robillard.com
www.parandar.com

Imprimé au Québec, Canada
Septembre 2011